La Scala

Frances Mayes

Beautiful
Toscana

Traduzione di
Idolina Landolfi

Rizzoli

Proprietà letteraria riservata
© *1999 by Frances Mayes*
© *2001 RCS Libri S.p.A., Milano*

ISBN 88-17-86786-1

Titolo originale dell'opera:
BELLA TUSCANY

Prima edizione: giugno 2001

PREFAZIONE

Entrando nel *forno*[1] vengo immediatamente circondata dal profumo del pane appena cotto. «Bentornata, signora» mi saluta una donna di Cortona. Forse ho l'aria un po' stordita, dato che sono arrivata la notte precedente da San Francisco, dopo un volo di venti ore, perché subito aggiunge: «Come fa col *jet lag*?»

«Di solito aspetto che passi. Sono così contenta di essere qui che non ci faccio caso... Continuo a svegliarmi alle quattro del mattino per qualche giorno. E lei come fa?»

«Guardo il tramonto. E poi il corpo capisce.»

Mi limito a sorridere, ma dentro di me l'ammiro: saremo anche in un mondo sempre più piccolo, nell'economia globale, sempre più avviati al cosiddetto *melting pot*, ma nell'Italia dei piccoli paesi la vita resta davvero particolare. In qualsiasi direzione ti volti, ciò che vedi è puramente *italiano*.

Quando Beppe, che ci aiuta nell'orto, mi dice che «*La luna è dura*» e che dobbiamo raccogliere le cipolle il giorno stesso, mi rammenta l'importanza delle fasi lunari. «Ma per piantare la lattuga dobbiamo aspettare *quando la luna è tenera*» soggiunge.

Scendendo in città per un caffè, vedo un cameriere che

---

[1] In italiano nel testo. In seguito, tutte le parole o frasi italiane in corsivo devono intendersi in tal modo (*N.d.T.*).

5

porta fuori una ciotola d'acqua per il cane d'un avventore. Mi sento apostrofare, dall'alto: «*Buongiorno, è una bella giornata*». Si tratta di un anziano signore ormai preda d'una felice demenza, il quale si sporge da una finestra del secondo piano salutando la gente a gran voce, con frenetico sventolio di mani. E tutti lo ricambiano con eguale entusiasmo. I negozianti bagnano con secchi d'acqua le soglie delle botteghe, fanno una capatina al bar per un caffè veloce, lasciando il locale privo di sorveglianza, la porta spalancata. Dopo una mezz'ora trascorsa tranquillamente in compagnia di un cappuccino e di un buon libro, faccio per pagare e il cassiere mi dice che ha già pagato Simonetta. Simonetta? La proprietaria della *profumeria* in cui compro talvolta saponi e creme. Mi capita spesso d'essere oggetto di simili cortesie.

Nel negozio di *frutta e verdura* di Matteo e Gabriella vedo il primo cesto di nocciole, ancora coi loro colletti verdi. La stagione sta cambiando, e presto le pesche succose e i peperoni cederanno il posto agli agrumi e al cavolfiore, prodotti completamente diversi. «Guardi» dice Matteo, «la noce fresca.» La schiaccia e toglie la pelle con cura, me ne passa un pezzo mondo, color dell'avorio. «Le deve mangiare entro tre o quattro giorni, perché poi diventano troppo secche.» Quel sapore non mi è del tutto ignoto: quando ero bambina la nostra cuoca Willie Bell le pestava e col succo mi curava la tricofizia alle mani, o le irritazioni da edera velenosa. Le noci fresche sono sfere dorate, appena un po' umide. «Sono ottime per chi ha la pressione bassa» continua Matteo «ma non ne mangi troppe perché fanno venire la febbre.»

Così comincia un altro giorno, in questa cittadina toscana. Venendo in Italia so che devo aspettarmi un sacco di novità; ma ciò che non riesco mai a prevedere abbastanza è la felicità di vivere il quotidiano: *la dolce vita*, come si dice.

Sotto il sole della Toscana, il mio primo libro, racconta della scoperta di Bramasole, una casa abbandonata sotto un muro etrusco dell'VIII secolo a.C. Conoscere a poco a poco la magnifica città di Cortona, l'entusiasmo di cucinare in un paese straniero, il gran lavoro di restauro della casa, la pulizia del terreno dai rovi, l'incontro con nuove persone... a simili piaceri si affiancava quello, ben più profondo, di imparare a vivere una nuova vita. Persino il nome della dimora rappresentava per me un motivo di fascino: *Bramasole*, qualcosa che brama, desidera il sole. Come me, appunto.

«Passo di finestra in finestra, guardando fuori»: scrivendo l'ultima riga di *Sotto il sole della Toscana* ho anche scritto la prima di *Beautiful Toscana*. Sapevo di essere solo all'inizio della mia esperienza in Italia, l'esperienza più intima, naturalmente, insieme a quella esteriore. I paesaggi, per esempio, sono così vari! Dalla mia finestra al primo piano vedo il profilo degli Appennini. Alla fine delle pendici boscose, verso la valle, cominciano gli oliveti, e le case coloniche in pietra, dai colori caldi e il tetto di tegole. Un paesaggio così è senza tempo, tranne che per il francobollo azzurro in lontananza, ovvero la piscina di alcuni amici. Ovunque – a nord, a sud, a est, a ovest – ovunque emerge intero il fascino dell'Italia! La conosco meglio, adesso, dopo parecchie estati trascorse a visitarla. Sono stata nel tacco, in Sicilia, nelle regioni del Veneto ricche di acque: sintomatici estremi d'una medesima nazione. Mi sono innamorata di Verona, della Basilicata, delle Marche, di Bellagio, di Asolo, di Bologna... e delle cittadine turrite attorno al lago Trasimeno, che vedo dalla mia proprietà.

Viaggiando in cerchi concentrici, da Bramasole verso l'esterno, si approfondisce la mia percezione della complessità e della ricchezza del paese. E c'è la gioia del ritornare a questa casa color rosa e albicocca, di fronte alla valle. Sembra un paradiso, e perciò mi adopero con tutte le mie forze perché rimanga tale. Mi è sempre piaciuto dedicarmi al giardinaggio, sebbene da dilettante. In realtà non amo tanto il giardinaggio in sé quanto i suoi esiti: le distese di fiori allineati che si schiudono, o il disegno del giardino, cioè

7

dove mettere i grandi vasi o come fare in modo da vedere, dalle finestre, strisce multicolori. Ho comprato plateau di fiori sul punto di sbocciare, li ho piantati nel terreno. Adesso mi sono convertita alla causa, ho acquisito il ritmo sostenuto di chi si dedica a un giardino. Faccio il concime con i fondi del caffè e le bucce delle patate. Ho imparato a zappare a fondo.

Insieme a due uomini che sanno tutto della terra, Ed e io abbiamo allestito vaste aiuole di erbe aromatiche. Sappiamo che piantando castagni, cipressi e conifere dovremo attendere molto per vederli adulti, essendo a crescita lenta; mentre il bel melograno, il ciliegio, il pero sono alberi che si sviluppano più rapidamente. Ogni visita al vivaio termina immancabilmente con l'acquisto di un'altra rosa profumata. La pioggia esalta un diverso tipo di odore, quello acido e umido del letame di pecora, scaricato da un silenzioso pastore sardo sulla seconda terrazza, proprio sopra il salotto. Non potendo spostare i sacchi, siamo costretti, quando piove, a spostarci noi dall'altra parte della casa.

Comprare una proprietà a dodicimila chilometri da casa può sembrare un enorme azzardo, ma noi, semplicemente, viviamo qui, e chi potrebbe mai quantificare la felicità? Una casa che ami, a cui hai lavorato alacremente, diventa parte di te. Molti americani mi hanno detto che arrivando in Italia si sono sorpresi a pensare: *Eccomi a casa.* La mia stessa sensazione, la prima volta che sono giunta qui. Sensazione ora ancor più intensa: e, come accade rispetto a una persona amata, mi ritrovo atterrita all'idea di *non poterne fare a meno.* Mentre la casa seguita la sua vita, indifferente ai mutamenti di tempo, di luce.

Cortona, 1° settembre 1998

PRIMAVERA

Quale felicità che le ombre dei cipressi segnino di larghe strisce scure la strada inondata di sole; quale felicità vedere, nel mio primo giorno di ritorno a Cortona, un falegname che trasporta sulle spalle delle assi, con il suo gatto tigrato in equilibrio su di esse come su una tavola da surf, la coda ritta. Il falegname depone le assi su due cavalletti e comincia a fischiettare. Il gatto si piega e ondeggia col suo stesso movimento: un gatto lavoratore. Resto a osservarli per qualche istante, poi vado in città a prendere un cappuccino. *Grazie*, penso. Quale felicità che le fiammate gialle della forsizia illuminino i colli. Dopo sette estati trascorse qui, Ed e io proviamo ancora una grande gioia nel girare la chiave nella toppa. Sono affascinata dalle cime arrotondate degli Appennini, da questa casa così particolare, piena di sole, e dal ritmo della vita di ogni giorno in una cittadina toscana. Ed è innamorato della terra, ormai conosce tutti gli olivi, uno per uno.

Quale felicità! Altrimenti sarebbe stato meglio mettere un cartello «IN VENDITA» davanti al cancello dieci minuti dopo il nostro arrivo, perché nessun pozzo ha la pompa funzionante: quella del vecchio pozzo fa un rumore stridente se si tenta di accenderla, quella del nuovo una specie di ronzio. Ci sporgiamo a guardare nella cisterna: almeno resta acqua sufficiente per i prossimi giorni.

Quando sistemammo la pompa giù nel nuovo pozzo, sei

anni fa, credevo che non l'avrei più rivista: invece adesso, la prima mattina dopo il nostro ritorno, tre idraulici, le teste dentro la bocca del pozzo, la tirano su con l'aiuto di corde. È enorme. Giacomo sta in piedi sul parapetto, gli altri lo circondano. Contano – *uno, due, tre* – e la issano. Sono a torso nudo, bestemmiano e ridono. Quando la pompa arriva su, per poco Giacomo non cade all'indietro. La portano sul loro camioncino.

La pompa del vecchio pozzo (sostituita l'anno scorso) viene fuori più facilmente. Emerge trascinandosi dietro radici di fico, e appena la vedono dicono che non funzionerà mai più. Perché? Cominciano a scavare per cercare i cavi di alimentazione. A metà giornata tutto il vialetto è sottosopra, il prato mostra delle buche qua e là, ma il mistero è risolto: i topi hanno rosicchiato il rivestimento isolante dei cavi, provocando un cortocircuito. Perché mai, mi domando, si cibano di plastica quando hanno a disposizione mandorle e nocciole?

Anche la pompa del pozzo più recente è fuori combattimento. *Kaput.* Ma il terzo giorno abbiamo già due pompe nuove, i cavi sigillati col silicone (precauzione che i primi idraulici avevano trascurato di prendere), acqua in abbondanza, un vialetto rappezzato alla bell'e meglio, e un conto in banca agli sgoccioli. Se i topi mangiano la plastica, che cosa impedirà loro di mangiare anche il silicone?

Quale felicità, che a cena ci servano fagiano e patate arrosto alla *trattoria* in collina, e che la precoce notte di marzo ci regali milioni di stelle palpitanti, perché altrimenti Ed sarebbe stato tutta la sera a scarabocchiare liste di cose da fare: seminare l'erba, potare gli alberi, costruire un capanno per gli attrezzi, risistemare i due vecchi bagni, con nuove fosse biologiche, ridipingere le persiane, comprare una scrivania e qualcosa per appendere i vestiti, piantare gli alberi, ampliare l'orto.

Primo Bianchi, un muratore di cui ci siamo già serviti in passato per i restauri della casa, arriva per discutere con noi i nuovi lavori. Dice di poter cominciare a luglio. «A gennaio sono salito sul vostro tetto» aggiunge. «La vostra amica Donatella mi ha chiamato perché c'era uno squarcio.» Infatti avevamo visto la gora d'umido sul muro giallo del mio studio. «Il vento deve aver spostato delle tegole e mentre ci lavoravo, il pomeriggio, una raffica mi ha buttato giù la scala.»

«Oh, no!»

Scoppia a ridere, puntando entrambi gli indici verso terra, come a dire: «Fa' che non accada qui». In inverno il buio arriva presto: e me lo immagino, il pover'uomo: sulle tegole gelide, appoggiato al comignolo, col vento che gli arruffa i capelli, gli occhi azzurri fissi alla strada sottostante. «Ho aspettato» continua «ma non è venuto nessuno. Poi una macchina, ma non mi ha sentito. Dopo forse due ore è passata una donna, a piedi, e le ho chiesto aiuto. Questa casa era disabitata da così tanto tempo... quando mi ha visto sul tetto agitare le braccia, avrà pensato che fossi un fantasma e ha gridato. Dovete cominciare a pensare a un tetto nuovo...»

Prende le misure per i tubi occorrenti al nuovo sistema di scolo delle acque: il suo schizzo sembra il piano per una guerra di trincea. «Sbrigatevi a ordinare i nuovi sanitari per i bagni, se volete che tutto sia pronto per luglio.»

Quale felicità che Bramasole sia così ben restaurata: riscaldamento centralizzato, porte nuove, la cucina a posto, un bel bagno, le travi ripulite, tutto ritinteggiato, i muri in pietra ricostruiti, la *cantina* risistemata per accogliere olio e vino. Altrimenti questi nuovi progetti potrebbero sembrare un restauro in sé, data la loro mole. «Se pensate un giorno di aver finito, con queste vecchie case» ci dice Primo Bianchi «ebbene, sappiate che comunque loro non hanno mai finito con voi.»

L'aria mite della primavera: una gioia solo a respirarla. Lungo le terrazze si sono formati dei ruscelletti. Mi levo le scarpe e mi bagno i piedi nell'acqua freddissima. Le pendici rocciose dei colli sono coperte di felci, di vegetazione verde brillante. Una lucertola appena nata mi passa sulle dita dei piedi, ne sento sulla pelle i piccoli unghioli.

Primavera, l'erba bagnata luccica. Per la prima volta mi trovo in Europa in questa stagione. In Proust ho letto soltanto dei castagni in fiore, e in Nabokov dei viali di tigli, e in Colette delle violette dalla doppia corolla. Ma nessuno mi ha mai parlato dei meli cotogni, del loro rosa vivo contro i muri in pietra. Nessuno mi ha raccontato del vento primaverile, che può essere terribile. Nessuno mi ha mai detto del lillà, e durante le mie estati in Italia non ne avevo mai notato le foglie a forma di cuore. Adesso vedo le colline toscane ricoperte di cespi di lavanda bianca o violetta. Vicino a Bramasole, un sentiero fiancheggiato da una siepe di lillà conduce a una casa colonica abbandonata, e sotto la pioggia ne colgo a fasci, da mettere in ogni brocca o vaso di casa. Più di qualsiasi altro fiore, il profumo incantato della lavanda sembra il più adatto a evocare antichi ricordi, mi riporta agli anni del college in Virginia e alla prima volta in cui lo sentii (infatti non cresce nel clima troppo caldo della Georgia, dove ho trascorso l'infanzia). Mi rammento d'aver pensato: «Come ho fatto a vivere diciotto anni senza conoscerlo?» In quel periodo mi ero follemente innamorata del mio professore di filosofia, sposato e con tre figli, e ascoltavo sempre la canzone di Harry Bellafonte, *Green grow the lilacs all sparkling with dew*. La finestra accanto al mio letto, in camerata, dava sul James River, che intravedevo attraverso un intrico di rovi. *Springtime is here and it's here without you*. Il mio professore indossava camicie non stirate, e io me la prendevo con la moglie; e non m'importava se aveva un vistoso riporto sulla testa ormai pelata.

Le violette dal profumo dolcissimo, che prende alla gola,

crescono spontanee ai bordi delle piccole polle; mentre le giunchiglie, o *tromboni*, piantate da noi, si affollano lungo i terrazzamenti. Le nuvole candide del *biancospino* (o, come dicono da queste parti, *pungitopo*) si concentrano maggiormente più in alto; e più giù gli alberi da frutta danno il meglio di sé. Noi non vogliamo falciare: tra l'erba rigogliosa si nascondono le margherite e i fiori di camomilla.

Che cos'è questa gioia che mi invade a ondate? Il tempo, il dono del tempo, il suo scorrere libero: una cosa tipica dell'Italia. Essendo del Sud, sono abituata alla gente che parla della Guerra Civile come se fosse avvenuta dieci anni fa, di persone morte e sepolte da tempo immemorabile. Talvolta mi capita di immaginare Mamma Mayes che varca la soglia, portandosi dietro il profumo del talco alla lavanda, col morbido corpo le cui linee intravedevo sotto l'abito di seta stampata. Da qui, da questa strada, è passato Annibale, per andare a combattere contro il romano Flaminio nel 217 a.C. Tutte le cittadine fortificate come Cortona celebrano gli anniversari di tornei, matrimoni o battaglie avvenuti centinaia di anni fa. Forse la mia diversa percezione del tempo, quando sono qui, si deve anche al fatto che gli italiani hanno così tanti secoli alle spalle. A poco a poco entro nel fluire del tempo. Laddove in California mi muovo invece contro il tempo. L'agenda, zeppa di appunti e biglietti da visita, mi accompagna ovunque, e ogni foglio appare scarabocchiato con date di appuntamenti. Cominciando una nuova settimana so che l'importante è giungere al suo termine senza tralasciare nulla. Essere così oberati di impegni, così costretti dai programmi, è spossante. E scrivendo l'elenco dei lavori da portare a compimento, mi rendo conto che dovrò raddoppiare gli sforzi, per ottenere lo scopo. Non ho il tempo di vedere gli amici, e quando ci riesco spero che l'incontro sia breve perché voglio tornarmene a casa a lavorare. Ho letto di una dottoressa americana che continua la professione anche durante il periodo di allattamento del figlio, e usa il tiralatte in autostrada, mentre si reca sul posto di lavoro. E un annuncio nel «Wall Street Journal» offre, alle coppie che non hanno il tempo di andare per negozi, l'acquisto delle fedi per telefono. Sono messa anch'io così male?

L'anno sabbatico: che idea civile. Dovrebbe esistere in ogni tipo di professione. Quest'anno lo abbiamo preso insieme, Ed e io, permettendoci – considerando anche le vacanze estive – sei mesi interi in Italia. Poiché si tratta della mia prima assenza del genere in vent'anni di insegnamento, voglio godermi ogni singolo giorno. Potermi svegliare al mattino senza l'urgenza di dover andare da qualche parte, e vagare per la proprietà alla scoperta di nuovi fiori, mi sembra davvero il *paradiso*. Tra breve sbocceranno gli iris selvatici; le loro teste appuntite, d'un colore bluastro, sembrano crescere sotto il mio sguardo. E i narcisi, anch'essi sul punto di fiorire, sono in pieno rigoglio. Già dai bocci irrompono bagliori di giallo.

Ogni giorno mi colpisce qualcosa di nuovo: la casa e quanto la circonda, che credevo di conoscere ormai bene per le estati e le vacanze di Natale che vi ho trascorso, continua a stupirmi. Scendiamo dall'aereo a Firenze il 15 marzo, temperatura ventuno gradi circa, costante tranne occasionali raffiche di vento. I peri hanno già perduto i fiori, e si stanno rivestendo di foglie: per ogni bianco petalo che cade o viene strappato da una folata di vento, foglioline nuove spuntano con vigore. La stessa energia percorre le membra di tutti i vecchi fichi, e gli esili rami del melograno appena trapiantato.

Se la felicità potesse avere un colore, sarebbe di sicuro il verde, ma un verde per me indefinibile, se non vedessi una lucertolina neonata che prende il sole su una pietra: ecco, il verde lucente della sua pelle è lo stesso di ogni foglia nuova. «La forza che attraverso la verde linfa incalza il fiore» scrive Dylan Thomas. «Linfa» e «forza» sono parole in tal senso perfette: il potere di rinascita della natura esplode in ogni seme, in ogni stelo, in ogni ramo. Lavorando sotto il sole mite avverto anche la verde linfa del mio corpo. Fiotti di energia, un caleidoscopio di raggi attraverso il fogliame, la dolce brezza che mi fa venire alle labbra la parola «zefiro»... questa semplicità immemore potrebbe chiamarsi felicità.

Un importante cambiamento è avvenuto a Bramasole. «Mi può trovare qualcuno che badi alla casa e al giardino in nostra assenza?» avevo domandato al signor Martini alla fine della scorsa estate. Stavamo partendo e non avevamo nessuno a cui lasciare l'incarico di tenere sotto controllo le forze della natura nel nostro giardino. Francesco e Beppe, che hanno lavorato questa terra per molti anni, vogliono occuparsi solo degli alberi da frutta, delle viti e degli olivi. Una volta abbiamo chiesto a Beppe di tagliare l'erba: è venuto con il decespugliatore e ci ha lasciato l'appezzamento di terreno davanti alla casa nudo e polveroso. Quando lui e Francesco hanno visto il tagliaerba comprato da Ed, hanno fatto due passi indietro esclamando: «*No, no, professore, grazie*». Non si immaginano, uomini rudi come sono, a vedersi spingere per il prato quel piccolo macchinario ronzante.

Il signor Martini, che ci ha venduto Bramasole, conosce tutti, e forse qualche suo amico vorrebbe un lavoro part-time. Ma lui balza su dalla scrivania puntandosi l'indice al petto: «Io» dice. «Ci penserò io, al giardino.» Prende un quadro dalla parete, soffia via la polvere e ce lo mostra: il suo diploma di perito agrario. In una piccola foto inserita in un angolo della cornice lo vediamo a vent'anni, con la mano sulla groppa di una mucca. È cresciuto in campagna, ha tenuto un commercio di maiali, poi si è trasferito in città e ha intrapreso la professione di agente immobiliare, ma la vita di allora gli manca, dice. Essendo in età pensionabile, pensa a fine anno di chiudere bottega e di accettare l'incarico di custode d'una vasta proprietà. Dato che spesso in Italia le persone cominciano a lavorare da ragazzi, vanno in *pensione* ancora relativamente giovani. E lui, nel mezzo della vita, intende cambiare rotta.

Di solito arriviamo qui a metà maggio e, considerando il tempo che ci vuole a ripulire e rivoltare il terreno e a comprare i semi, il momento buono per piantare le verdure è già passato. Ci tocca guardare con invidia i *fagiolini* dei vicini, che si arrampicano vigorosi sui tralicci di bambù. Se qualche pianta di pomodoro sopravvive alla nostra inettitudine o scarso tempismo, riusciamo a intravedere qualche pallina verde e rachitica solo il giorno in cui dobbiamo ripartire per San Francisco, e scuotiamo la testa pensando alla tramontata illusione di mordere i succosi frutti del nostro lavoro.

Ora il signor Martini si è trasformato per noi in giardiniere, e viene qui un paio di volte alla settimana, spesso in compagnia della cognata.

Ogni giorno comporta la visita a un vivaio (li conosciamo tutti nel raggio di quaranta chilometri), o un giro per la proprietà abbozzando schemi per nuove ipotesi di orto e giardino. Le piogge invernali hanno ammorbidito il terreno, affondo a ogni passo. Ora che abbiamo il tempo, ambisco al giardino più lussureggiante e fiorito dopo quello di Boboli, a Firenze. Voglio che tutti gli uccelli, farfalle e api della Toscana siano attratti da gigli, gelsomini, rose, caprifoglio, lavanda, anemoni e i cento altri profumi del mio giardino. Anche se c'è ancora il rischio d'una gelata, non posso trattenermi dal piantare. Nelle serre del vivaio, l'aria umida e l'effetto droga di gerani, ortensie, petunie, balsamine, begonie e svariate rose rosse e rosa mi spingono a riempire subito la macchina.

«Non esagerare» mi dice Ed. «Meglio comprare solo quello che possiamo piantare adesso, lavanda, rosmarino, salvia...» Intanto sostituiamo le piante danneggiate dallo scorso inverno, quando in un solo giorno la neve è caduta, si è sciolta ed è venuta la gelata. «Pianteremo subito anche alcuni alberi: abbiamo un sacco di tempo!»

Un sacco di tempo: che melodia, questa frase!

Quelli del vivaio ci hanno consegnato a domicilio cinque cipressi, due peri, un ciliegio, un pesco e due albicocchi, lasciandoli lungo il viale d'accesso ad attendere Francesco e Beppe, che hanno già discusso dei punti in cui ciascuno di essi riceverà la giusta dose di sole. Si sono dedicati alla potatura degli olivi, che ugualmente hanno sofferto della gelata: muniti di scala, aggirandosi per i terrazzamenti, hanno tagliato implacabilmente i rami secchi, quindi si sono offerti di accompagnarci in un giro d'ispezione per esaminare i danni di ogni singola pianta. Osserviamo sconsolati un olivo scheletrico sul primo terrazzamento; loro scuotono tristemente il capo come davanti a un amico morto. Anche Ed si addolora, perché le vittime sono gli olivi piantati da lui tre anni fa. I sopravvissuti hanno le foglie, per solito brillanti, inaridite; ma il segno peggiore è la corteccia spaccata, e più in basso corre lo squarcio, più grave è il danno: di fronte a questi olivi gli uomini scuotono la testa e mormorano: «Sono da *buttar via*». Dobbiamo espiantarne almeno dieci; su altri restano in dubbio: vediamo cosa succede, dicono. Poche foglie sparute su uno, alcuni getti alla base d'un altro rappresentano una qualche speranza. Sulle pendici della collina di Cortona e nella valle sono morti parecchi oliveti, e uomini dall'aria arcigna segano i grossi rami. È un lavoro duro, ma il freddo record dell'inverno dell'85 ha insegnato loro che potando senza risparmio gli alberi possono riprendersi in fretta.

Nulla in Toscana è più sacro dell'olivo. Francesco vede due querce tra gli olivi e scuote la testa: «È legna buona per il caminetto: fanno troppa ombra agli olivi». Ed non si azzarda a ribattere, però dice, indicandomi, che le querce non possono essere eliminate, perché mi piace andare a leggere sotto una di esse, dove ho sistemato una panchina. Altrimenti, se Francesco pensasse che siamo d'accordo, magari torniamo a casa un giorno e le troviamo tagliate. Già brontola perché con il tagliaerba evito accuratamente i fiorellini, e per ogni nostra decisione che non tenga conto dei diritti degli olivi e delle viti. Certo Ed perderebbe la faccia, se scoprissero che trapianta un fiore nato casualmente sul sentiero percorso dal trattore. Gli uomini trascorrono l'intera mattinata a potare e a fertilizzare. Beppe e Francesco legano ogni giovane cipresso a una grossa pertica, e tra la pertica e l'esile fusto mettono una manciata d'erba, affinché la prima non sciupi il secondo.

Anche se il gelo di dicembre mi ha ucciso la siepe di erbe aromatiche e la piombaggine azzurra accanto alla cisterna, la fragranza della precoce primavera mi ricompensa del malanno. La siepe d'alloro, che Ed non ama molto ma non ha il coraggio di eliminare, cresce invece rigogliosa. Lavoriamo tutta la mattina a tagliare, a espiantare e a potare gli alberi secchi. Mi si arrossano il collo e le braccia: è il venticello primaverile? O forse risento della sua lontana origine nelle Alpi svizzere?

La perdita più grave, però, è di gran lunga quella di una delle palme al lato dell'ingresso, mentre l'altra prospera come non mai. La prima è ridotta a un alto tronco con in cima un ciuffo marrone, miseramente ammosciato. Dalla finestra del mio studio, al terzo piano, vedo spuntare una foglia verde: è larga quanto una mano, e non appare molto promettente.

Ormai il signor Martini è diventato per noi semplicemente Anselmo. Arriva sulla sua Alfa con il completo da ufficio, gridando nel *telefonino*; ma subito scompare nella *limonaia*, per riapparire trasformato in un perfetto contadino: stivaloni di gomma, camicia di flanella e basco. Ciò che non mi aspettavo è il modo deciso con cui assume il comando. «Non le toccate!» ci ordina. «Se toccate le piante quando hanno ancora le foglie bagnate di rugiada, possono seccarsi.»

Rimango basita: sembra così convinto!

«Perché?»

Non sa spiegare il perché, ma di solito simili asserzioni hanno in sé qualcosa di vero. Forse certi funghi si trasmettono più facilmente... o qualcosa del genere.

«Quelle che cosa sono?» gli domando, indicando le floride piante che ha messo sul terzo terrazzamento e che mi arrivano al ginocchio. «Ce ne sono moltissime.» Conto le file: otto da dieci, ottanta piante in tutto. Non mi ha consultato prima di ampliare l'orto in maniera esponenziale: prima qui c'erano patate, lattuga, basilico.

«*Baccelli*» mi risponde. «Da mangiare col pecorino fresco.»

«Che cosa sono i *baccelli*?»

Tace, stranamente. «I *baccelli* sono i *baccelli*.» Alza le spalle e continua a strappare erbacce.

Cerco la parola nel dizionario ma trovo soltanto la definizione «capsula, guscio». Telefono alla mia amica Donatella. «Ah, sì» mi fa «i *baccelli* sono le *fave*, ma visto che in dialetto *fava* significa pene, certo lui non ha voluto dirti quella parola.»

I fiori dei *baccelli* sono fatti di due bianche ali e di altri due petali all'interno, ciascuno con sopra un puntolino rosso cupo. Esamino le foglie, alla ricerca della scura venatura che forma la lettera greca Θ: per questo i greci consideravano la fava pericolosa, la pianta della sventura, perché anche la parola morte, *thanatos*, comincia con la *theta*, appunto. Queste fave, comunque, hanno un ottimo aspetto.

In nostra assenza Anselmo ha piantato verdure per un esercito, trasformando due terrazzamenti in un enorme orto, e un pastore sardo gli ha venduto quindici grandi sacchi di letame di pecora, con il quale lavora il terreno. Accanto alle ottanta piante di fave, abbiamo contato quaranta piante di patate, venti di carciofi, quattro file di cardi, un'aiuola di carote, una più grande di cipolle, abbastanza aglio per tutto il *ragù* di Cortona, e un bellissimo triangolo di lattuga. Ha messo anche gli asparagi, ma dice di non cogliere gli steli irregolari che vediamo venir su; gli asparagi saranno pronti tra due anni. Le zucchine, i meloni e le melanzane crescono per ora nella *limonaia*: alla fine potrò avviare un commercio di fiori di zucchine al mercato del sabato. Anselmo ha anche ammonticchiato da una parte dell'orto le canne di bambù per sostenere le piante di pomodoro, che metterà a dimora non appena il tempo si sarà stabilizzato. Dato che lo paghiamo a ore, paventiamo il momento in cui sapremo quante ne ha già accumulate.

Ha anche potato le rose e tagliato tre dei miei amati susini selvatici sul sentiero del giardino; e ha cominciato a disporre a spalliera i rami d'un filare di susini lungo il bordo del terrazzamento. Sembrano torturati. Accorgendosi che li osservo, mi ammonisce col dito, come fossi un bambino che sta pensando di correre giù in strada. «Sono alberi selvatici» dice con disprezzo. Ma di chi è questa terra? mi vien fatto di domandarmi. Come Beppe e Francesco, Anselmo considera una seccatura qualsiasi cosa interferisca nel suo operato. E come loro, sa tutto, perciò non possiamo che obbedirgli.

«Ma le migliori susine gialle...» Dovrò tener d'occhio gli alberi, o rischio, una mattina, di ritrovarmeli nella catasta della legna da ardere, insieme alle querce che Francesco vorrebbe tanto far fuori.

Anche le notti di primavera sono straordinarie. Il silenzio della campagna è sonoro. Non ero abituata al grido della civetta che lacera la quiete: vengo da notti trascorse nei bar o al cinema, a mangiare cibo cinese consegnato a domicilio, o ad ascoltare diciassette messaggi in segreteria telefonica.

Mi sveglio alle tre o alle quattro e vago di stanza in stanza, guardando fuori dalle finestre. Che cos'è questo silenzio, la notte di luna piena e la testa di una cometa che risplende sui vetri dello studio e illumina tutta la valle sottostante? Perché non riesco a dimenticare la frase scritta da un mio studente, «la cometa, come un grande strofinaccio dalla lunga coda, che pulisce il cielo»? Un usignuolo si esercita su e giù per le scale del pentagramma, indugiando su ogni nota. Sembra un uccello solitario; nessun altro risponde al suo malinconico richiamo.

Ogni giorno, nel tardo pomeriggio, Ed porta in casa legna di olivo, e ceniamo sui vassoi, davanti al fuoco. «Siamo tornati a casa» dice, levando il calice alle fiamme, brindando forse all'umile dio della terra. Felicità: divina e banale parola, talvolta concetto complesso che sposta continuamente i suoi confini, talaltra di comprensione così semplice. Mi tiro addosso una coperta e sonnecchio pensando a certe parole italiane. S'alza il vento: quale? La *tramontana*, che reca con sé il freddo delle Alpi, il *ponente*, che porta pioggia, o il *levante*, che soffia forte e rapido da est? I cipressi, svettanti al chiaro di luna, dimenano le cime in ogni direzione. Certo non si tratta di *libeccio*, il vento caldo e secco del sud, né degli estivi *grecale* o *maestrale*. Questi venti sono minacciosi, mi rammentano che in marzo la primavera è ancora soltanto un'idea.

Verdure amare
della primavera toscana

Solo l'entusiasmo mi induce a svegliarmi presto: è il primo giorno di mercato da quando siamo arrivati. Mentre mi vesto colgo, dalla finestra sul retro, un movimento sui terrazzamenti più in alto. Una volpe? No, una persona china sul terreno, che raccoglie qualcosa. Una donna, credo, almeno a giudicare, sotto il fitto velo di nebbia, dalle forme arrotondate e dalla sciarpa scura. In un attimo è sparita, nascosta dalle *ginestre* e dai cespi di rose selvatiche. «Probabilmente qualcuno che cerca funghi» mi dice Ed. Scendendo in auto, mi sembra di veder muovere qualcosa tra le siepi di biancospino sopra la strada.

Tre furgoni provenienti dal sud, dalla Puglia e dalla Basilicata, sono arrivati a Camucia per il mercato del giovedì. Vengono aperti dietro e ai lati e mostrano la loro merce: carciofi con tanto di lungo gambo. Gli autisti ne fanno enormi mucchi e sopra ci mettono il cartello col prezzo: venticinque carciofi a ottomila *lire*. Le donne si accalcano, comprandone in abbondanza: preferiscono quelli più piccoli, con le foglie striate di rosso, che sono molto teneri anche nel gambo; troppo piccoli per essere cucinati ripieni, si mangiano per intero, tranne poche foglie esterne. Li vendono in grossi mazzi, così pesanti che il mio giro al mercato deve finir qui. Torno faticosamente a casa con tutti quei carciofi – che riesco a portare, chissà come, sotto il braccio

– e cerco di decidere come usarli. Entro in cucina e vedo sul tavolo un altro mazzo di carciofi più piccoli, del tipo rosso. «Oh no! Dove li hai trovati?»

Ed mi prende le borse della spesa: «Sono stato su al Torrione e un furgoncino pieno di carciofi si è fermato davanti al bar. Tutti sono corsi fuori a comprare, e io li ho imitati». Cinquanta carciofi per due persone.

Tutti i ristoranti e le *trattorie* hanno nel menu i carciofi fritti. A casa li mangiano spesso crudi, con olio d'oliva, o in padella, a pezzi, con patate, cipolline fresche, succo di limone e prezzemolo: sapori che si sposano bene fra loro. Stufati appena e irrorati d'olio d'oliva, hanno il gusto amarognolo che ricorda i giorni della primavera.

Le *rape* invernali stanno per finire, ma un contadino vende ancora le *polezze*, come le chiamano nel dialetto locale. Le ho già viste fiorite in qualche orto, e inizialmente le ho scambiate per piante di senape, tanto frequenti in California, tra i vigneti, con le loro gialle infiorescenze. Quando le *rape* fioriscono perdono il sapore particolare che le contraddistingue, ma se le raccogli per tempo, togli i gambi, le fai stufare leggermente e poi le ripassi in olio e aglio, i fiori e le foglie hanno un sapore assai vicino a quello dei broccoli, un po' amaro. Inoltre fanno bene all'organismo: devono essere piene di ferro e azoto, perché quando le mangio mi sento invadere da una grande energia.

I cibi e le bevande amare vanno per la maggiore, in Italia. Basta pensare agli estratti d'erbe digestive da bere a fine pasto, detti genericamente *amari*, o agli *aperitivi*, i «bitter», tanto comuni. «Gli italiani hanno imparato ad apprezzare più sapori, rispetto a noi» osserva Ed. La prima volta che ho assaggiato il Cynar, a base di carciofo, mi sono ricordata di mia madre che m'inseguiva per la casa cercando di farmi prendere lo sciroppo per la tosse. Anche l'aranciata reca l'etichetta «*amara*». E al negozio di *pasta fresca* fanno i ravioli con ricotta e *borragine*, che conferisce loro un sapore asprigno. I ravioli si fanno ripieni di qualunque cosa, e la ricotta è solitamente la base dell'impasto. Tarassaco, ravanelli e barbabietole sono tutte verdure di questa stagione. Persino le orribili ortiche, contro cui combatto l'intera estate, hanno un ottimo sapore se colte non appena si aprono le foglie, scottate, quindi mescolate al risotto o alla pasta, serviti con una manciata di pinoli.

La verdura per me più strana e nuova sono gli *agretti*, che devono esistere, da qualche parte in America, ma io non li ho mai visti. Legati a mazzo con uno stelo d'erba, sembrano foraggio per cavalli: si buttano nell'acqua bollente per qualche secondo, poi si ripassano in padella con olio, sale e pepe. Quando li ho visti per la prima volta ho pensato che si trattasse di uno di quei sapori da imparare. Cucinandoli emanano un odore di terra, simile a quello delle barbabietole, ma più fresco. Un amico italiano mi consiglia di aggiungerci del succo di limone, ma lo provo e preferisco senza. Poiché hanno più o meno le stesse dimensioni dei *vermicelli*, li metto insieme alla pasta e a scaglie di *parmigiano*. Ricordano molto gli spinaci ma, pur avendo il medesimo gusto asprigno, sono più energetici, sanno proprio di primavera.

Mi stupisce il fatto che i mitici asparagi selvatici siano così amari. Vedo Chiara, una nostra vicina, che ne ha un mazzo appena colto: si china ad allargare il cespo spinoso e trova la pianta, affine all'asparago coltivato ma più umile, più scadente. Fa un gesto eloquente, parlando della frittata con gli asparagi di campo: l'indice a contrasto con la guancia e il polso che ruota avanti e indietro vale più di mille parole, per alludere alla prelibatezza di un cibo.

Forse la persona mattiniera che ho visto sui terrazzamenti stava cercando asparagi. Però qualcuno ha fatto razzia dei narcisi: dopo una mattinata trascorsa a scegliere sanitari e piastrelle per i nuovi lavori della prossima estate, torniamo a casa e scopriamo il furto di almeno duecento *tromboni*. Ce ne hanno lasciati pochi, e già sfioriti.

Di pomeriggio tardi le donne usano camminare sul bordo della strada, con bastoni e sacchetti di plastica, raccogliendo asparagi e *mescolanza* (erbette per lo più amare), da aggiungere all'insalata. Sto imparando a conoscere questa *insalata mista*, che comprende il *tarassaco*, diverse qualità di *radicchio*, cicoria, borragine, *barbe dei frati* e molto altro.

Ma oltre a esse, cosa rigonfia i loro sacchetti? Perché si bloccano all'improvviso e restano a fissare un punto del terreno per alcuni minuti, frugando fra l'erba con la punta del bastone? Si chinano e, con l'aiuto di un coltello, sradicano qualcosa: radici, foglie, funghi. Non avevamo mai visto gente ben vestita fermare l'auto, salire per un pendio e venir giù sventolando due o tre ciuffi di menta o di finocchietto per l'arrosto, o qualche pianta medicinale dalle radici terrose.

Vado anch'io a caccia di asparagi. Ed mi prepara un bastone da passeggio, una bacchetta magica come quella di un rabdomante. È strano come qualcosa a cui prima non badavi, che non vedevi, quando ti viene mostrato poi lo vedi dappertutto. I terrazzamenti superiori sono pieni di asparagi, che crescono di preferenza sotto gli alberi, lungo i declivi. Così imparo a cercare nei luoghi più riposti, anche se capita che qualche asparago ribelle cresca allo scoperto. Di solito spuntano dal terreno dietro un groviglio di erbacce, uno qui, uno là. Gli asparagi sono certo apparsi assai presto, nella catena alimentare: anche in quelli coltivati, nonostante vengano presentati elegantemente, resta un che di primitivo, dipenderà forse dalla forma. Alcuni sono fini come steli e d'un colore che va dal verde brillante al porpora; e i rametti spinosi tra cui frughi con le mani pungono come aghi. È un lavoro lento, ma che dà i suoi frutti.

Cucino i miei trenta asparagi da mettere insieme al pollo arrosto, e né Ed né io gradiamo il gusto amaro, quasi medicinale. Un giorno, al mercato, una strana donna alta all'incirca un metro e mezzo ci porge un cartoccio di carta di giornale con dentro un mazzo di asparagi di campo. Sembra appena uscita da un racconto di fate silvestri. Ripete: «*Genuino, genuino!*» e «*Quindicimila lire*». Presentendo che non mi capiterà spesso di trovare al mercato quel prodotto, le dò il denaro. E, giusto per scambiare due parole, le domando come si cucinano: al pari della mia vicina, anche lei consiglia la frittata.

Ed prova a fare la frittata, ma mettendoci un sacco di aglio fresco, che soffoca il sapore degli asparagi; solo la loro coriacea consistenza sotto i denti ci rammenta che ci sono.

In una via di Arezzo c'imbattiamo in un'altra di queste donne di campagna. Mi viene in mente la parola *strega*, quell'antica fonte di saggezza nel nostro Sud, una donna capace di fare incantesimi. Chi può resisterle? Anche da lei compro degli asparagi. Nel fondo del suo cestino vedo un coltello a mezzaluna, la lama assottigliata dall'uso. Lei quasi priva di denti, e infagottata in maglioni sfilacciati. «Dove ne ha trovati così tanti?» le domando. Si limita a mettersi un indice davanti alle labbra: al riguardo sarà muta come un pesce; poi se ne va con passo malfermo e noto che sfoggia delle scarpe da tennis d'un bianco abbagliante. Giunta sul corso entra sotto i portici, dove alcuni eleganti uomini d'affari, seduti al *caffè*, si affrettano a comprarle gli asparagi.

Di solito cucino in forno gli asparagi coltivati; li metto su un pezzo di carta stagnola con olio, sale e pepe. Evitando l'acqua, o anche il vapore, serbano intatta la loro consistenza e il loro sapore: non diventano flosci, e il loro gusto non si smorza. Ma gli asparagi di campo preparati così sono coriacei, perciò ho imparato a stufarli appena e poi a passarli nell'olio d'oliva. La qualità dell'olio è fondamentale: se non dispongo del migliore preferisco usare il burro. Nel mangiarli immagino la donna che li ha colti in giro per la campagna, i suoi cantucci segreti sui pendii sopra le vigne, gli anni che ha trascorso in quel rituale, la presa sicura delle sue dita attorno al manico del coltello ricurvo.

Quando mostro a Giuseppe, maestro nel potare le viti, i

ciuffi di asparagina qua e là nel terreno, assume un'espressione soddisfatta. Taglia i lunghi rami secchi: «Facendo così» dice, «tagliando rasoterra, ne verranno molti di più il prossimo anno». E quando si china per mostrarmi come tagliare, scopre che qualcuno lo ha già fatto prima di lui: le vecchie bacchette sono state spezzate di sbieco, e non staccate. La misteriosa raccoglitrice. O uno spirito che viveva qui un secolo fa e torna in primavera? O semplicemente qualche furbo che vende fiori e asparagi al mercato? La donna dal coltello ricurvo? Beppe mangia un asparago e me ne tende uno: un sapore che lega i denti. Comincio ad apprezzare questo frutto primaverile.

Mi ha sempre sorpreso, nei periodi invernali passati qui, il cibo così diverso rispetto a quello dell'estate, la stagione in cui vengo normalmente. Adesso, via via che la primavera avanza, quasi ogni giorno porta con sé un nuovo sapore. Nella bottega di *frutta e verdura* di Matteo e Gabriella vedo un cesto con qualcosa che non conosco. Piccoli kiwi nodosi? Noci ammuffite? No, *mandorline*, mi spiega Matteo, tipiche della Val di Chiana, l'ampia vallata sotto Cortona. Matteo ne morde una e mi porge l'intero cesto. Come sono aspre e amare, un sapore diverso da qualsiasi altro! Ma mi piace. Matteo la mangia tutta, compresa la pellicola lanuginosa, godendosi lo scricchiolio sotto i denti. Lo strato esterno, color verde salvia, ne nasconde un altro, d'un verde più brillante; infine c'è uno strato giallo e la tenera polpa, dal gusto delicato di mandorla.

Tornati a casa, esco a vedere i mandorli selvatici che crescono sul nostro terreno, ma nessuno sembra della varietà delle *mandorline*. I gusci si stanno indurendo; ne schiaccio uno con un sasso e assaggio la mandorla: un accenno di rosa, di pesca, e il retrogusto mi rammenta che anche l'acido prussico è un derivato delle mandorle. Quando sono mature, queste mandorle serbano il loro intenso profumo, ma il sapore acido si trasforma in amaro.

La terra resta un mistero, per me. Dopo sette anni, pensavo di conoscerla e invece mi rendo conto all'improvviso che non è così. Osservo i progressi della bella stagione: sui bordi dei terrazzamenti stanno per fiorire fiumi di gigli selvatici, che spartiamo con gli intrusi e con i porcospini, divoratori di bulbi. Simbolo di Firenze, il giglio viene coltivato in Toscana, perché la sua radice disseccata, dall'intenso profumo di uva e di violetta, è usata nelle essenze. Che strano fiore... A San Francisco sono solita comprarne un mazzo da cinque, coi boccioli esangui che a stento si apriranno. Qui mi preoccupa quasi vederne così tanti che crescono e fioriscono spontaneamente.

Tornando a casa dopo la ricerca degli asparagi, Beppe coglie una pianta dalle foglie spesse e lisce. «La faccia bollire, fa bene al fegato.»

«Come si chiama?»

«Adesso non ricordo. Guardi» e indica una pianticella a ciuffo con foglie sottili a forma di ventaglio. «È *morroncello.*» Non so cos'è, né il dizionario me lo spiega. La proverò... Un'altra nuova erba primaverile.

Molto presto al mattino sento delle voci provenire dalla strada; mi affaccio e vedo tre donne in assetto da raccoglitrici di erbe, che indicano la nostra terra. Devono aver individuato qualche nuova pianta, penso. Restano lì a lungo, immobili, e finalmente se ne vanno.

Mentre mi vesto odo uno stridor di freni e due colpi di clacson: una Fiat blu sta scendendo per la strada a tutta velocità; oggi andiamo a Petroio, dove fanno i vasi di terracotta. Imboccando il vialetto d'accesso ho la sensazione che qualcosa non vada; facendomi più vicina mi rendo conto che la strada è cosparsa di grandi pietre. Alziamo lo sguardo: durante la notte il muro che regge la parte in ombra del nostro giardino è franato, lasciando un varco di cinque metri per cinque, con un effetto più brutto di un incisivo mancante. Togliamo le pietre dalla strada e saliamo a dare un'occhiata. I piccoli ruscelli che sgorgano dal fianco della collina hanno inzuppato il terreno, e il muro si è indebolito alla base. Ecco come il malfatto ti ritorna contro: il bizzarro personaggio da noi assunto sei anni fa per ricostruire i muri del terrazzamento più grande non ha lasciato le aperture sufficienti al regolare drenaggio delle acque. Dove il muro è crollato, il lungo tavolo giallo da picnic pencola minacciosamente.

Chiamiamo il nostro fidato Primo Bianchi, che viene subito. «Mah» dice, stringendosi nelle spalle. «I muri cadono.» Entra in casa e telefona ai suoi aiutanti.

Non sappiamo cos'altro fare, perciò ci muoviamo per Petroio, in provincia di Siena, dove vogliamo comprare dei grandi vasi di terracotta per il muro – quello che c'è rimasto. Prima entriamo sotto la torre medievale arroccata in cima al paese, alla ricerca di qualcosa da bere: ma è tutto chiuso, e la macchina passa a stento nelle viuzze più strette che abbiamo mai visto. Proprio fuori del paese ci sono parecchi *fabbricanti* di terrecotte, con centinaia di vasi in mostra, di ogni possibile dimensione; uno è grande quanto una vasca da bagno. Scegliamo un artigiano che li fa a mano, ma in passato ne abbiamo anche comprati di quelli fatti in serie, ed erano piuttosto graziosi. Un tizio rubizzo, anzi del colore della terracotta, ci viene incontro con aria interrogativa. Gli chiediamo di poter dare un'occhiata, ma lui ci spiega che vende solo all'ingrosso. Per fortuna gli piace parlare di vasi, e ci porta in un magazzino sopra le fornaci, caldo quanto una sauna; all'interno spiccano gli orci per l'olio, di varie grandezze, vasi per le erbe aromatiche, colonne da giardino, meridiane, vasi classici e anfore. I vasi da fiori di ogni forma nota e ignota sono allineati in lunghe file, quelli fatti a mano hanno i bordi arrotondati e sono d'un colore miele caldo e vivo; qua e là, capita che rechino impressa la traccia d'un polpastrello. L'uomo ci mostra, sul fondo, le iniziali o la firma dell'artigiano.

Quando si china per sollevare un vaso, gli occhiali gli scivolano dalla tasca della giacca, cadono sul pavimento e una lente esce dalla montatura, ma non si rompe. Ci inginocchiamo tutti nella fine polvere d'argilla per cercare la minuscola vite. Alla fine il proprietario e io rinunciamo, ma Ed continua a cercare finché non la trova in un angolino, e ripara gli occhiali usando, a mo' di giravite, l'unghia del mignolo. Ringraziamo il proprietario e stiamo per andar via, ma lui ci richiama:

«Un momento... Quanti ne vorreste?»

«Oh, qualcuno... solo per i fiori di casa nostra.»

«Non per rivenderli?»

«No... Tre o quattro.»

«Be', allora... Insomma, non dovrei, però... tre o quattro soltanto: che male c'è?» E ci dà un listino prezzi, ai quali dice di sottrarre il quaranta per cento. Scegliamo un vaso da mettere accanto ad altri tre lungo il muro, e tre grandi con ghirlande e decorazioni floreali, ma quando tiriamo fuori il portafogli per pagare ci accorgiamo di non avere abbastanza denaro. L'uomo ci indica un Bancomat in paese, così ripercorriamo le strade tortuose, parcheggiamo questa volta fuori del centro e ci avviamo a piedi. Petroio è poco più vasto di un grande castello, in giro non c'è anima viva; camminiamo e non vediamo nessuna banca. La chiesa più antica, San Giorgio, è serrata. Fermiamo un signore col cane, e lui ci accompagna a una porta che ci era sfuggita, senza alcuna indicazione; lo sportello del Bancomat è all'interno di uno stanzino.

Torniamo al magazzino, il proprietario ci aiuta a mettere i vasi in macchina e partiamo; pesco la cartina da sotto il sedile. «Siamo vicini ad Abbadia a Sicille, una delle tappe dei pellegrini in viaggio per la Terra Santa. Murati nella parete si vedono ancora una croce di Malta e il simbolo dei Templari...»

«Sbaglio, o stiamo cercando di procrastinare il problema del muro?» mi fa Ed. Non gli rispondo.

Gli uomini di Primo stanno caricando l'Ape. Hanno impilato in bell'ordine tutte le pietre cadute, insieme a sacchi di cemento. La fila alla base è già stata sistemata, con una serie di aperture a cuneo per il passaggio dell'acqua. E a monte hanno scavato delle tracce per i tubi che arrivano fino al bordo del terrazzamento. Punto gli indici al terreno: «Fa' che non accada qui. Non di nuovo». Un gesto così efficace...

Ora le acque che via via si formano vengono incanalate, e scendono in parecchie cascatelle dal bordo del terrazzamento. Affondiamo nel fango. «È *tutto bagnato*» dice Primo. Le persone che passano si fermano a guardare il crollo, e una donna ci dice che molti anni fa, nella nostra attuale proprietà, una bambina cadde in un pozzo e annegò, e che dalla casa le sue grida si odono ancora, talvolta, di notte. «Ecco perché la casa è rimasta disabitata per trent'anni. Da ragazza avevo paura a passare la notte qui davanti.» Questa notizia mi sconvolge.

«Noi non abbiamo mai sentito gridare» le dice Ed. Avrei preferito non saperla, quella storia: adesso sono certa che, quando sono sola, mi metterò in ascolto.

La donna se ne va, e Primo commenta: «Ogni vecchia casa ha il suo fantasma». Alza le spalle, allarga le braccia: «Ma gli spettri non fanno nulla. È dell'acqua che bisogna preoccuparsi».

Mi sveglio a metà nottata, ma tutto tace; l'unico suono è lo scroscio dell'acqua che precipita nel canale di scolo.

IL VINO SFUSO

Gita è una delle mie parole preferite: stamattina mi aspettavo che Ed, armato di zappa, andasse come al solito a curare gli olivi, invece, dopo aver letto qualche pagina del *Wine atlas of Italy* di Burton Anderson, come spesso fa a colazione, mi guarda e dice: «Andiamo a Montepulciano, la nostra riserva di vino sta per esaurirsi».

«Magnifico! Così passiamo anche al vivaio a comprare la piombaggine da piantare sotto il nocciolo. E magari in una fattoria, per la ricotta fresca.»

Non siamo forse venuti in Italia per questo? Talvolta, nel corso dei lunghissimi lavori di restauro di Bramasole, ho pensato d'esser qui solo per strappare l'edera dai vecchi muri e ripulire i pavimenti. Ma adesso le opere maggiori sono terminate, e la casa è... be', se non a posto, almeno più «casa» di prima.

Dobbiamo comprare il vino *sfuso* per il nostro consumo quotidiano. Molti proprietari di vigne producono il vino per sé, per gli amici e per qualche acquirente locale. In Toscana la gente non usa bere ogni giorno il vino imbottigliato: o lo producono personalmente, o conoscono qualcuno che lo produce, oppure lo comprano *sfuso*. Intanto Ed lava la grande damigiana di vetro verde e anche il contenitore lucente di acciaio inossidabile, dal rubinetto rosso: un'innovazione che alla lunga sostituirà le tradizionali damigiane.

Per proteggere il vino dall'aria dopo aver riempito la damigiana, abbiamo imparato a versarci un po' d'olio, e poi chiudiamo bene con un tappo di sughero della grandezza d'un pugno. Il nuovo contenitore ha invece un coperchietto piatto che galleggia sopra il vino; qualche goccia d'olio di paraffina copre l'esiguo spazio tra il coperchietto e la parete del contenitore. Un secondo coperchio serra il tutto. Quando si apre il rubinetto in fondo per riempire la caraffa, il coperchietto e l'olio si abbassano ovviamente insieme al livello del vino, preservandolo dall'aria.

Se una famiglia ha sette o otto damigiane, di solito le mette in *cantina*, che è particolarmente fresca. Lo abbiamo fatto anche noi: mettiamo una damigiana sul tavolo, la incliniamo e riempiamo delle vecchie bottiglie di vino con l'aiuto di un imbuto; ne suggelliamo una ventina con l'olio. Al momento di stappare la bottiglia, poi, siamo diventati abilissimi nel gettar via l'olio con un rapido gesto; qualche goccia, però, resta sempre. Avevo messo due damigiane agli angoli in due stanze, con funzioni decorative; qualcuno ne ha lasciate altre tre in strada, accanto al contenitore per il vetro riciclato. Ma come è possibile buttar via degli oggetti così? A me piace la loro bella forma bombata, panciuta, e il vetro verde con intrappolate le bolle d'aria. Ne strofiniamo l'interno con il bruschino per le bottiglie e compriamo dei nuovi tappi di sughero. «Ma davvero vuoi usare ancora le damigiane?» domando a Ed.

«No, hai ragione, ma non lo dire a loro.» «Loro» sarebbero Anselmo, Beppe e Francesco, contrari a ogni innovazione che riguardi l'olio o il vino. Mettiamo nel bagagliaio due taniche di plastica da venti litri, comode per trasportare il vino a patto di travasarlo nell'acciaio appena tornati a casa: l'odore della plastica si trasmette facilmente.

Adoro fare la turista! Guida e macchina fotografica in borsa, una bottiglia d'acqua in macchina, la cartina aperta sulle ginocchia... che c'è di meglio?

La strada che va da Cortona a Montepulciano è una delle mie preferite; sale lungo terrazzamenti coltivati a olivi, attraversa feraci colline, color oro quando d'estate è l'epoca del grano, e adesso, in primavera, d'un verde luminoso per l'erba nuova. Mi par quasi di vedere le distese di *girasoli*, che fioriscono in luglio, e le messi prosperose. Oggi gli agnelli sono al pascolo: i più piccoli sembrano così fragili, sulle loro zampe malferme, quelli un po' più adulti saltellano accanto alle mammelle delle madri. Questa è la campagna più dolce che conosca; solo, di tanto in tanto, una zaffata proveniente da qualche porcile mi ricorda che non siamo in paradiso. Nelle vallette, greggi di pecore dal soffice vello dormono in bianche ammucchiate. I campi di grano, i frutteti e gli oliveti, perfettamente curati, cedono a grado a grado alle vigne del Vino Nobile di Montepulciano.

Il Chianti, il Brunello e il Vino Nobile sono i tre grandi vini toscani, tutti di sapore rotondo, essenzialmente di uva, anche se gli abitanti della regione possono discutere un'intera nottata delle sfumature tra l'uno e l'altro. Poiché la produzione del Vino Nobile risale al 1300, hanno avuto molto tempo per perfezionarlo. Il nome del vitigno usato in Toscana è Sangiovese, il cui etimo ci parla di vini antichi: il nome deriva infatti dal latino *sanguis* e da Giove, il sangue di Giove. Il tipo di Sangiovese locale è detto «Prugnolo gentile».

Svoltiamo per una *strada bianca* fiancheggiata da cipressi, una sorta di galleria sotto gli alberi attraversata da dardi di luce verdognola che penetra di tra le fronde. Ed annuisce sentendomi citare un verso di Octavio Paz: «La luce è il tempo che pensa se stesso»; a me sembra vero in un certo senso, ma non in un altro. I vigneti di Avignonesi circondano una di quelle sublimi dimore che mi inducono a sognare un'altra vita, in un'altra età. La villa, la cappella di famiglia, le nobili dépendance: mi vedo nel 1780, vestita d'un abito di spesso lino, attraversare impettita la corte con passo impettito, tenendo tra le mani una brocca bianca e un anello di chiavi di ferro. Non so se sono la contessa o la cameriera, ma ho l'immagine di me tanti e tanti anni fa, l'ombra del mio corpo sull'acciottolato...

Il produttore del vino Avignonesi, Paolo Trappolini – un bel signore che assomiglia a un autoritratto di Raffaello – ci racconta la storia dei suoi vari esperimenti come viticultore. «Ho cercato per la Toscana vitigni quasi scomparsi, ne ho salvati parecchi.» Usciamo, tra i filari, e lui ci mostra le nuove viti piantate col sistema *a settonce*, ovvero alla maniera latina: una pianta al centro di un esagono di altre piante. Punta il dito alla collina, dove invece appaiono ordinate in una *vigna tonda*. «Si tratta anche di un esperimento per vedere la qualità e quantità del vino prodotto da viti piantate più o meno fittamente.» Ci accompagna a visitare i locali dove avviene l'invecchiamento, alcuni col pavimento coperto di una spessa muffa grigia, e la stanza del *vin santo*, piena di deliziosi profumi di legno aromatico.

Il marchio Avignonesi comprende una gamma di ottimi vini, da degustare qui o nel loro palazzo nel centro di Montepulciano. Ed è attratto in particolar modo dal *vin santo*, il vino da dessert morbido e profumato, da bere coi *cantuccini* a fine pasto. In tutte le case, a tutte le ore, ci viene offerto del *vin santo*, che non possiamo rifiutare: è lì pronto in ogni credenza, e lo devi assaggiare per forza perché l'hanno fatto loro, con le loro mani. Quello di Avignonesi è speciale, uno dei migliori d'Italia; purtroppo ce ne tocca una bottiglia soltanto, perché lo producono in quantità limitata ed è già finito. Qualcuno ci ha regalato due preziose bottiglie, una del 1953 e un Ricasoli del '62, comprate a New York e ora tornate alle origini. Anselmo ce ne ha dato una bottiglia del suo. Con l'Avignonesi inviteremo gli amici a una degustazione, magari dopo una cena luculliana di mezza estate.

Accanto si estende la tenuta Trerose, le cui vigne crescono per lo più secondo il metodo tradizionale, in filari; ma in un grande campo sono state piantate a pergolato basso, come facevano gli etruschi. Gli uffici sono in un edificio moderno, sul retro di una villa in un boschetto di cipressi. Un giovane, stupito di incontrare dei visitatori, ci dà un listino prezzi e ci mostra i suoi vini in una sala per conferenze. Ed, avendo consultato l'ultima edizione dei *Vini d'Italia*, la sua guida più fidata nel settore, sceglie una cassa di Salterio Chardonnay e una cassa di rossi vari. Seguiamo l'uomo per una stretta passerella sopra un magazzino di tini di acciaio inossidabile, qualche barrique di quercia e casse e casse di vino. Chiama, e da dietro gli scatoloni spunta una donna che comincia subito a preparare le nostre casse, saltando, graziosa quanto una lince, sopra e oltre le cataste.

Alcuni cartelli gialli poco visibili indicano i diversi vigneti: Fassato, Massimo Romeo, Villa S. Anna (proprietà di sole donne), Fattoria del Cerro, Terre di Bindella, Podere Il Macchione, Valdipiatta. Li conosciamo tutti, per quante bottiglie abbiamo stappato dei loro ottimi vini. Per comprare quello *sfuso* ci dirigiamo verso la tenuta Poliziano. Ed fa segno a qualcuno in un campo, e costui ci viene incontro nel magazzino. «Il miglior vino *sfuso* degli ultimi dieci anni» ci dice, posando due bicchieri su una pila di cassette di vino. Anche se sono solo le undici del mattino, apprezziamo il caldo colore rosso e il sapore leggermente fruttato: un punta di fragola e, direi, quasi di mimosa. Abbiamo trovato il nostro vino. Ci riempie le taniche con un tubo di gomma che parte da un enorme tino. Per legge deve sigillare i contenitori e registrare i nostri dati: scrivendo al computer il nome di Ed vede che non siamo alla nostra prima visita. «Agli americani piace il nostro vino, no?» ci domanda, e noi rispondiamo di sì, a nome di tutti gli americani. Ed carica le taniche in auto, dietro il sedile, sperando che non perdano mentre le sballottiamo per le strade sterrate.

La sinuosa città di Montepulciano sembra segua, nelle sue strade, il percorso tortuoso di un fiume; invece si estende lungo una cresta di monte. L'impressione di Henry James, che si riferisce a un panorama colto tra una fila di arcate, è di «una sorta di nave in sfacelo, piena di falle, sovraccarica e con troppi alberi, che naviga in un mare viola». Le cittadine toscane costruite in cima ai colli danno spesso l'idea di immense navi veleggianti sopra il piano.

Sul tetto di fronte a quello della chiesa di Sant'Agostino, un *Pulcinella* di ferro colpisce l'orologio con il suo martello, battendo ogni ora dal XVII secolo. Mi fermo in un negozietto a comprare delle candele; e qui, tra cache-pot, portachiavi, sottovasi e cavatappi, c'è un punto in cui si vede addirittura una tomba etrusca! «Sì» mi spiega il proprietario, accendendo i faretti, «molti negozianti si ritrovano simili sorprese quando restaurano il locale.» Ci porta su una lastra di vetro, davanti al negozio, che ricopre una profonda cisterna scavata tra le pietre delle fondamenta. La indica e alza le spalle: «L'acqua piovana si raccoglieva dal tetto qui dentro, così non mancava mai».

«In che epoca?» domanda Ed.

L'uomo accende una sigaretta e soffia il fumo contro la finestra: «Nel Medioevo, forse, o forse prima». Ci stupisce sempre la naturalezza con cui gli italiani sanno vivere accanto alle vestigia del loro passato.

La strada che sale al *centro storico* evita i luoghi di maggior concentrazione delle botteghe, e la *piazza* principale risulta un'oasi rispetto alla confusione dell'ora dello shopping. La facciata incompiuta dell'imponente cattedrale aumenta il senso di abbandono. Un cane da pastore sui gradini è di gran lunga la creatura più viva della *piazza*. Questa volta in chiesa non entriamo, ma ripenso alla pala d'altare, il polittico di Taddeo di Bartolo, in cui da una parte si vede la Madonna morente che poi, circondata da angeli soavi, viene assunta in cielo, mentre gli Apostoli piangono in basso. In un angolo della *piazza*, le sedie di plastica bianca di un *caffè* all'aperto stanno appoggiate ai tavolini: abbiamo tutto per noi questo vasto spazio. Ci affacciamo a guardare nel pozzo senza fondo, sorvegliato da due leoni e due grifoni di pietra. Deve essere stato un piacere caricarsi l'orcio sulle spalle e raggiungere gli amici presso il pozzo, da cui trarre acqua pura.

Dei bei *palazzi* all'intorno, molti dispongono di locali per la degustazione dei vini; in quello del Poliziano c'è un ritratto del poeta rinascimentale dal quale l'azienda vinicola ha preso il nome. La donna che riempie generosamente i bicchieri consiglia due tipi di *riserva*, e ha ragione. Tre dei loro vini si chiamano come opere poetiche del Poliziano: «Le Stanze», «Elegia» e «Ambrae». I primi due li capiamo, ma che significa *Ambrae*, il nome del vino bianco? Lei scuote la testa, pensierosa; infine fa un ampio gesto che abbraccia ogni cosa: «*Solo ambrae, ambrae*» dice. Non riesco a indovinare il significato, l'unica cosa che mi viene in mente è «ambiente». Acquistiamo molte bottiglie di *riserva* e i vini del poeta.

Poliziano – il poeta – la fa da padrone, a Montepulciano. Anche un bar sulla via principale porta il suo nome, sebbene l'arredamento sia del XIX secolo e non rinascimentale. Al di là del bancone ricurvo, di marmo, si aprono due salette di legno scuro con carta da parati in stile William Morris, uguali alla tappezzeria dei divanetti imbottiti; i tavolini rotondi completano il quadro: una sala da tè vittoriana, in versione italiana. Da entrambe le sale si gode un bel panorama, incorniciato da balconi in ferro battuto pieni di fiori; prendiamo un panino e un caffè e torniamo in fretta alla macchina. La giornata scorre via veloce. Mi fermo un istante a dare un'occhiata in una chiesa che ricordavo, la Chiesa del Gesù, con la sua piccola cupola dipinta in *trompe-l'œil*: la balaustra di una scala che sale a spirale attorno a un'altra cupola. Solo dal centro, ed entrando dall'ingresso principale, la prospettiva è efficace, altrimenti non torna bene.

Il vivaio ha lo stesso nome dell'imponente chiesa di San Biagio, che sfioriamo nella nostra corsa frenetica per comprare la piombaggine prima dell'ora di chiusura. San Biagio è una delle chiese che prediligo, per la sua posizione alla fine di un lungo viale di cipressi, e per il colore dorato della sua pietra che si accende al tramonto, gettando una morbida luce sui volti di chi ne osserva le linee severe. Se ci si siede sulla parte aggettante alla base dell'edificio, la luce spiove addosso, e sembra penetri dal muro nella carne. Una passeggiata attorno alla chiesa, nel caldo alone che la circonda, mi trasmette una sensazione di benessere. Scendendo da San Biagio per la strada serpeggiante, la vediamo da diverse angolature.

Troviamo una bougainville che sostituisca quella uccisa dal gelo, due piombaggini che già immagino sotto gli alberi con gli azzurri fiori a grappolo, e una nuova rosa da far arrampicare su un muro di pietra, la «Pierre de Ronsard», un poeta francese che accompagni Poliziano nel viaggio verso casa.

«Oh, no!» esclama Ed, dando un pugno al volante.

«Che cosa c'è?»

«Abbiamo dimenticato di fermarci a comprare la ricotta.» Le fattorie che la vendono sono verso Pienza, a parecchi chilometri da lì.

Nella macchina aleggiano i profumi delle piante uniti a

quello del vino che sbatte nelle taniche; e infine l'odore di erba bagnata, per la pioggia che ha cominciato a cadere in prossimità di Cortona.

In *rosticceria* compriamo per cena degli squisiti *gnocchi* di semolino, e io preparo un'insalata. Ed tira fuori l'«Ambrae» di Montepulciano e ne osserva il colore alla luce. *Ambrae* non esiste nel mio dizionario: dev'essere latino, probabilmente una parola che allude all'ambra. Ne bevo un sorso: la rugiada sui gigli o sulle foglie di quercia ha certo questo sapore. *Il vino è luce che l'acqua rapprende*: vorrei averlo detto io, invece è una frase di Galileo.

In cerca della primavera:
le palme di Sicilia

Non sono ancora scesa dall'aereo a Palermo, si può dire, che ho già in mano un *arancino*, pronta a gustare la specialità siciliana per antonomasia. Ed è andato a cercare un autonoleggio, io mi dirigo al bar al centro dell'aeroporto: ed eccoli lì, gli arancini, cioè pallottole di *risotto* fritte che imitano rozzamente la forma d'un'arancia. «Che cosa c'è dentro?» domando.

Un uomo dagli straordinari, profondissimi occhi neri, tipici dei siciliani, mi risponde, indicando quelli tondi: «*Ragù, signora*»; quindi quelli ovali: «*Besciamella e prosciutto*». I suoi occhi mi affascinano quanto gli *arancini*, per tutto l'aeroporto ho visto gli stessi misteriosi occhi di taglio bizantino. Al bar, assaporando il gusto croccante e al contempo delicato del riso, osservo sfilare questa quintessenza dell'italianità: donne con chiome fluenti, nere e ricciolute; uomini slanciati che sembrano sfiorare il suolo, più che camminare; ragazze con capelli ugualmente inanellati e neri; vecchi che la fatica ha ingobbito, che avanzano col cappello tra le mani. La gente si accalca per accogliere i viaggiatori provenienti da Roma, che dista un'ora di volo. Gridano frasi di saluto ai siciliani appena sbarcati dall'aereo, che probabilmente sono mancati per pochi giorni soltanto, almeno a giudicare dal loro bagaglio a mano. Ed ritorna con le chiavi dell'auto. Anche lui si gusta un *aranci-*

no e ordina un espresso: resta stupito della quantità minima che il barista gli mette nella tazzina, con tanto di cremosa *schiuma*, ma lo assaggia e ne è subito entusiasta.

Il cameriere si rende conto della sua sorpresa; è alto meno di un metro e sessanta, e guarda Ed, che lo supera di circa trenta centimetri, dal basso in alto: «Più a sud si sposta, *signore*, e più lo trova forte e ristretto» gli spiega.

Ed ride: «*È fantastico!*» Porta i bagagli nella Fiat verde e si fionda fuori del garage.

Lungo la strada costiera per Palermo vediamo scorci di lido e, nello scabro paesaggio, case bianche squadrate che rammentano quelle del nord Africa. Appena entrati a Palermo, ci sommerge un traffico caotico, frenetico, un traffico che scorre troppo rapidamente per avere il tempo di capire dove stiamo andando. E poi le corsie scompaiono, i nomi delle vie mutano inaspettatamente... Continuiamo a girare in dedali di strade a senso unico. «Quel *barista* avrebbe dovuto dire "più forte e ristretto e *più veloce*"» mi grida Ed. A un semaforo tira giù il finestrino e dà la voce a un uomo che, in attesa del verde, tiene il motorino al massimo dei giri. «*Per favore*, dove vado per l'Hotel Villa Igea?»

«Venga dietro a me» gli grida quello, e parte sparato, zigzagando tra le auto e voltandosi di tanto in tanto per vedere se ci siamo sempre. Non so come, ma riusciamo a seguirlo, Ed si mette nella sua scia e va. Viaggiando a velocità da autostrada per le vie cittadine, le macchine stanno vicinissime; ci circondano dai quattro lati, siamo a pochi centimetri dalle altre utilitarie. Se qualcuno frenasse, ci ritroveremmo in un tamponamento a catena di un centinaio di vetture, ma nessuno lo fa. A un incrocio l'uomo sul motorino ci indica la sinistra e ci saluta; compie a destra una svolta così azzardata che quasi con l'orecchio sfiora l'asfalto. Ora siamo a una rotatoria, giriamo e all'improvviso ci si apre davanti una strada tranquilla. E finalmente l'albergo. Entriamo nel parcheggio a passo d'uomo, ci fermiamo.

«Non salirò più su questa macchina fino al momento di tornare all'aeroporto. Peggio di così...»

«Va bene» dice Ed, ancora abbarbicato al volante. «Per spostarci prenderemo il taxi. Questo modo di guidare mi ricorda le corse di tori.» Tiriamo fuori i bagagli, chiudiamo la Fiat e ce ne disinteressiamo fino alla partenza.

Disponendo della «camera più bella di Palermo», a detta del direttore dell'albergo, mi accingo a riempire la vasca da bagno, a servirmi di acqua fresca dal minibar e a riposarmi. Quando in Toscana il tempo è cambiato, abbiamo deciso di venire a cercare la primavera al sud: le belle giornate di marzo erano diventate ventose, la pioggia batteva contro le finestre. Primo è riuscito a consolidare il muro semicrollato, ma poi, in attesa che il terreno asciugasse, ha cominciato coi suoi aiutanti un lavoro all'interno di un appartamento in città. Stavamo brindando davanti al fuoco, quando Ed ha detto: «Scommetto che in Sicilia è già caldo. Non sarebbe bello partire... diciamo domani?»

Sollevo gli occhi dal libro: «Domani?»

«Be', non è così difficile: andiamo a Firenze, prendiamo l'aereo... tre ore di viaggio in tutto. Come andare da San Francisco a Seattle.»

«Non sono mai stata a Seattle.»

«Che c'entra? Ci andremo. Comunque qui le previsioni danno pioggia per l'intera settimana. Invece guarda il sole sulla Sicilia» e mi mostra la pagina del giornale, con le righe oblique sopra l'Italia centrale e le faccine del sole ridente sulla Sicilia.

«Ma ho paura di andare a Palermo. E se restiamo coinvolti in una sparatoria di mafia a un funerale e finiamo nel notiziario della sera?»

«Non parteciperemo a nessun funerale: in Sicilia non conosciamo nessuno, e la mafia non è interessata a noi.»

«Bene» taccio per qualche secondo. «Allora facciamo i bagagli.»

Il giorno successivo siamo in questa spaziosa camera d'albergo, con quattro grandi porte-finestre aperte sul balcone. Aria profumata, palme, e il mare d'un intenso azzurro. I soffitti alti sei metri accolgono degnamente il massiccio mobilio in stile napoleonico, tra cui il monumentale letto a forma di slitta; il pavimento è a mattonelle. Insomma, la stanza è bellissima, completamente diversa da quella precedentemente assegnataci in un'altra ala dell'edificio, oltremodo deprimente, cupa, e con un tappeto piuttosto disgustoso. Il ragazzo dell'albergo ha aperto le persiane e ci siamo resi conto che la finestra dà su un muro. «Non si vedono le palme» dico io.

«No, signora, niente palme» fa lui.

Detesto lamentarmi, e Ed più di me, ma dopo un'ora scendiamo alla reception e chiediamo del direttore. «La nostra camera non va. In un albergo così bello mi aspettavo qualcosa di meglio... Non ne avete un'altra libera? Ci piacerebbe vedere le palme.»

Il direttore controlla il numero della stanza e fa una smorfia: «Venite con me» dice, e ci accompagna in una lunga camminata per corridoi di marmo. Infine arriviamo a questa. Tira le cortine, apre le porte-finestre e il riverbero del sole sull'acqua inonda la camera. «*Ecco Palermo, signori!*» esclama. Ci mostra anche un salottino ottagonale con eleganti sedie dalla spalliera dorata, come se un quartetto di musicisti da camera dovesse cullare il nostro sonno.

«Ora sono felice» gli dico.

Il taxi arriva subito e ci lanciamo nel traffico tipo autoscontri. Sì, è sempre così, ci dice il tassista. No, gli incidenti non sono molti. Perché? Si stringe nelle spalle, come dire che tutti sono abituati. Ci adagiamo sul sedile e capiamo che ha ragione, cominciamo a renderci conto che la gente qui guida a una velocità doppia del normale e chi è al volante ha l'aria attentissima, come si stesse allenando in un «corpo a corpo» sportivo. Il taxi ci lascia in centro, vicino a una passeggiata chiusa al traffico. Fuori dal caos delle strade, ci colpisce il profumo di fiori: vendono fresie in tutti i colori pasquali, rosso, giallo, bianco. Invece dei mazzolini che compro a casa, questi sono a grandi fasci, avvolti in una gorgiera di carta rosa con nastri.

Non volendo perder tempo in un pranzo vero, mangiamo uno *sfincione*, cioè pizza con pezzi di mollica, e riprendiamo il nostro giro: palme, affollati caffè all'aperto, negozi di scarpe e borse eleganti, camerieri con vassoi che portano dolci e caffè.

I dolci! Qualsiasi *pasticceria* ne offre una varietà infinita. Siamo abituati alle paste toscane, più secche, mentre queste sono letteralmente ricoperte di panna. Una donna adorna la vetrina del negozio con fruttini di marzapane: ananas, banane, fichi d'India, limoni, ciliege; visto che siamo prossimi alla Pasqua, ci sono anche gli agnelli lanosi. Dentro troviamo torte di mandorle o di fragoline di bosco, *biscotti* e naturalmente *cannoli,* questi ultimi in una gamma di dimensioni che va da un pollice alla coscia di un agnello. Due pasticcieri si arrestano sulla soglia del retrobottega e tutti gli avventori si traggono di lato; essi avanzano cauti, tenendo in equilibrio un albero di quasi un metro fatto di piccoli *cannoli,* una piramide rigida come un *croquembouche* francese a Natale. Le *sfinci,* frittelle di riso ripiene di ricotta, cannella e canditi, sono tipiche del giorno di San Giuseppe, il 19 marzo, che in Italia è anche la Festa del Papà.

I frigoriferi traboccano di *sorbetti*: al pistacchio, al limone, al cocomero, alla cannella, al gelsomino, alla mandorla, oltre che ai gusti più comuni. La maggior parte dei bambini, però, sembra preferire il *gelato*, non in coppetta o in cono, ma come ripieno d'una brioche. Solo guardarli, i dolci di mandorle, è soddisfazione sufficiente; decidiamo di dividerci un *cannolo* con ricotta cremosa e pezzetti di cioccolato. Non ci si può biasimare, considerato che abbiamo intenzione di camminare per l'intero pomeriggio.

Il primo giorno che si trascorre in un posto nuovo è bello vagare senza meta, incamerare oggetti, colori, profumi, capire chi ci vive e quali sono i suoi ritmi quotidiani. Abbiamo tempo per fare i turisti, visitare uno per uno i monumenti. Storditi come siamo dal primo impatto con la città di Palermo, il volo, l'espresso, imbocchiamo di volta in volta la via più attraente, pronti a girare i tacchi se appena ci sembra che diventi pericolosa. Le palme svettano ovunque, vorrei portarmene una a Bramasole, che sostituisca quella uccisa dal gelo invernale. Amo le palme non solo perché evocano paesaggi tropicali, ma perché ricordo l'immagine di Wallace Stevens: «la palma all'estremo limite della mente». L'idea che dove la mente finisce non ci sia un muro vuoto o un blocco stradale o un abisso ma un'alta palma che ondeggia al vento mi pare felice.

Capitiamo all'orto botanico, polveroso e indegno del suo nome: vi sono infatti solo carrubi, cactus, gelsi, agavi e piante a cespuglio con larghe foglie. Le palme parrebbero endemiche, invece si devono agli arabi venuti qui nel IX secolo, così come le fontane, le spezie, gli arabeschi, il gelato, i mosaici e le cupole. Le palme e le cupole – rosse, dorate, verde acqua o grigio verde – sono il simbolo di Palermo. Che soluzione ardita, dipingere di rosso vivo le cinque cupole di San Giovanni degli Eremiti! Nel suo chiostro – un luogo di quiete in cui prendere respiro dal traffico cittadino – fioriscono il limone e il gelsomino.

Vediamo sulla cartina che il Palazzo dei Normanni non è

lontano e decidiamo di visitare oggi la famosa Cappella Palatina. Il soggetto dei mosaici, ci spiega la guida, sembra riferirsi allo Spirito Santo e alla teologia della luce: per me i due concetti coincidono, comunque la cosa mi interessa molto.

Il primo nucleo dell'edificio è arabo e risale al IX secolo; in seguito, nel XII secolo, il corpo fu ingrandito dai normanni, i cui sovrani vi stabilirono la loro residenza. Ciascuno lasciò innumerevoli tracce del suo passaggio, così oggi il palazzo è un sovrapporsi tale di stili che si può dire rappresenti un genere architettonico a sé stante. I bizantini cominciarono la decorazione musiva nel XII secolo; tessera dopo tessera, devono averci messo un'eternità, e vi sono narrate tutte le storie della Bibbia a me note. Anche il pavimento è a mosaico o a intarsio marmoreo, con disegni che imitano i tappeti orientali.

Lo Spirito Santo e la teologia della luce sono solo due dei tanti aspetti: come la città stessa di Palermo, in cui ogni centimetro brulica di vita. Mi piace la parola *tesserae*, mi dà l'idea d'una cascata di argento e oro. C'è il ciclo di Adamo ed Eva, il diluvio universale, la lotta di Giacobbe con l'angelo e, nella cupola e nell'abside, la figura di Cristo. Nella cupola appare circondato da angeli rappresentati di scorcio e in vesti dai complicati panneggi, nell'abside è un Cristo benedicente. In entrambe le raffigurazioni ha dita lunghe, lunghissime. Con il mio binocolo da teatro mi soffermo a osservare la mano destra, solo quel piccolo particolare di tutta l'abside: la mano levata, il pollice a contatto con l'anulare, le altre tre dita diritte, e il delicato colore della pelle. Il sole del tardo pomeriggio illumina poco le pareti, ma l'oro di cui il Cristo è soffuso rimanda riflessi ambrati.

Il resto del palazzo è chiuso al pubblico. Tornando verso il centro di Palermo, passiamo accanto a mucchi di macerie ancora della Seconda Guerra Mondiale. Gettiamo un occhio in negozietti pieni di orribile ciarpame, costeggiamo marciapiedi gremiti, dove venditori ambulanti di frittelle offrono le loro leccornie. La gente si affretta nelle ultime compere per la cena. Quando sono per conto proprio, i palermitani appaiono riservati, silenziosi, spesso esausti, ma i loro visi si ravvivano se incontrano qualcuno che conoscono. Dal taxi, sulla via per l'hotel, quasi non ci accorgiamo delle volte in cui evitiamo per un pelo lo scontro mortale.

I primi due ristoranti scelti da Ed per la nostra cena vengono subito scartati dall'impiegato dell'albergo: sono in quartieri a rischio, ci dice, facendo il gesto del tagliagole. Prende una biro e ci evidenzia vaste zone della città. «E di questo che ne pensa?» domanda Ed, indicando sulla nostra guida dei ristoranti l'osannato *N'grasciata*, dal nome pressoché impronunciabile.

«In dialetto significa "sporco", ma non preoccupatevi, è solo un modo di dire.»

Come, un modo di dire? penso io. Sporco significa sporco. «Ce lo consiglia?»

«Assolutamente sì. Non è per turisti e i proprietari hanno il loro peschereccio. Telefono e dico loro che state arrivando.»

Si tratta di un locale alla buona, ancor più all'interno, con tavolini senza tovaglie, una TV che gracida da qualche parte, scarso mobilio, niente menu, la luce dura dei neon e il ronzio degli insetti che muoiono bruciati contro l'apparecchio elettrico messo lì allo scopo. Il cameriere comincia a portare i piatti: i *panelli*, frittelle di ceci, mi piacciono da morire, e anche i carciofi fritti. Segue la pasta al pomodoro, profumatissima, e i polipetti. Quest'ultimo piatto, però, non mi convince; sono costretta a masticare a lungo; Ed, invece, si serve di nuovo. Ci portano un altro primo, i *bucatini* con le sarde, uvetta e finocchio; poi viene l'*orata* alla griglia con *frutti di mare*. Comincio a frenare: il pesce mi piace, ma non ne vado pazza, mentre Ed adora qualsiasi cosa abbia origine marina, perciò commenta estasiato ogni boccone. Il cameriere gli versa il vino fino all'orlo del bicchiere; ha lo stesso sguardo malinconico del Cristo nel mosaico della cupola, sulle falangi ha ciuffi di peli neri e arricciolati, e un villoso groviglio gli spunta d'oltre il colletto della camicia. La sua faccia allungata mi ricorda le foto dei malviventi sulle pagine dei giornali.

Risuscito momentaneamente per le *melanzane* alle spezie (ricetta certo influenzata dagli arabi, melanzane con cannella e pinoli), ma rinuncio al calamaro imbottito, con tutte quelle ventose nei tentacoli, e all'abramide. Ma questo cameriere, mi domando, ha forse intenzione di farci mangiare l'intera provvista di cibo che tiene in cucina? Arriva un vassoio di patate fritte. «*Signora*» dice, «*signora*»: non riesce a credere che abbia finito. Prende una sedia e si siede al nostro tavolo: «*Deve* mangiare».

Sorrido e scuoto la testa: impossibile. Alza al cielo i tristi occhi. «*Mi fa paura*» dico per finta, indicando il calamaro; ma lui mi prende sul serio e ne mangia un pezzetto, per mostrarmi che non ho motivo di allarmarmi. Continuo a negare col capo. Allora mi afferra delicatamente per i capelli, e con la mia forchetta comincia a imboccarmi: sono così basita che apro la bocca e mangio. Comunque la consistenza del calamaro mi disgusta davvero: è come inghiottire delle gomme da cancellare che qualcuno abbia pateticamente cercato di rendere più tenere.

Quasi un ripensamento, ci presenta degli *involtini* di vitella farciti di formaggio ed erbe aromatiche, ma persino Ed non ce la fa più. Ringrazia il cameriere: «Il miglior pesce di Palermo!» aggiunge.

«Come lo sai?» gli domando, uscendo dal locale. Il cameriere più che sorridere digrigna i denti: no, non assomiglia a Gesù, piuttosto a un lupo.

«Be', è un posto casereccio.»

Il mattino dopo usciamo presto. Il mercato della Vuccirìa è meraviglioso. Conosco i mercati francesi, spagnoli, peruviani, quelli di San Francisco e moltissimi in Italia: la Vuccirìa è *il* mercato. Per come ti sollecita i cinque sensi, in un vero e proprio delirio percettivo. E forse, essendo domani la Domenica delle Palme, dà il meglio di sé: file di agnelli, sventrati e sanguinanti, gli occhi fuori dalle orbite, sono in mostra appesi per le zampe. I piccoli zoccoli e le code fanno una gran tristezza, e le budella sono orripilanti. La fantasmagoria di pesce adagiato sul ghiaccio, i mucchi di gamberi che ancora muovono le antenne, i carretti dipinti colmi di limoni, la frutta candita dai bagliori di gemme, e poi le olive, le noci, i semi: il tutto reclamizzato da venditori che gridano a gola spiegata, cantano, descrivono le qualità della merce, scherzano, bestemmiano, contrattano, non danno pace. Le loro voci sono stentoree e rauche. Sarà vero, come ho letto, che la mafia si serve della Vuccirìa per i suoi traffici di eroina? Un commerciante tende verso i passanti il cesto pieno di anguille, che sembrano argento vivo, e ruota a destra e a manca per meglio esibirle. Rispetto ai più seriosi mercati toscani ai quali siamo abituati, questo ha l'aria di un luogo orgiastico. Avessi una cucina, potrei comprare delle lucenti melanzane e delle erbe di campo. I cuochi qui sono in paradiso, e il mio stomaco borbotta così forte da parere un cavallino che nitrisce. Non ho mai assaggiato carne di agnello.

Ed si rifiuta di visitare la catacomba dei Cappuccini, alle cui pareti sono schierati circa ottomila cadaveri disseccati. Ho già comprato la cartolina di una bambina dai capelli rossi chiusa da decenni in una teca di vetro, con batuffoli di bambagia nelle narici e un nastro tra i capelli. Abbiamo visto un luogo simile a Guanajuato, in Messico: io ne sono rimasta affascinata, Ed disgustato. Decidiamo per il Museo Archeologico, e ci tratteniamo lì fino all'ora della chiusura. Credo sia uno dei musei più belli che abbia mai visitato: tutto ciò che mi interessa è presente in questo vecchio convento. Il cortile è adorno di ancore fenicie e di anfore ripescate dal fondo del mare. Dall'antica necropoli di Marsala provengono misteriose stele con ritratti dipinti; alcuni arredi funerari etruschi delle tombe di Chiusi, vicino a noi, in Toscana, sono finiti chissà come in Sicilia. Qui vediamo anche le metope del VI e V secolo a.C. appartenenti ai fregi dei templi di Selinunte, uno dei maggiori siti archeologici greci dell'isola: vi sono raffigurati Demetra e il toro cretese, Perseo, Ercole e varie volte Atena; Era che sposa Zeus, Atteone trasformato in cervo. Capire come i personaggi noti del mito venissero rappresentati sui frontoni dei templi me li rende più familiari. Queste figure risalgono a un'epoca in cui per la gente erano esseri reali, e non usciti dalle pagine di un libro di storia del mito; e per noi è un modo di accorciare straordinariamente le distanze. Le dimensioni delle metope ci preparano alla maestosità delle rovine che vedremo.

Non possiamo esaminare una per una le dodicimila statuette fittili, anch'esse ritrovate a Selinunte, ma guardiamo e guardiamo, per quanto ci è possibile. Ci restano sale e sale di statuaria romana, di vasi greci, e le attraversiamo soffermandoci davanti ai frammenti di affreschi provenienti da Pompei, o a un bellissimo ariete di bronzo del III secolo a.C., o ad avanzi di mosaici pavimentali. Fuori, passeggiamo nelle strade ancora abbagliati dai tesori che abbiamo visto.

Tutta Palermo è una grande fiera. E non è una città facile, ma una continua sfida: percorrendola bisogna stare sempre all'erta, non ci si può distrarre; è un luogo con cui ci si scontra, ed è questo che lo rende così particolare. Passiamo tre giorni pieni tra i palermitani, assorbiti completamente dalla vita della strada, impregnati di barocco siciliano, il barocco più barocco che esista, e col collo irrigidito per il troppo guardare in alto, alle cupole. Un bambino nell'utero percepisce la luce come avviene a me, se alzo la mano contro un'intensa fonte luminosa? Se fosse così, il bambino, sul punto di nascere, voltandosi indietro un'ultima volta, vedrebbe qualcosa di simile alla cupola moresca di San Cataldo, una dilatazione concentrica di luce soffusa.

La sorpresa di Palermo sono per me le sue architetture Art Nouveau, o Liberty che dir si voglia. Le edicole di ferro lavorato attorno ai Quattro Canti, le indicazioni al principale incrocio del centro cittadino, hanno lo stesso fascino delle famose insegne parigine del metrò. Il nostro albergo è stato affrescato da Ernesto Basile, che ha anche finito le decorazioni cominciate dal padre al Teatro Massimo, riaperto di recente dopo un restauro ventennale. Una coppia notevole, padre e figlio pittori! Ed è per noi un piacere in più divertirci a individuare le loro fonti nei motivi bizantini, moreschi e greci sparsi per la città. Peccato che molti luoghi d'arte siano chiusi: nessuna indicazione, chiusi e basta.

Le fresie nella nostra camera cominciano ad appassire; decidiamo di fare un giro dell'isola l'indomani mattina. Sul balcone beviamo una spremuta d'arancia sanguigna, porgendo orecchio al fruscio delle palme sotto di noi e ai rumori del sartiame delle barche ormeggiate nella baia. «Vuoi ritornare qui, in un altro viaggio?» domando a Ed.

«Sì, ci mancano intere zone di Palermo.»

«È difficile avere una visione complessiva di un luogo come questo: così stratificato, così duro... una città che spaventa.»

«La mia impressione è quella di un caos in cui tutti hanno imparato a sopravvivere.»

«Non penso che potrei mai vivere qui. A parte gli orrori della mafia, non saprei andare in auto da nessuna parte.» In realtà non mi piace neppure viaggiare sulle autostrade della East Bay.

«Invece sì. Compreresti un'utilitaria usata, così se te l'ammaccano non t'importa niente.»

«Già, ma delle ammaccature psichiche che mi dici?» Il caos, certo, qui è innegabile. E all'improvviso mi torna in mente la storia raccontatami da una donna conosciuta a Milwaukee: mi parlò di «un soldato americano su una nave ferma nel porto di Palermo, bombardata dai tedeschi in ritirata durante la Seconda Guerra Mondiale. Lui fu tra i pochi sopravvissuti» dico a Ed. «Arrivò a nuoto a una spiaggia. Credo che i tedeschi non ci fossero già più. Una notte il soldato andò all'Opera, di cui non aveva esperienza alcuna. Alla fine, commosso dalla musica, si mise a piangere, tutti gli orrori della guerra gli tornarono addosso d'un colpo, e durante gli applausi, e anche dopo, rimase immobile, con le lagrime che gli scorrevano sul volto. Il pubblico cominciò a uscire dalla sala. Un uomo lo notò, si fermò e gli toccò la testa, come a impartirgli una benedizione. Chiunque gli passasse davanti ripeteva lo stesso gesto, di fermarsi e di sfiorarlo sulla testa.»

«È una delle storie più belle che abbia mai ascoltato. Allora Palermo è anche questa...»

Ogni popolo giunto a conquistare la Sicilia – greci, cartaginesi, Romani, arabi, normanni e altri – deve essersi portato in tasca un pugno di semi, perché qui in primavera la campagna è completamente in fiore: fiumi di fiori gialli e porpora scendono tra le rocce, sui bordi della strada si concentrano delicate infiorescenze azzurre, e tra i mandorleti l'erba è disseminata di pratoline. Uscire dalla città ci risulta relativamente facile: perdiamo mezz'ora appena. Ed è un po' spaventato dal traffico di Palermo, ma appena fuori mi accorgo di quanto ha imparato stando sul sedile posteriore dei taxi. Ormai ha assimilato il concetto che le corsie non esistono, e che la strada è un posto in cui puoi andare liberamente dove vuoi: la striscia bianca al centro della carreggiata è un qualcosa di cui tener conto o no, a seconda della necessità.

Seguiamo la strada costiera, avendo da un lato le sette sfumature di azzurro del mar Tirreno, dall'altro le colline in fiore: non è difficile capire perché l'isola sia sempre stata considerata terra di conquista. Un paesaggio così diversificato, intenso, e ovunque il profumo degli agrumi che penetra dal finestrino, circondandoti in un abbraccio di languido benessere.

Dopo poco imbocchiamo la strada secondaria per Segesta, il primo dei tanti templi greci che speriamo di vedere in Sicilia, che ne ha quasi quanti la stessa Grecia. Il tempio dorico si innalza non lontano dall'autostrada: da quella collina ha dominato il paesaggio sin dal v secolo a.C., cioè in pratica da sempre. Lungo il sentiero che vi conduce crescono piante di finocchio selvatico altissime, tre metri o forse più. Mi sono sempre chiesta come abbia fatto Prometeo a portare il fuoco agli uomini nascondendolo in un gambo di finocchio: ebbene, in questi c'entrano parecchi tizzoni. E magari, a latere, ha anche inventato il finocchio alla griglia!

Del tempio di Segesta la nostra guida scrive: «È periptero e esastilo, con trentasei colonne non scanalate alte nove metri e larghe due alla base, su uno stilobate di 58 metri per 23. L'alta trabeazione e i timpani sono integri. Restano le borchie usate per spostare i blocchi dello stilobate. Particolarmente raffinata la curvatura della trabeazione e gli abaci». In ogni modo è bellissimo, così come il teatro coevo, che raggiungiamo con una breve camminata. La Grecia è stato il primo paese che ho desiderato conoscere, desiderio innescato dalla lunga frequentazione dei testi di Byron, negli anni del liceo. Al college la mia amica Rena e io frequentammo un corso sulla drammaturgia greca; avevamo deciso di svignarcela e di girare il mondo, e scrivemmo per avere informazioni su tutte le navi da carico di quella nazione. Volevamo imbarcarci sulla *Hellenic Destiny*, ma i nostri genitori si opposero strenuamente. E in Grecia ancora non sono stata. Qualche anno fa ho visto gli splendidi templi di Paestum e mi è tornata la voglia. «Le montagne guardano Maratona / e Maratona guarda il mare; / restando lì da solo a meditare, / pensavo che la Grecia deve ancora essere libera.» Qualcosa del genere, e la mente sembra esprimersi nel tetrametro giambico...

Anche Segesta, come Paestum, è un luogo di perfetto silenzio, la sua purezza essenziale incisa nell'azzurro del cielo. Non c'è anima viva; siamo soli con la Storia e le rondini che vanno e vengono dai nidi.

Alla controra entriamo in un alberghetto di campagna e crolliamo insieme sul letto umido. Il giovane sole primaverile non ha ancora riscaldato queste pareti; né la graziosa corte piena di salvia e rosmarino, o la stanza con i colorati tappeti fatti a mano e il letto in ferro battuto sono compenso sufficiente. Non basta neppure la vista del mare: si gela. Sul pavimento spiove un debole raggio di sole. Inoltre la lampada sul comodino, che ha il voltaggio da lucina dell'albero di Natale, preclude qualsiasi possibilità di lettura. Alle quattro siamo di nuovo in macchina, diretti a Erice, cittadina medievale scavata nella roccia, il cui nome antico era Eryx. Dove sono gli abitanti? Anche qui ci ritroviamo da soli, come a Segesta. Persino la famosa pasticceria è deserta, a eccezione di un triste impiegato intento a fumare. La cassata e la torta al limone con sopra le mandorle tostate bastano a suffragare la fama dei dolci siciliani: vorrei portarmi a casa il resto della torta al limone ricoperta di mandorle locali, che mi sembra migliore di quella di mia nonna, fatta con la ricetta del più profondo sud degli Stati Uniti. Erice è molto piccola, ci fa sentire confusi, a disagio; entriamo nei pochi negozi, ne percorriamo il perimetro; tutte le chiese sono chiuse. Sappiamo bene che non è possibile giudicare la vivacità di una città italiana da una sola visita. Certo in altre ore, o in altri giorni, Erice sarà diversa. Ogni posto ha i suoi giorni di chiusura, i suoi particolari ritmi.

Finalmente aprono i ristoranti. È presto, perciò siamo soli. Ah, di nuovo frittelle di farina di ceci. Ordiniamo il *couscous alla trapanese*, cioè cucinato con brodo di pesce. Il cameriere ci consiglia la *spigola al sale*, un piatto che qualche volta faccio anch'io. Sotto braccio porta una bottiglia di Còthon, un vino rosso di Marsala, e ci presenta il pesce in crosta di sale su un letto di foglie di finocchio.

Lasciato il ristorante, ci rendiamo conto di non sapere dove abbiamo lasciato la macchina. Attraversiamo la cittadina in lungo e in largo, entriamo in un parcheggio, andiamo su e giù per le erte vie. Alla luce lunare le strade scintillano come peltro. Non incontriamo nessuno. Dov'è il ristorante? Erice misteriosa.

Tornati in albergo, le lenzuola sono sempre fredde. Apro il quaderno degli appunti e scrivo: Erice, ripetitori radio, vie lastricate in pietra. E mi addormento.

Eccoci fuori dall'umida *tomba*: sarà una giornata completamente dedicata ai resti della civiltà greca. Selinunte, peggio conservata di Segesta, si adagia dalla cima di un colle fino al mare. Il nome Selinunte, legge Ed, deriva dalla parola greca che significa sedano selvatico. Il sito presenta centinaia di gigantesche colonne spezzate; in terra, così a pezzi, sembrano ancora più imponenti. Scendiamo fino alla costa, dove godiamo del contrasto tra le colonne ambrate del VI secolo a.C. e l'azzurro del mare. Nell'aria tiepida ci sediamo su una roccia e ammiriamo uno dei grandi scenari classici dell'universo; le sigle «tempio C, tempio G, tempio E» suonano ridicole; per l'ennesima volta siamo gli unici visitatori del sito. Dopo aver visto le metope al museo di Palermo, riusciamo a figurarcele sul frontone del tempio, anche se non capiamo come abbiano fatto i greci a mettercele.

Le immagini d'una idilliaca primavera non durano a lungo: il paesaggio fuori del finestrino muta bruscamente in una serie di orribili serre in plastica. Si tratta certo di un metodo che aumenta la produttività, e dunque migliora l'economia agricola, ma i panorami ne risultano oltremodo imbruttiti. Peraltro i proprietari hanno fatto un buon lavoro: il lucchio della plastica è ovunque, a perdita d'occhio. Il pomodoro è di gran lunga il più torturato in questo senso, e quelli coltivati in serra sono belli ma poco saporiti: è il sole diretto a conferire loro gusto e profumo, e certo le migliori cuoche siciliane attendono l'estate per fare la conserva.

Capitiamo in cittadine deturpate; dovrebbero promulgare una legge che vieti le costruzioni in cemento per almeno cinquant'anni: i centri storici sono spesso soffocati dalla cementificazione postbellica, soprattutto in forma di palazzi altissimi, sorta di moderne topaie, e gli stabilimenti chimici e petroliferi non accrescono la *bellezza*. Lungo la costa si ripete all'infinito il fenomeno di costruzioni lasciate a metà: la gente avrà speso fior di quattrini per cominciare i lavori, e poi? Forse troppe bustarelle da pagare?

Probabilmente è la paura a inibire lo spirito d'iniziativa di tanta gente: meglio non farsi notare. Sono qui da pochi giorni soltanto, e già provo una rabbia furiosa contro la mafia, non posso immaginare come sia vivere sempre sotto la loro *longa mano*. Non ho mai udito pronunciare da nessuno la parola «mafia»: in quanto turista, non è possibile; e anche a porre una domanda tendenziosa, la gente svicola, rispondendo in un modo che non dia adito a ulteriori riflessioni. Siamo riusciti ad analizzare le rocce su Marte, nascono bimbi in provetta, non capisco perché la mafia non possa essere sconfitta.

Pensare a una Sicilia senza mafia, alle persone che riacquistano la loro forza d'animo...

Sono felice di non dover sostenere mai un esame su Agrigento. Per un americano abituato a una storia che scorre lineare, il passato dell'Italia sembra terribilmente complicato, e la cronistoria delle rovine greche accresce tale complessità. Sin dalla sua fondazione, nel VI secolo a.C., Agrigento è stata abitata da cartaginesi, Romani, svevi, arabi, Borboni e spagnoli; sotto Mussolini, ossessionato dall'idea di italianizzare tutti i nomi, l'antica Akragas divenne Agrigento. Frutto della stessa ossessione è anche la lapide sulla casa romana in cui visse John Keats, separato dal suo amore e malato di tubercolosi: vi compare come Giovanni Keats, il che lo rende forse più vulnerabile ancora.

Ad Akragas/Agrigento, inoltre, è nato Luigi Pirandello: viaggiando per la Sicilia si inquadrano nella giusta luce i suoi racconti, le sue pièce teatrali, con quel senso stralunato della realtà. La coesistenza di rovine greche e contemporanee, dei tentacoli della mafia e del quotidiano trantran, distorcerebbe anche la mia sensibilità per i luoghi e i personaggi. Un sole che spacca le pietre, scrive Pirandello: e persino in marzo sentiamo sulla testa i suoi forti strali, mentre camminiamo per la Valle dei Templi.

La vallata, piena di mandorli e di fiori di campo, è interamente disseminata dei resti di un'antica città, dai templi alla rete fognaria: anche a starci per giorni non si può dire di aver visto tutto. A differenza degli altri siti, questo è piuttosto frequentato, e il tempio della Concordia è conservato meglio di qualsiasi altro abbia mai visto: basterebbe rabberciare un po' il tetto, e ci si potrebbe quasi incontrare di nuovo Castore e Polluce, ai quali probabilmente è dedicato.

Cinque giorni fa non sapevo quasi niente di queste rovine, e adesso l'antica polvere mi penetra nei sandali, mi sporca i piedi; mi sono resa conto di come gli edifici abbiano retto a un tempo lunghissimo. I templi, le persone che vendono fronde di palma intrecciate per la Domenica delle Palme, gli scolari che giocano a nascondino tra le colonne: cose che ispirano una sorta di sacro sgomento a turisti come noi, errabondi, con un *gelato* sgocciolante sotto l'azzurro intenso del cielo di Sicilia. Mi sento emozionatissima, e non faccio in tempo a pensarlo che Ed dice: «Certo, un'emozione così vale una vita».

Verso l'ora di cena la vista ci si confonde, e capiamo che non è più il caso di insistere con la visita. Sulla via del ritorno mi assale quella che chiamo la malinconia del viaggiatore, un senso profondo di spaesamento a cui sono soggetta per qualche ora quando visito un paese nuovo. Il piacere di abbandonarmi al ruolo di osservatrice si trasforma all'improvviso in una sorta di angoscia, allora divento silenziosa, e rifletto sul fatto che le persone care per lo più non hanno idea di dove sono con la testa, neppure notano i miei momenti di assenza: continuano a vivere normalmente la loro esistenza, come se nulla fosse. Mi invade una gran nostalgia della mia casa, immagino il mio letto, una pila di libri – forse libri di viaggio – sul comodino, il sole del tardo pomeriggio che penetra attraverso i vetri, e la mia gatta Sister che saltella restando impigliata con gli unghioli nella coperta gialla. Che ci faccio qui, in un luogo estraneo? È come se vivessi una vita *post mortem*, in balia dei venti. Sospetto che dietro tutto ciò ci sia la paura di morire: chi sei, dove sei, quando non sei più nessuno?

Nel cortile dell'albergo è in corso un banchetto nuziale. Le esclamazioni, i brindisi osceni e la sposa leggermente scomposta aggravano il mio stato. Di solito mi piace la condizione di chi osserva, quasi invisibile dietro una finestra; ma oggi no, non mi sento in sintonia con loro. Loro sono di qui, e io un soggetto assolutamente privo di connessioni con l'ambiente. L'orchestrina riprende a suonare dopo una pausa, e due ragazze in frivoli abiti ornati di gale cominciano a ballare insieme. Potrei essere ovunque, sulla terra o nello spazio, e loro continuerebbero imperterrite a ballare. Con o senza di me. Lo sposo rovescia la sedia e i nonni, nei rigidi abiti campagnoli, hanno un'aria imbambolata. Con o senza di me. La luna spande la sua antica luce sulle colonne nella piana, come ha sempre fatto e sempre farà.

Ed sta già dormendo. Scendo le scale e guardo sciogliersi il festino. Baci e abbracci. Al bar ordino un bicchierino di *limoncello,* mi concentro sul vivace gusto aspro e penso intensamente al volto aggraziato di mia figlia, a circa quattordicimila chilometri da lì.

La mattina dopo ci rimettiamo in macchina; lungo la strada, un'altra serie di atroci brutture. Petrolchimico: che parola orribile! Povera Gela... Leggo sulla guida che in questo labirinto ci sono anche degli interessanti resti archeologici, ma è tutto così brutto che filiamo via senza fermarci. Ed si ricorda che Eschilo è morto qui, colpito in testa da una tartaruga sfuggita agli artigli di un'aquila: il Fato, come gli era stato predetto; una maniera mitica di morire. Sono sicura che l'immaginazione del giovane Pirandello è stata influenzata da questa storia.

Ragusa: passeremo qui la notte. È una cittadina in cima a un colle, corrispondente più o meno alla Sicilia che mi figuravo: provinciale, e a suo modo unica. Come parecchie altre cittadine dei dintorni, è stata ricostruita in stile barocco dopo il terribile terremoto del 1693, ed è quindi formata da due nuclei: il più recente, Ragusa appunto, e una città più antica, Ibla. Come avevamo previsto, ci perdiamo, e quando entriamo in Ibla vi si stanno svolgendo dei festeggiamenti. Mi domando come possano le numerose auto ficcarsi nelle straduzze larghe un braccio... Procediamo lentamente, svoltiamo una dozzina di volte almeno, cercando di allontanarci. Diamo un'occhiata alla chiesa di San Giorgio, leziosa come una torta nuziale, che sembra il perno attorno a cui ruotano gli attuali avvenimenti. Il sabato che precede la Domenica delle Palme è forse un giorno speciale? Finalmente riusciamo a fuggire da Ibla e ci dirigiamo verso un grazioso albergo nella città alta, più nuovo degli altri ma che a noi sembra vecchio. Pioviggina, e ci sediamo al bar con un caffè consultando guide e cartine. Gli *americani* non sono molto assidui, qui, e due uomini in giacca e cravatta si alzano e vengono a chiacchierare, forse intrigati dal fatto che siamo di San Francisco. Vogliono sapere se ci piace la Sicilia, e Ragusa; rispondiamo di *sì* e loro insistono per offrirci il caffè.

Passeggiando sotto la pioggia ammiriamo i balconi in ferro battuto, e osserviamo la gente che si affretta nella cattedrale per assistere alla messa del sabato. Ai lati del grande portale scolpito, i ragazzi vendono foglie di palma composte in elaborati intrecci: tutti le comprano, anche noi, e Ed ne adorna lo specchio della nostra camera. Oggi è il mio compleanno, perciò ci muoviamo alla ricerca di un ristorante speciale, a una ventina di chilometri, ma ci perdiamo subito in strade prive di qualsiasi indicazione: il ristorante sembra un miraggio. Facciamo marcia indietro e ceniamo in una pizzeria dalle insegne fluorescenti e le sedie di plastica arancione.

Nei nostri vagabondaggi ci fermiamo a visitare un cimitero vicino a Modica: un intersecarsi di strade in miniatura, lungo le quali si allineano tombe costruite in foggia di piccole case, un esempio concentrato del barocco di Modica. Attraverso le grate o i cancelli vediamo delle piccole cappelle con l'altare ricoperto di lino, i ritratti dei defunti e piante o vasi di fiori. Sdraiati sulle soglie marmoree, i gatti si scaldano al sole. Una donna sta spazzando la propria cappella come se fosse la veranda di casa, e con un lembo del grembiule pulisce la foto sottovetro di un soldato della Prima Guerra Mondiale. Una ragazza strappa le erbacce da un tumulo fresco. Qui i morti scompaiono molto lentamente dalla memoria delle persone, le tombe di gente morta da mezzo secolo vengono ancora curate e ricoperte di fiori.

Anche il cimitero di Cortona è come l'altra faccia della città, sebbene non sia altrettanto imponente: la cittadella dei morti, cinta da un muro, si adagia infatti proprio sotto quella dei vivi, e la notte balugina per le fiammelle dei ceri su ogni tomba. Guardandola dalla piazza del Duomo, sembra quasi di vedere i defunti che vagano qua e là, rendendosi reciprocamente visita come fanno i loro parenti ancora in vita. Qui probabilmente i morti vorrebbero divertimenti più variegati, teatrali.

Il centro successivo sulla nostra strada è Avola, abbastanza interessante: sulle vie si affacciano casette barocche a una sola stanza. Mi verrebbe voglia di portarmi a casa almeno una dozzina di questi bambini coi grembiuli bianchi. Sulle cantonate alcuni uomini con bilance a mano attingono frutti di mare da un grande mucchio sul marciapiede, e furgoni aperti attirano un gruppo di donne coi cesti, pronte ad acquistare le verdure. Giriamo per una serie di viuzze che portano al mare: non è la spiaggia che ci aspettiamo, il litorale deserto che queste limpide acque meritano, ma solo squallide cittadine di mare, oltremodo deprimenti fuori stagione.

Di Siracusa, però, mi innamoro perdutamente. Al college, durante il già citato «periodo greco», seguivo i corsi di storia greca e romana, studiavo drammaturgia greca e romana, etimologia greca. A un certo punto mio nonno (era lui che mi aveva mandato al college) mise in chiaro le cose: «Non sto pagando fior di quattrini perché resti con la testa fra le nuvole. Devi ottenere l'attestato per poter insegnare, così avrai sempre qualcosa di sicuro su cui contare». Sottinteso: nel caso che tuo marito (perché al college si spera che trovi anche un marito, e non uno yankee, per favore) muoia o ti lasci. Io mi esaltavo alla lettura di Eschilo, al suo mondo fatto di passioni estreme e delle loro conseguenze;

ammiravo il marmo purissimo della statuaria classica, e lo spirito d'iniziativa del popolo greco. Perciò Siracusa rappresenta per me un luogo straordinario. Possente Siracusa, la città antica per eccellenza, seconda solo ad Atene. Scegliamo un hotel di gran lusso sulla penisola di Ortigia; la stanza è circondata dal mare. All'improvviso ci sentiamo non stanchi, ma direi meglio completamente appagati. Passiamo il primo pomeriggio sul grande letto, ordiniamo caffè in camera e, aperte le tende, contempliamo dalle vetrate i pescherecci che entrano pigramente nel porto.

Dopo la siesta visitiamo Ortigia, addobbata a festa per la Pasqua imminente. Le vetrine dei bar esibiscono uova di cioccolata alte mezzo metro, avvolte in carte multicolori e infiocchettate. Alcune hanno un lato aperto, e dentro si vede un crocifisso di marzapane, altre contengono una sorpresa. Vorrei comprare colombe e agnelli di marzapane, galline di cioccolata. Gli agnelli sembrano impagliati, sono grandi e hanno un vello di marzapane particolarmente realistico. Nell'Antica Dolceria si raggiungono livelli parossistici: c'è un'Arca di Noè con tutti gli animali, templi greci, olive, matite. Dunque il marzapane, detto anche *pasta reale*, è un'autentica arte, in Sicilia. A me tre morsi bastano: forse devi essere nato qui per mangiarne di più.

Ortigia è davvero un luogo incantevole. Inoltre il vago senso di oppressione che ho provato ovunque, in Sicilia, qui svanisce. Forse la mafia non imperversa? Le persone sembrano più spensierate, più allegre e un po' sbruffone, ti guardano negli occhi, come fa la gente nel resto d'Italia. Nel tardo pomeriggio percorriamo la penisola in lungo e in largo. A un crocevia, su un pezzo di terreno erboso, resta qualche rudere di epoca greca, e un'iscrizione sui gradini informa che si trattava di un tempio dedicato ad Apollo. I grandi ficus sul lungomare accolgono migliaia di uccelli che cantano la loro dossologia serale. Balconi barocchi in ferro battuto, finestre gotiche, *palazzi* con le finestre inchiodate con assi, e l'impianto medievale delle strade: un'architettura stratificata nel tempo. D'un tratto le strade si allargano e sfociano in piazza del Duomo. La facciata barocca e il portale della chiesa non lasciano presagire la sorprendente particolarità dell'interno: dodici maestose colonne, appartenenti a un tempio di Atena del v secolo a.C, incastonate in una parete. La sera, dardi di luce attraversano la *piazza*, riverberando sui visi di chi sta prendendo un *aperitivo* nei caffè all'aperto. E gente normalissima sembra a quella luce, come ai bagliori dorati dei mosaici, mutare volto.

A differenza dei *Lotofagi* descritti da Omero, non ho assaggiato nulla che mi faccia dimenticare la mia patria – neppure la salsa di pomodoro, che qui è la migliore del mondo. Dovunque ci fermiamo a pranzo o a cena il cibo è ottimo e il caffè, poi, è una classe a sé; gli amanti del pesce non finirebbero mai di mangiare, in Sicilia. Prima di arrivare in un posto, Ed indaga a fondo sui ristoranti, ben intenzionato a non perdere una serata preziosa. Ma stasera una *trattoria* ci attira solo perché assomiglia tanto al tinello di una zia siciliana, con le credenze di legno dipinto, vecchi merletti e foto di famiglia. Ci indicano l'unico tavolo libero, nessuno ci porta il menu, un cameriere sbatte sul tavolo la caraffa del vino. In un bugigattolo di cucina, madre e figlia chiacchierano animatamente, mentre il marito si occupa dei clienti: ha in mano un bicchiere di vino, che sorseggia, soffermandosi a questo o a quel tavolo per prendere le ordinazioni. Compare un vassoio di *antipasti*: calamaretti, torta di verdura, olive. Spolveriamo tutto e restiamo in paziente attesa. Ed alza la caraffa, per significare che vogliamo altro vino, e il proprietario si turba: non gliel'hanno ancora portato. Corre ai vari tavoli e attinge dalle caraffe altrui. I clienti paiono sbalorditi. «Arriva subito» ci assicura. Ed ecco che tre uomini in completo scuro entrano nel locale, e il proprietario s'inchina profondamente. Entrano in cucina: le donne scattano sull'attenti, dalla nostra posizione le vediamo asciugarsi le mani sui grembiuli e alzare gli occhi al cielo. È una visita della mafia? Una richiesta di tangente? Ma gli uomini aprono le credenze, si chinano a esaminare il pavimento, i fornelli; uno tira fuori un bloc-notes e confabula con gli altri. Per un momento sembrano discutere, e uno di loro ha un'aria cupa. La padrona mette qualcosa su un piatto e lo porge loro; mangiano, nel silenzio generale. Infine stringono la mano al marito, gli consegnano una strisciolina di carta, salutano la moglie con un cenno del capo e se ne vanno. Tutti tacciono. Il proprietario attende che scompaiano dietro l'angolo e si lascia sfuggire un grido di sollievo. Entra un omino curvo, alto forse un metro e venti, con una grande damigiana di vino. Altro grido del padrone, che subito la stappa e riempie le brocche ai tavoli, poi solleva il bicchiere e le sue donne emergono ridendo dalla cucina: gli ispettori sanitari hanno fatto una visita a sorpresa e non hanno trovato nulla da ridire. Brindiamo insieme, scorre altro vino. Dopodiché il servizio s'imbroglia un po': il contorno di verdure ci viene portato dieci minuti prima del secondo; portano a noi il pesce alla griglia di qualcun altro ma non c'importa, è buono lo stesso.

La mattina successiva, molto presto, sto passeggiando da sola quando una macchina mi sfreccia accanto e si ferma: è la cuoca del ristorante, la quale salta giù, mi prende la mano e mi dice che è contenta di rivedermi, che dobbiamo tornare da lei. Indossa lunghe sciarpe e ai polsi le tintinnano pesanti gioielli. Sì, credo che ci tornerò.

Sono pronta a camminare l'intera giornata. Nel museo di Ortigia, la tela di Caravaggio col seppellimento di Santa Lucia, una vergine martirizzata nel 304, che si cavò gli occhi mentre un corteggiatore ne lodava la bellezza, è stato oggetto di una lezione del custode degna di un docente universitario. E di dove siamo? Ah, in California ha un cugino, magari al nostro ritorno lo incontriamo. Ed adora i dipinti che ritraggono la scena dell'Annunciazione, e questa di Antonello da Messina, che si va scrostando, lo incanta. I piccoli musei sono i miei preferiti, perché sono radicati nel territorio e favoriscono una conoscenza più approfondita del posto.

Attraversiamo il ponte, un giardino pubblico, e ci immergiamo nel dedalo di viuzze. Il Museo Archeologico di Siracusa è di prima classe: in esso si susseguono, sistemati intelligentemente, i reperti delle varie culture che si sovrappongono nella zona: cominciando dalla preistoria assistiamo, di stanza in stanza, allo sfilare delle diverse epoche. Manufatti, statue, musi di leoni dal tempio di Ortigia, ex voto greci, un magnifico cavallo di bronzo, e molto altro.

L'anfiteatro di Siracusa è in una posizione straordinaria. La conca di pietra della collina è stata lavorata per ricavare posti a sedere per il pubblico lungo un arco di circa 300 gradi, che ha il proprio centro sulla scena; e ci sono ancora i corridoi per l'entrata e l'uscita dei gladiatori. In estate il luogo è tuttora usato per la messa in scena di tragedie classiche. Come sarebbe bello recitare in una di esse! Le rovine che abbiamo visitato rappresentano il nucleo più consistente, ma nell'isola ci sono centinaia di altri templi, resti di fondamenta, terme, e questa è la stagione ideale per simili escursioni, perché siamo quasi gli unici turisti. La solitudine dei siti rende più intensa l'esperienza della visita, il senso di scoperta che per me è alla base del viaggiare.

Durante la notte udiamo vagamente, in lontananza, il brontolio d'un temporale, ma siamo talmente stanchi che nulla può destarci. Fino alle tre: quando gli specchi della camera sembrano voler schizzare fuori dalle cornici, ed è come se qualcuno scuotesse la testiera del letto. Il terremoto. Balziamo in piedi e guardiamo giù al porto, dove le barchette beccheggiano furiosamente. Aspettiamo di vedere che cosa accade, come facciamo sempre ogni volta che capita a San Francisco. Siamo tanto esperti in terremoti, ormai, da saperne giudicare il grado sulla scala Richter, anche se quello di sette gradi e mezzo, nell'ottobre del 1989, fu così forte da spiazzarci. Penso a che cosa doveva essere la Sicilia prima che il terremoto del 1693 radesse al suolo intere regioni. Ma stanotte si tratta di una severa, breve scossa, forse di tre o quattro gradi, a rammentarci che la terra ha i suoi ritmi in cui noi non entriamo per nulla.

A Noto, una cittadina barocca dell'entroterra, si realizza la mia fantasia sul funerale di mafia. Forse si tratta solo di un rispettabile vegliardo locale, ma svoltiamo l'angolo e ci ritroviamo nel bel mezzo del corteo funebre, tra persone ingioiellate e due Mercedes modello berlina. La bara è portata in chiesa a spalla, da uomini che potrebbero recitare in un remake del *Padrino*. Tre donne in gramaglie piangono. Afferro Ed per un braccio e lo trascino via.

Torniamo indietro per visitare Noto, ma non solo: ci attira la fama di una gelateria che, a detta della nostra guida gastronomica d'Italia, è la migliore della Sicilia. Io assaggio i sorbetti al mandarino, al melone e al gelsomino, Ed si lancia invece sul *gelato*: alla mandorla, al caffè e al pistacchio; in Italia si ordinano sempre coppette miste. Io mi servo dalla sua coppa, e lui dalla mia: sì, è davvero il migliore. Comincia a piovere, una pioggia fredda, obliqua. Prendiamo dall'auto impermeabili e ombrello e continuiamo il nostro giro: che importa se ci bagnamo? Chissà quando avremo modo di ritornare a Noto...

Ci perdiamo tra le vie di Catania, e infine giungiamo all'aeroporto e decolliamo. Sotto di noi la costa si allarga gradualmente, finché non vediamo anche una parte di quella orientale. «Che cosa stai scrivendo?» domando a Ed, intento a una delle sue liste.

«Le ragioni per tornare in Sicilia: non abbiamo visto i mosaici di Piazza Armerina, i bagni arabi a Cefalù, e neppure Taormina: incredibile... una settimana è davvero troppo poco. Voglio andare anche nelle Eolie, se non altro per il nome; e a Pantelleria per il *moscato*. Che altro?»

Un effluvio di limone esala dal mio borsone sotto il sedile, pieno di saponette al limone, un piatto di ceramica con disegni di frutti e foglie di limone e un sacchetto di limoni veri. «Vedere gli agrumeti lungo la costa.» Ricordo le colline attorno alle città barocche, dove i vari appezzamenti sono delimitati da un reticolo di muri a secco. «E visitare di più l'interno. Non abbiamo neppure cercato le piastrelle per il bagno, e poi dobbiamo tornare a Siracusa: sulla cartina sono segnati quarantotto punti di interesse, ne conosciamo solo la metà.» Mi appaiono un istante le pendici dell'Etna, prima di virare definitivamente nella coltre di nubi e perdere di vista la Sicilia.

Un menu siciliano

Dopo il viaggio in Sicilia ci viene voglia di provare ad adattare i sapori di laggiù alla nostra cucina, così preparo una cena per tre amici di Cortona. Stranamente nessuno di loro è mai stato in Sicilia, ma capiamo che cosa ne pensano da una frase di Massimo, uno dei nostri ospiti. Ci serviamo dello stesso idraulico, perciò Ed gli domanda: «Conosci quello che lavora con Carlo, uno bassetto, che parla velocissimo? È siciliano?»

«Oh, no» esclama Massimo, «è italiano!»

Ed porta in casa bottiglie di passito e di moscato, insieme a capperi, mandorle e ai frutti di marzapane ai quali non abbiamo potuto resistere. Li offriamo agli ospiti insieme al dolce. Tutti ammirano il loro realismo, ma a fine pasto ce le ritroviamo intatte, le belle pesche, pere e susine.

Per avere le ricette siciliane originali, ho consultato *La cucina siciliana di Giangivecchio*, di Wanda e Giovanna Tornabene, un testo pubblicato in inglese in cui le ricette sono adattate agli ingredienti reperibili in America.

Caponata

Ho fatto la *caponata* per anni, ma la versione siciliana era più profumata della mia. Perché? Per il concentrato di pomodoro, ottenuto con pomodori lasciati seccare al sole, che si trova solo in Sicilia, appunto; e poi una mano più generosa nei condimenti, e il sapore salato delle acciughe. La si può mangiare sul pane o sui cracker, è un antipasto perfetto se arrivano ospiti all'improvviso e, a pranzo, un paio di cucchiaiate trasformano un banale panino al prosciutto o al pomodoro in qualcosa di speciale; inoltre si sposa benissimo con la pasta, le *penne* in particolare.

Nel forno a 180° metti due melanzane di media grandezza su un foglio di carta stagnola, per mezz'ora. Taglia grossolanamente una tazza di olive verdi e nere snocciolate. Fa' saltare in padella una grande cipolla a pezzi e tre o quattro spicchi d'aglio a fettine. Taglia le melanzane a cubetti, aggiungi la cipolla e mescola bene a fuoco lento. In mancanza della profumatissima salsa di pomodoro siciliana, aggiungi cinque o sei pomodori secchi fatti a striscioline, insieme a mezza tazza di conserva di pomodoro e una tazza di salsa di pomodoro. Amalgama bene. Prendi tre o quattro filetti di acciughe, aggiungi due cucchiai di capperi, un po' di prezzemolo e le olive. Condisci con origano, sale e pepe. Come molte ricette basate sul pomodoro, la caponata è migliore se fatta un giorno prima, e comunque in frigorifero dura una settimana. Ne vengono circa cinque tazze, dipende dalla grandezza delle melanzane.

OLIVE PICCANTI

Sminuzza due peperoncini piccanti, uno rosso e uno verde, e falli saltare in padella con una piccola cipolla a fettine. Unisci due tazze di olive grandi e verdi, con una spruzzata di olio d'oliva e succo di limone. Lascia riposare in frigo per una notte.

Se dovessi indicare quale ingrediente mi è davvero indispensabile in cucina, direi il limone, il cui aroma s'impone e al contempo esalta gli altri sapori: è come versare sole liquido sugli alimenti. Anselmo mi ha portato due piante di limone in vaso; elemento essenziale dei giardini italiani, il limone è considerato così prezioso che la maggior parte delle vecchie case ha una *limonaia*, un locale a vetrate dove ricoverare le piante durante la stagione invernale. La nostra *limonaia* è in realtà un deposito per gli attrezzi, le falciatrici e cose simili, ma da quest'inverno ha ripreso la funzione originaria, coi due vasi bisognosi di un posto caldo e assolato. In primavera li abbiamo risistemati davanti alla casa, accanto alla porta di cucina, a portata di mano per questa pasta di facile preparazione e ottima resa. Quando la faccio in California, aggiungo spesso due etti di polpa di granchio, ma è squisita anche così. Insieme a un'insalata verde, è il pranzo più leggero che esista, perfetto per il giorno successivo a quello di un lauto banchetto.

Cuoci la pasta per sei persone, spaghetti o tagliatelle. Prepara 1/2 tazza di succo di limone. Scola la pasta, condiscila e aggiungi 1/2 tazza di prezzemolo, il succo di limone e il parmigiano grattugiato. Se vuoi, fa' saltare 4 etti di pasta di granchio con due noci di burro o in olio d'oliva. Aggiungi vino bianco in abbondanza. Porta a bollore per un momento, unisci il succo di limone alla polpa di granchio e metti il tutto sulla pasta.

SPIGOLA DI MARE IN CROSTA DI SALE

Non bisogna credere che si tratti di un piatto molto salato: la crosta serve solo a mantenere intatti il profumo e le sostanze nutrienti del pesce. A San Francisco compro le spigole al mercato del pesce in Clement Street: la pescano con un retino da un acquario e la uccidono all'istante con una mazzolata in testa. Preferirei non vederlo fare. Qui invece, a due ore sia dal Tirreno sia dall'Adriatico, i pescivendoli per fortuna arrivano al mercato del giovedì a Camucia con il pesce già morto e in ghiaccio.

Chiedi al pescivendolo di pulirti una grande spigola, da un chilo, un chilo e mezzo. Asciugala bene e farciscila di fette di limone, rametti di rosmarino e qualche ciuffo di timo. Unisci il succo di due limoni a sei cucchiai di olio d'oliva e aspergi il pesce. Condisci con pepe e timo. A ciò che rimane dell'olio e del limone aggiungi timo e prezzemolo e serbalo per dopo. Per la crosta occorrono circa quattro etti di sale grosso, a seconda delle dimensioni del pesce: ricopri il fondo di una teglia da forno (presentabile anche in tavola) con uno strato di tre centimetri di sale, accomodaci sopra il pesce e seppelliscilo sotto un mucchio di sale, pressandolo bene attorno a esso. Prepara un composto con 3/4 di tazza di farina e acqua q.b.; con tale composto spennellerai la crosta di sale. Il tutto in forno a 200° per 40 minuti, o comunque finché il sale non si è indurito. Porta il pesce in tavola così com'è, taglia o spezza la crosta e riportalo in cucina per meglio servirlo su un vassoio. Scalda e versa sul pesce il resto dell'olio e del limone.
La ricetta è per sei porzioni abbondanti.

ZUCCHINE ALLA MENTA

Taglia a fettine sottili, oppure grattugia, otto zucchine fini. Se decidi di grattugiarle, devi poi scolare bene tutto il liquido. Soffriggi rapidamente in olio d'oliva e aglio. Aggiungi prezzemolo e menta, condisci con sale e pepe, quindi servi caldo o a temperatura ambiente.

TORTA AL LIMONE CON MANDORLE TOSTATE

Non ho mai dimenticato la torta al limone di Erice: le mandorle croccanti aggiungono un ulteriore tocco di squisitezza all'ottimo dolce, fatto di pasta sfoglia, di soffice meringa e di crema pasticcera al limone. Le mandorle di Sicilia hanno un profumo e un complesso retrogusto e la freschezza di questi frutti è importantissima, perciò quando sono in California ordino le noci pecan dal Sud e le conservo in freezer. Dopo un paio di mesi mi accorgo che hanno cambiato sapore, ma comunque in freezer le noci resistono molto più a lungo. A San Francisco, al mercato del sabato, i contadini portano noci e mandorle delle loro proprietà. Questa è la ricetta della torta al limone di mia nonna, il cui sapore è esaltato dalle mandorle siciliane e dal profumato moscato delle Eolie, con cui è bene servirla. Adesso la ricetta è passata alla sorella di mia nonna, Besta, la quale è anche famosa per i suoi cordiali alle more, che mio padre rifiutava di bere per paura di diventare cieco.

Amalgama il succo e la buccia grattugiata di quattro limoni con mezza tazza di zucchero. Mescola due noci di burro, quattro cucchiai di farina e un quarto di cucchiaio di sale. Monta quattro tuorli d'uovo, unisci il burro e la farina e in ultimo il limone zuccherato. A poco a poco versa nel composto due tazze di acqua calda, continuando a mescolare, e poni il tutto su una fiamma moderata. La crema deve cuocere ma non bollire, e deve risultare molto densa; quando è pronta aggiungi due cucchiai di panna e lascia raffreddare.

Batti a parte le quattro chiare d'uovo finché non montano, e solo alla fine aggiungi due cucchiai di zucchero. Tosta nel forno a 200°, per cinque-sette minuti, una tazza di mandorle divise a metà, scuotendo di tanto in tanto la teglia (si bruciano con estrema facilità), e spargi sopra un po' di zucchero. Metti il composto in una pirofila, guarnisci con le mandorle e versaci sopra le chiare montate a neve. In forno a 200° finché la meringa non imbiondisce.

RESURREZIONE

Beppe smette di vangare e piega la testa di lato: «Lo sente il *cuculo*?» mi dice. Si toglie il berretto di lana e si passa una mano tra i riccioli fitti e grigi. «Arriva a Pasqua.» Odo di nuovo il suo verso, le due note ch'esso ripete all'infinito. «Sempre puntuale in questo periodo dell'anno.»

Con grande pazienza Beppe si è rassegnato a piantarmi la lavanda lungo il vialetto che porta al punto da cui si vede il lago, dove recentemente lui e Francesco hanno collocato cinque nuovi cipressi. Piantare i cipressi è un lavoro di una certa importanza, mentre i cespi di fiori proprio non lo interessano. A casa sua, lui e la moglie si dividono i compiti: a Beppe il *campo*, alla moglie il *cortile*. E i fiori... roba da donne! Lavora alacremente: calcola con esattezza come inclinare la zappa, visto che gli bastano tre o quattro movimenti soltanto? Tolgo la pianta dal vaso di plastica e la piazzo nel buco; con mossa rapida Beppe risistema la terra attorno. Quando zappo, a me sembra di coinvolgere l'intero corpo, mentre vedo che lui sfrutta solo la forza delle spalle, non la parte inferiore del busto; il contrario, insomma, dei ballerini latino-americani, rigidi dalla vita in su. Affonda vigorosamente la zappa nel terreno, non si dimena, non compie movimenti in più, né la terra rimossa è mai eccessiva, cosicché nel sollevarla non gli dolga la schiena. Alza l'utensile con la stessa facilità con cui io tiro su il mestolo dalla pastella: *tonf*, giù nella terra e via di nuovo, un colpo dopo l'altro.

Beppe è nato in un paesino isolato tra le montagne a est di Cortona. Una volta ci ha portato a vedere la casa della sua infanzia, ora abbandonata, una sorta di nido d'aquila in un *borgo* consistente in un pugno di casupole di pietra quasi prive di finestre, abitate dai taglialegna. Da sessant'anni lavora la terra, è eretto e magro, pantaloni e maglione gli ballano addosso come fossero appesi a una gruccia. A differenza di Francesco, instancabile e tenace nei suoi ottant'anni, e che lavora mettendoci il massimo della forza, il modo di lavorare di Beppe mi affascina. Non spreca energie, segue un ritmo regolare. Soprattutto mi piace osservarlo quando usa la falce fienaia nell'erba alta: mi rammenta un orologio a pendolo, potrebbe scandire le ore invece che tagliare l'erba.

Alle dieci fa una pausa e prende un sacchetto dal retro della nuova Ape verde: è il momento dello *spuntino*. Tira fuori anche un orcetto ricoperto di vimini che riempie con l'acqua del pozzo. Ne beve una lunga sorsata esclamando immancabilmente: «Ah, *com'è buona l'acqua!*»

Mentre Beppe si riposa, annaffio le venticinque pianticelle di lavanda. «*Un bel secchio d'acqua, signora*» mi grida. Probabilmente intende che ce ne vuole un bel po', ma io lo prendo alla lettera e ne porto un secchio, che è più facile da trasportare. Sentite come vi fa bene, sussurro alle piante, rilassate le radici, il trauma è passato, siete a casa.

In macchina ho ancora molte margherite da piantare tra le rose, ma non voglio chiedergli di aiutarmi a riempire le aiuole o i vasi di gerani. La cosmea e il malvone che ho messo nella *limonaia* non lo interessano per nulla: non rifiuterebbe di darmi una mano, certo, ma lo farebbe con la morte nel cuore. Scarico dall'auto due cespi di margherite. «Le dispiace aiutarmi con queste grandi?»

Con mia sorpresa sorride e sospira: «Ah, Santa Margherita...» È la santa patrona di Cortona, molto amata dai suoi abitanti e visibile in una teca nella chiesa in cima al colle. Alterniamo i fiori bianchi che portano il suo nome, sul punto di fiorire, con la lavanda e le rose già radicatesi nel terreno, addolcendo la fila di fusti spinosi e nascondendoli in parte alla vista. Ho deciso di contravvenire alla regola, secondo la quale le rose dovrebbero essere coltivate da sole, e stare a vedere che succede. «*Venerdì sera* alle nove ci sarà una lunga processione, dalla chiesa di Santo Spirito fino a Santa Margherita» mi dice Beppe.

Oggi è Giovedì Santo, in inglese *Maundy Thursday*, e mi domando ora che cosa significhi «Maundy». In città i negozi sono pieni di galline di cioccolato a grandezza naturale, uova enormi avvolte in carte colorate e con dentro la sorpresa, ma è poca cosa se ripenso alla Sicilia. «Che cosa mangiate a Pasqua?» gli domando.

«*Tortellini*, spalla di agnello, patate, spinaci, *insalata*, un po' di vino.» Beppe, sicuramente felice di abbandonare i *fiori*, si dirige verso l'oliveto per aiutare Ed. Io porto altra acqua fresca ai fiori in onore di Santa Margherita, e dal bagagliaio tiro fuori altre bellissime lobelie, ageratum, bocche di leone, dalie e quei fiori color lavanda che nessuno conosce. Ho anche un sacchetto di semi di girasole, timo, crescione e campanelle: Ed mi aiuterà domani a piantarli. Accanto a una rosa gialla che si arrampica sul muro più grande (detto Muro dei Polacchi perché è stato restaurato da manovali polacchi, appunto) metto il cespo di fiori rosa, vellutati e a forma di piccole sacche: nessuno al vivaio me ne ha saputo dire il nome.

L'esile corpo sulla Croce va incontro alla sua morte annuale. Strano, ho sempre pensato che fosse importante sapere se davvero credo alla storia che «al terzo giorno Lui risorse». Adesso, la mano a proteggere le delicate radici, le unghie listate di nero per il contatto con la terra, non mi domando se ci credo o no, ma sento il sangue scorrermi più rapido nelle vene, ora che il sole sta varcando la linea dell'equatore, riportandomi la mia stagione preferita, le lunghe giornate estive.

Forse è stato un atto avveduto, inventare gli dèi. Quale metafora migliore della rinascita, per spiegare come, nel corso dell'anno, dalla stagione più buia si passa gradatamente alla piena luce? Come darsi ragione dell'incredibile rinnovarsi della primavera, se non con una vicenda di morte e di resurrezione? Cito me stessa, rivolta alla pianta rosa senza nome:

> Se esiste un Dio che traccia il cammino che il sole
> in cielo deve seguire, bene. Se invece non
> esiste, noi siamo più di quanto sappiamo. Posso
> pensare contemporaneamente all'anemone e ai chiodi
> della Croce. Volevo la verità e mi accorgo che dalla
> carne nascono le parole di cui ho bisogno.

Scavo un buco per piantare la santolina grigioverde, con cui nel Medioevo cospargevano i pavimenti delle cattedrali, per la sua proprietà di assorbire gli odori umani. Irroro le radici: «Risorgi!» le ordino.

Grandina: grossi chicchi colpiscono le tenere pianticelle, rimbalzando sui muri di pietra come popcorn. È un tempo orribile, per essere Venerdì Santo: la *primavera* dov'è? Smette di grandinare ma piove di stravento; l'acqua bersaglia la finestra del mio studio, s'infiltra e bagna i miei appunti di storia siciliana, dilavando l'inchiostro in azzurre macchie, che sembrano più pozze d'acqua marina che vicende normanne. Parecchie stecche di persiana veleggiano tra i rami dei tigli, colpiscono il muro di pietra. Dalla finestra della camera da letto vedo colonne d'acqua «camminare» nella vallata, venire dritte verso di noi. Quando il sole irrompe dalle nubi, ci precipitiamo fuori della porta, palette in mano, e piantiamo fiori finché la pioggia non scroscia di nuovo e ci ricaccia sotto il balcone, dove ci asciughiamo.

La sera il cielo si rischiara. Siamo un po' agitati e scendiamo in città per un *prosecco*. Le strade sono affollatissime: da decine di chilometri all'intorno la gente è venuta per partecipare alla processione della Via Crucis. Proviamo in quattro *trattorie* prima di trovare un tavolo nell'accogliente Osteria, dove arie d'opera planano nella piccola sala; mangiamo gli *strozzapreti*, con panna e salsa alla nocciola. La cameriera, Cinzia, sembra divertirsi sempre moltissimo: muove in continuazione le mani, accende la candela con un ampio gesto, mentre la padrona passa tranquilla fra i tavoli. Una volta le ho chiesto se fosse di qui, e mi ha risposto che è originaria di Castiglion Fiorentino, a una decina di chilometri. Ed sta per ordinare una bottiglia di vino, ma Cinzia si mette un dito sulle labbra, alza le spalle e ci indica un Chianti a metà prezzo. L'altro, un '94, be'... scuote la testa e fa cenno di no col dito. Ed ordina il brasato al vino rosso *della casa*. Infine dividiamo una charlotte al cioccolato, e io penso nostalgicamente a quella alla pesca che servono d'estate.

Scendiamo giù a Santo Spirito, una chiesa che non ho mai visto aperta. Il portale è incorniciato da una fila di lucine, e mentre arriviamo otto uomini incappucciati stanno caricandosi sulle spalle il Cristo crocifisso. Mi fanno impressione, mi rammentano gli affiliati al Ku Klux Klan. Da bambina li vidi una volta, riuniti attorno a un falò: «Chi sono?» domandai a mia madre. «Un branco di vecchi pazzi» mi rispose. «E non esiste pazzo peggiore di un vecchio pazzo.» Ricordo di aver visto gli stessi cappucci puntuti in molti dipinti italiani, indossati, insieme a maschere d'uccello, da medici della peste. Dietro gli uomini incappucciati, otto donne portano a spalla una statua dell'Addolorata, che mi pare pesi almeno una tonnellata: escono, e la gente li segue con torce e ceri accesi. Ci uniamo alla processione in via

Guelfa, mentre la banda cittadina suona un'aria funebre. Via via altre persone ingrossano il corteo.

Ci fermiamo a ogni chiesa, da cui vengono tratte sacre effigi che ci seguono per la città nella sera calante. Alcuni cantano sui motivi della banda, molti avanzano riparando con la mano la fiamma del cero. La luna piena si affaccia e poi scompare tra le nubi che corrono senza posa. Ho la strana sensazione di aver varcato la barriera del tempo, di vivere un luogo e un rito estranei e familiari al tempo stesso. La musica suona atonale, lacerante, come immagino la si possa udire dopo la morte. I devoti procedono impassibili, a eccezione dei ragazzi, che si spintonano e si punzecchiano a vicenda. Siamo tutti infagottati in impermeabili e sciarpe, ancor più rescindendo i legami col presente. Se non avessimo acconciature moderne e occhiali, potremmo benissimo appartenere al XV secolo.

Per la maggior parte delle persone di qui, questa è una delle tante cerimonie religiose a cui assistono nel corso dell'anno, io invece non ho grande esperienza in fatto di riti, in particolare quelli con ceri, uomini incappucciati e il Cristo agonizzante portato per le vie. Mi rendo conto che il Venerdì Santo è il giorno più importante, mentre nel sud degli Stati Uniti, all'epoca della mia infanzia, la grande festa era la domenica di Pasqua, e per me significava indossare abito e scarpe nuovi. Ricordo l'eccitazione per un vestitino azzurro di organza, con dalie ricamate a mano lungo l'orlo e ai due capi della fusciacca.

Quando la processione attacca la salita per la città alta, seguendo le stazioni della Via Crucis create a mosaico da Gino Severini, per poi raggiungere Santa Margherita, noi ci stacchiamo ed entriamo in un bar a bere un caffè. Il vento freddo mi ha gelato le orecchie. Come fanno loro a portare quei pesi sulle spalle? Dopo poco udiamo la musica funebre e corriamo per raggiungere la processione a San Marco, quindi svoltiamo di nuovo verso la *piazza*, dove il vescovo pronuncia un lungo sermone. È quasi mezzanotte, e ci aspettano circa due chilometri di strada buia da fare a piedi per tornare a Bramasole, perciò lasciamo al rito chi si dimostra assai più resistente di noi.

La domenica di Pasqua, nello spirito dei festeggiamenti pasquali, decidiamo di andare a Sansepolcro, città natale di Piero della Francesca, per vedere lo stupendo quadro della Resurrezione. Ci immergiamo nel bel paesaggio da Cortona a Sansepolcro: verdi vallate e declivi boscosi, una strada serpeggiante che attraversa qualche paesino... la Toscana bucolica. Ai lati della carreggiata, distese di fiori di campo, bocche di leone, i primi papaveri che spuntano tra l'erba, il glicine rampicante sulle facciate delle case coloniche. In questo panorama idilliaco ci colpisce la presenza, sul bordo della strada, di una donna africana, alta e inguainata in pantaloni a strisce e camicetta rossa aderente. Dietro la curva successiva ne vediamo un'altra, egualmente statuaria e procace. Ci fissa. Ogni pochi metri c'è n'è una, in piedi o seduta su una cassetta: una mangia patatine fritte da un sacchetto, alcune portano i capelli sapientemente intrecciati e labbra rosso fuoco; vestono tutte di rosso e nero. Poi notiamo un'auto in sosta, e sulla cassetta manca la donna seduta. Mi sembra così assurdo, questo tipo di prostituzione nell'Italia rurale.

Quale può essere la loro clientela? Certo non la gente del posto, che rischia di essere scoperta dai vicini. Allora forse i camionisti... ma ne passano molti di qui? Abbiamo già incontrato una quindicina di donne: più donne che automobili. Che cosa strana e fastidiosa, priva di senso dove siamo, nell'alta Val Tiberina, che fa da sfondo a tanti dipinti, su questa strada incantevole nota come il percorso di Piero della Francesca.

Mi piace venire a Sansepolcro. Lungo il tragitto, ci fermiamo ad Anghiari, per i suoi vicoli medievali fiancheggiati da edifici dai tetti aguzzi, e a Monterchi, arroccata su un colle, perfettamente conservata e dall'ombrosa *piazza*. La madre di Piero della Francesca era di Monterchi, perciò la presenza qui del famoso affresco di Piero *La Madonna del Parto* assume un significato personale. Non più nella cappella del cimitero, esso è ora all'interno di una piccola costruzione appena fuori le mura: ha perso un po' del suo incanto, rispetto a quando si trovava in un luogo di morte, e impressiona meno, protetto com'è da una lastra di vetro. La Madonna ha gli occhi bassi, non solo distanti, o gravi – come è stato detto – ma con un sereno sguardo interiore. Non so di altre Madonne in procinto di partorire. Tiene la mano appoggiata al ventre: ha appena avvertito la prima contrazione? È un'idea che sgomenta, raffigurare la donna nel momento in cui si rende conto che nulla, più, sarà come prima.

Siamo abituati ai paesi collinari, mentre Sansepolcro è in pianura. Non è difficile immaginare Piero della Francesca che attraversa in diagonale la *piazza*; ha lavorato qui, ad Arezzo e a Urbino: un provinciale ma un artista sommo. Camminando per le vie di Sansepolcro, cogliendo le prospettive lineari della *piazza* e le ombre sugli alti edifici intorno, intuisco come la configurazione della città abbia influenzato il suo modo di vedere.

Nel Museo Civico, che di solito è quasi deserto, alcuni turisti italiani hanno avuto oggi la nostra stessa idea di venire a visitarlo. Si tratta di una tipica collezione museale legata alla regione, ma il pittore locale si chiama Piero della Francesca e una sala è occupata da tre delle sue opere maggiori. Nelle altre si trovano raccolte di asce preistoriche, piccole scatole, e una ventina di quadri di altri artisti, alcuni anche interessanti, se non fosse che la luce di Piero oscura la loro. Un bambino paffuto tira ripetutamente per il braccio la madre, che cerca di guardare i quadri, protestando che ha fame. La tira ancora, allora la donna gli dà un colpetto sulla testa e gli indica il diavolo in uno dei dipinti.

Ed e io ammiriamo per prima la *Madonna della Misericordia*: lo stesso volto della Vergine di Monterchi, ma più affaticato, più teso. Sotto il vasto mantello aperto protegge molte persone: è un *topos* comune, nella pittura italiana, e una simile immagine deve essere stata di grande conforto al tempo in cui i Guelfi e i Ghibellini si rovesciavano vicendevolmente addosso olio bollente e i mercenari mettevano a ferro e fuoco le campagne. È di conforto ancora adesso.

Il bambino paffuto si appoggia alla gamba della madre, si avvolge nella sua camicia. La sala si svuota, resta solo un signore che osserva con la massima attenzione il San Giuliano di Piero, dallo sguardo perplesso, o perduto.

Ed e io ci sediamo di fronte alla famosa *Resurrezione*. Il Cristo, che si leva dalla tomba, è avvolto in un sudario rosa chiaro; più in basso, quattro guardie addormentate. Nella seconda da sinistra – ci spiega la sorvegliante – l'artista ha ritratto se stesso: sembra, di tutti, quello che dorme il sonno più profondo. «Guardate qui» aggiunge, «il *gozzo*.» Io non conosco la parola, ma vedo immediatamente che cosa intende: ho sempre ammirato i bei colli delle donne di Piero, è strano che abbia deciso di raffigurarsi con una così innaturale protuberanza. Al tempo in cui è vissuto lui, l'acqua era carente di iodio: deve essere stata una persona priva di vanità, per aver conservato una tale imperfezione nella sua effigie. Dietro la figura di Cristo si apre il paesaggio, arido a sinistra, più verde e primaverile verso destra. La composizione è semplice, la sua potenza tangibile. «Ha i piedi grandi come i tuoi» dico a Ed. Il corpo è dipinto in maniera mirabile, un uomo nel pieno della sua forza fisica, e mi domando se T.S. Eliot aveva questa immagine in mente, quando ha scritto il verso «Nella giovinezza dell'anno giunse Cristo la tigre». Egli si leva con energia dal sepolcro, non conosce il pallore dei morti, ma ha guance arrossate e labbra tumide.

Il noto passo di Kenneth Clark a proposito di questo dipinto spiega bene la sua inusitata forza di attrazione: «Questo Dio familiare, che risorge nella grigia luce mentre gli esseri umani dormono ancora, è stato adorato fin da quando l'uomo ha imparato che il seme d'inverno non muore, ma riesce a germogliare facendosi strada oltre la dura crosta della terra. In seguito diverrà un Dio di giubilo, ma dapprima si presenta come dolente, immemore. Sembra parte dei sogni dei soldati addormentati, e ha egli stesso lo sguardo lontano, profetico dei sonnambuli».

«Trasmette lo stesso senso di mistero della *Madonna del Parto*» nota Ed. È vero, anche Gesù vede cose che a noi sono precluse.

Tornando a casa, troviamo le africane ai loro posti, attente ad adescare le auto di passaggio. Non leggo nulla nei loro occhi, la tragedia (perché certo esiste) non appare. Svoltiamo per una scorciatoia, felici di non vederle più. Ci circondano violette, biancospino, cotogni e susini, ruscelletti scendono per le rocce, e alberi ancora nudi già rosseggiano di nuove gemme. Ma non riescono a cancellare la dura realtà delle donne in vendita sul bordo della strada, né l'affinità – per contrasto – tra loro e la processione della Via Crucis.

Ed sfreccia di curva in curva, per chilometri e chilometri non incontriamo una macchina: siamo in ritardo per l'inaugurazione della mostra di pittura della nostra amica Celia, in una galleria di Cortona. La saletta è talmente stipata di gente che non riusciamo neppure a vedere i quadri floreali, dalle intense colorazioni blu, gialle. Circolano innumerevoli vassoi di cibarie, il vino scorre a fiumi, e tutti si complimentano con Celia. Vittorio, suo marito, ci si avvicina con un piatto di *crostini* al tartufo, e Ed gli chiede informazioni sulle donne lungo la strada. «Sono nigeriane» risponde lui. «Capisco che siate scioccati. Vengono portate qui dalla mafia russa, che le attira promettendo loro di farle lavorare come modelle. Ed ecco il risultato.»

«La mafia russa nella campagna toscana? Non è possibile» ribatte Ed. «E perché la polizia non fa una retata e cerca di rimandarle a casa?»

Vittorio si stringe nelle spalle: «La prostituzione non è illegale. Lo è il favoreggiamento della prostituzione, ma bisogna coglierli sul fatto: loro sanno sempre quando arriva la polizia, e scompaiono».

«Come fanno a saperlo?»

«Coi telefoni cellulari. Probabilmente in paese c'è un palo, che controlla chi imbocca quella strada.»

«Ma quanto lavoro ci sarà, in una strada simile?»

«Non lo so, ma dicono che hanno un sacco di clienti.»

Viene verso di noi Antonio, perciò cambiamo argomento. Chiedo notizie su alcune cose che mi hanno incuriosito: sulla porta della chiesa di San Filippo, per esempio, ho visto scarabocchiato un cartello in cui si avvertiva che la benedizione delle uova sarebbe avvenuta dalle quattro alle cinque a San Domenico, e dalle cinque alle sei a San Filippo. Il giorno di Pasqua è l'unica occasione dell'anno in cui gli italiani rinunciano al solito *espresso* veloce del mattino e preparano una grandiosa colazione all'americana, e Vittorio mi spiega che le uova servite in questa ricorrenza come simbolo di rinascita vengono portate in chiesa il giorno prima per essere benedette. «Nella settimana di Pasqua il prete va in giro a benedire le case, e le persone s'impegnano in furiose opere di pulizia. E poi benedice anche le uova.»

«L'abbiamo fatto anche noi, a Winona» ricorda Ed. «Mia madre pulì la casa da cima a fondo, e spruzzò il letto di acqua benedetta, come protezione contro il male. Infine passò il prete a benedire la casa.»

«La tua casa è già stata benedetta, Antonio?» Antonio vive solo, la sua ragazza si rifiuta di abitare con lui per via della confusione. Mi risponde con un semplice sorriso.

Non sapevo che Ed avesse dormito in un letto benedetto. Forse questo spiega molte cose di lui.

La domenica di Pasqua è un giorno tranquillo. Nella mia chiesa preferita, San Cristoforo, il sagrestano fa passare tra la ventina di fedeli presenti un cesto rosso pieno di panini dolci: il pane della vita. Il prete li benedice e li asperge di acqua benedetta; una donna porge il suo cestino di pane chiedendo la benedizione. Molti di coloro che hanno portato a spalla le statue in processione ora probabilmente gemono sotto coperte termofore.

Offriamo a Donatella e ad Anselmo dei vasi di ortensie rosa, e ci accorgiamo, con nostro grande imbarazzo, che ne hanno già parecchi, insieme a montagne di cioccolata.

Le famiglie formano grandi tavolate; alcuni (non noi) mangiano l'agnello decorato col rosmarino. Invece io sono contenta di non aver trascorso la giornata a cucinare, felice di non dover servire a tavola e di non avere, come loro, una tale montagna di piatti sporchi da doverli ammonticchiare sul muretto. Lo farò un'altra volta: stasera siamo soli, davanti a un piatto di piselli freschi cucinati con burro e peperoncino, un primo piatto delizioso. E poi una bottiglia di vino bianco, scaloppine di vitella e un'insalata verde condita col nostro olio e un aceto balsamico invecchiato cinquant'anni, tanto prezioso che lo doso col contagocce.

Ed è cattolico, perciò mi aspetto che sappia tutto sulla liturgia. «Che cosa significa "Maundy"?» gli domando.

«Credo si riferisca al "precetto" relativo a questo giorno, in inglese si chiama *mandate* e ha la stessa radice latina...»

«Quale precetto?»

«La lavanda dei piedi ai poveri. Atto che ripete quello di Maria Maddalena con Gesù.»

«Ti ricordi il bellissimo affresco di Piero della Francesca nel duomo di Arezzo, in cui si vede lei con i capelli ancora bagnati? Mi sembra restituisca lo stesso senso di intimità, di segretezza del Cristo risorto. Peccato che non sia al museo, vicino alla *Resurrezione*.»

«Se ripenso alla musica suonata dalla banda alla processione del Venerdì Santo mi viene in mente Maria Maddalena.»

«Perché?» Essendo cresciuto in seno alla Chiesa cattolica polacca, e avendo fatto il chierichetto per anni, Ed conosce i rituali assai meglio di me.

«Be', mi sovviene la parola *maudlin*, "lagrimoso", che deriva da *Magdalene*.»

«Gli uomini che portavano la Croce venerdì sera probabilmente ora avrebbero bisogno di cure ai piedi...» Penso alle ragazze sulla strada per Sansepolcro. «Ricordi se le prostitute che abbiamo visto erano dodici come le stazioni della Via Crucis?»

Ed scuote la testa: «Sono contento che la Pasqua sia passata. Adesso è primavera e basta».

In cerca della primavera:
il Veneto e le sue acque

Innamorati della primavera italiana, ad aprile la seguiamo verso nord, nel Veneto: torno così a Venezia dopo venticinque anni. Attraversando in auto la vasta pianura ripenso a quando sono stata qui l'ultima volta; svanisce il tempo trascorso, rivedo Venezia come fosse ieri. Mi sconvolge l'idea che dopo tanti anni Venezia conservi per me la medesima attrattiva: ho letto da qualche parte che le api, il ventre colmo di nettare, sono per istinto capaci di ritrovare la via dell'alveare, che le attira come una calamita. Ebbene, lo stesso credo avvenga a me rispetto a Venezia: magnifica e decadente, resta per me una città sacrale. Adoro la bellezza, e la sua posizione in bilico sull'acqua, di fronte alle porte d'Oriente, con la schiena rivolta al resto d'Europa, aggiunge molto al suo fascino: non credevo di poterle stare lontano così a lungo. Però c'è qualcosa di più del semplice fascino, qualcosa che non sono ancora riuscita a capire, qualcosa che non ha a che fare con quanto ho letto o visto nei libri e nelle immagini di Venezia. Che cosa?

Poche ore a nord-est di Cortona la primavera è completamente diversa. Le persone che soffrono di allergie stagionali qui diventano pazze: se lasciamo l'auto in sosta per un'ora la troviamo coperta di polline giallo e appiccicoso; nell'aria turbinano le impalpabili infiorescenze dei soffioni, o la polvere sollevata dai trattori al lavoro nei campi; il vento stacca nubi di polline dorato dai coni dei pini. Il verde brillante delle foglie nuove e delle messi si riflette nell'aria, conferendole una sfumatura glauca; sembra di guidare all'interno di un acquario.

Vicino al porto di Chioggia, a sud di Venezia, si estendono vaste paludi, dalle rive coperte di canneti. Ho sempre amato l'odore degli acquitrini; da piccola trascorrevo le estati nelle isole della Georgia, che restano uno dei miei paesaggi preferiti: le alte erbe acquatiche, la terra soggetta alla marea, le viscide creature abitatrici del fango, e lo spavento nel vedere quello che credevi un tronco galleggiante animarsi e spalancare le fauci. E poi un odore salmastro e marcescente, per me il simbolo dell'estate e della libertà. Stretta nella vecchia auto di mia madre, con le mie due sorelle, Willie Bell, i dischi, i giocattoli, e i vestiti (per evitare i nostri schiamazzi mio padre usava farsi accompagnare da uno dei suoi dipendenti, in un'altra macchina), mi sporgevo dal finestrino come un cane, i capelli al vento, e aspettavo di sentire i primi odori. Nessuno, però, sembrava contento di udirmi declamare la poesia di Sidney Lanier (un autore della Georgia) *Le paludi di Glynn*, le cui infinite strofe avevo imparato a memoria alle medie. Imitavo il tono declamatorio della mia insegnante, Miss Lake:

> *Mentre la gallinella d'acqua costruisce il suo nido segreto,*
> *Io ricostruirò un nido sull'immensità di Dio.*
> *Volerò nell'immensità divina come vola la gallinella*
> > *[d'acqua*
> *Nel libero spazio tra le paludi e il cielo:*
> *Con le molte radici che l'erba della palude affonda nel*
> > *[terreno,*
> *Con entusiasmo mi radicherò saldamente sull'immensità*
> > *[di Dio:*
> *Oh, come l'immensità di Dio è l'immensità*
> *Delle paludi, le vaste paludi di Glenn!*

«Non puoi farla smettere?» diceva mia sorella alla mamma. Sfogliava le pagine di «Mademoiselle», cercando i modelli autunnali per quando saremmo andate al college. Allora gridavo più forte:

> *Quanto immobile può essere la distesa delle acque!*
> *In estasi è la marea.*
> *Giunge al punto più alto,*
> *Ed è notte.*

Mi piaceva l'asciuttezza dell'ultimo verso. L'altra mia sorella si ricordava che le paludi di Glenn erano diventate rosse di sangue, durante non so che guerra. Mia madre cominciava a canticchiare *You are my sunshine*, canzone che odiavo. Tiravo giù di nuovo il finestrino e lasciavo che l'odore mi investisse il volto, finché a esso non si sostituiva il puzzo di zolfo delle cartiere.

Acquitrini, isole, lagune, e l'odore tipico dei luoghi d'acqua... Sicuramente anche queste sono diventate rosse di sangue, nel corso della storia; del resto i Dogi di Venezia non erano uomini di pace. Nelle guide, a Chioggia si accenna appena; ci rendiamo subito conto che si tratta di una piccola Venezia, ma meno raffinata, più una città di lavoro. Come la sua elegante cugina, Chioggia è fatta di canali e stretti *vicoli* medievali, di ponti a schiena d'asino. I vividi colori delle barche si riflettono sull'acqua, la gente affolla i caffè e i negozi della via principale. Il calo delle nascite registrato dalle statistiche italiane non sembra riguardare Chioggia, dove incontriamo molte giovani mamme che spingono i passeggini, spesso con due bambini uno dietro l'altro. Spero che non tocchi sempre allo stesso, stare davanti: a me non piacerebbe proprio conoscere il mondo da dietro la testa di mio fratello. I ristoranti di pesce sono tutti presso il porto, ma è fresco davvero? Vediamo un uomo con due secchi in cui sguazzano dei pesci. I canali sono talvolta attraversati in alto da fili di biancheria tesa ad asciugare: tovaglie a strisce gialle, una tuta azzurra da operaio, pantaloni rossi, camicie a fiori, un reggiseno taglia forte, e tristi collant grigi. Dalla finestra di una casa intravediamo una donna in cucina, che si unge le mani di olio per meglio impastare.

Dopo vari controlli incrociati in diverse guide dell'Italia, Ed ha scelto un celebrato ristorante con salette al piano superiore: stiamo procrastinando la visita a Venezia, per lasciare il meglio in ultimo. Il ristorante è nel paese di Lorregia, il nostro quartier generale per un paio di giorni. Uscendo da Chioggia sentiamo che i freni stridono, un rumore per nulla rassicurante. Chiediamo in albergo di un concessionario Alfa, ma ormai è tardi, e purtroppo domani è domenica. Ed insiste comunque per telefonare, qualora ci fosse ancora il meccanico: avere la macchina ferma fino a lunedì equivale a essere bloccati, e la sola cosa che potremmo fare sarebbe mangiare al ristorante. «Me la porti subito» risponde una voce. «Gli dò un'occhiata.»

La donna alla reception, comproprietaria dell'albergo, si preoccupa: «Come fate poi a tornare? È a tredici chilometri da qui». Ed domanda se c'è un posto in cui affittano macchine. «È chiuso, il sabato chiudono alle cinque. Quando è dal meccanico mi chiami: vedremo come si può fare.»

Davanti ai problemi con l'automobile, di solito rinuncio alle pari opportunità. Voglio una macchina che mi porti in giro, non mi piace mettere la testa sotto il cofano, con tutta quella ferraglia e la batteria che ti dà la scossa se sfiori lo spinotto sbagliato. Salgo in camera e Ed va via.

La stanza è estremamente sobria ma pulitissima. Alloggiando in albergo, in camere austere come celle monacali o lussuose, assaporo un piacevole senso di libertà, soprattutto se sono da sola. Tolgo il copriletto, rovescio le lenzuola, guardo fuori della finestra, apro cassetti e minibar, odoro gli asciugamani, esamino bagnoschiuma e shampoo, il vasetto di vetro coi batuffoli di cotone, e le altre graziosità messe a disposizione del cliente. Mi comporto esattamente al contrario della mia irritante zia Hazel, che usava viaggiare col proprio cuscino e una bomboletta di disinfettante, con la quale spruzzava ogni cosa lasciando poi la stanza sigillata per un'ora e più, affinché tutti i germi morissero. Mi piacciono le cartelline di pelle con la bella carta da lettere, il blocchetto di fogli vicino al telefono con il lapis sempre appuntito, le riviste patinate sulla città in cui ti trovi, gli accappatoi di spugna. Questa camera, comunque, offre pochi motivi di esplorazione. Ha una buona doccia, e io un buon libro.

Dov'è Ed? Passa un'ora, un'altra. Finalmente ritorna, butta delle chiavi sul letto: «Abbiamo una Fiat Panda fino a martedì mattina. Per sistemare i freni dell'Alfa mancavano dei pezzi che deve mandare a prendere a Treviso lunedì».

«Che cosa c'era che non andava?»

«Niente di grave, solo l'usura. Finirà il lavoro martedì mattina. Non puoi sapere la gentilezza della *signora*: ho chiamato qui e lei è venuta a prendermi, e poi mi ha portato a non so quanti chilometri nella direzione opposta, almeno dieci, in una specie di zona industriale dove è riuscita a farmi avere una macchina a nolo. Probabilmente non la ritroveremo mai più.»

«Incredibile!»

«Guida da vera italiana» commenta, ammirato. Apre la finestra e il profumo terragno di *funghi porcini* trifolati entra, perciò Ed si sbriga a fare la doccia e a mettersi la camicia blu pulita, e scendiamo in sala da pranzo. La nostra disavventura ci rende simpatici a tutti; ci trattano da vecchi amici: l'intera famiglia è al corrente del «problema» dell'Alfa. Portano dei bicchieri di *prosecco*; i presenti si dichiarano d'accordo sul fatto che l'Alfa è un'ottima macchina, e che le auto italiane hanno il design più bello del mondo.

«Ci affidiamo a lei» dice Ed al cameriere. «Ci porti i migliori vini locali e le specialità della casa.» È il modo di cenare che Ed predilige, quello di dare allo chef l'incarico di scegliere il nostro menu. Io, mangiatrice meno avventurosa, non mi entusiasmo per il *lardo*, sostanzialmente niente più che grasso di consistenza burrosa, o i ricci di mare. Spero che non ci servano i *medaglioni d'asino* che ho visto sulla carta. Vivo bene anche senza.

Il cameriere ci invita a seguirlo di sotto: la cantina ha una volta di mattoni ed è piena zeppa di bottiglie. Si guarda in giro e ne tira fuori una di Amarone, un vino che amo molto per il suo gusto corposo.

Cominciano a sfilare i primi piatti. Per fortuna ci portano pasta con verdure, semplice ma squisita perché la pasta è fatta in casa e le verdure cotte a puntino. Il cameriere passa con un vassoio di *gnocchetti*, sempre con verdure, e ce ne serve un assaggio. A poco a poco la sala si riempie di gente del posto, in abiti firmati: il Veneto è una regione ad alto tenore di vita, anche più della Toscana, che pure è ricca. Non ero ancora mai stata in una città in cui apparire tanto benestanti fosse la norma. Esiste una corrente politica fautrice della separazione di questa regione dal resto d'Italia; economicamente è una zona a parte, distante anni luce dalla Sicilia. Mi domando quante di queste donne vestite Gucci o Escada abbiano ordinato carne d'asino. Il nostro coniglio arrosto è cucinato con vino e pomodori, pinoli e uva sultanina, che ben si adatta all'aroma del vino. I dolci sono casalinghi e ci tentano, ma finiamo con lo scegliere un piatto di formaggi locali. Al tavolo accanto una coppia deliziosa cena con il figlio di nove o dieci anni: lo vediamo esaminare il menu con la massima attenzione e porre domande al cameriere. I genitori hanno l'aria annoiata, mentre il bambino mangia di gusto, lanciando immancabilmente uno sguardo ai piatti che il cameriere porta agli altri avventori. Suo padre gli versa un mezzo dito di vino e glielo allunga con acqua. Adesso si alza leggermente per osservare la bavarese di pesche e la torta di fragole sul carrello dei dolci, poi ricade sulla sedia e ordina i formaggi. Ci colpisce la sua natura da buongustaio.

Visto che siamo proprio nella zona giusta, Ed chiede un bicchiere di *grappa*. Che meraviglia tornare in camera, andarcene a letto.

Oggi visitiamo Villa Barbaro, uno dei momenti architettonici più felici del Palladio. Il giardino è spoglio, tranne una piccola striscia di prato, ma la casa è splendida, con gli affreschi del Veronese e gli appartamenti privati. L'esterno ti invita a entrare: a differenza delle tipiche ville palladiane, dall'aspetto severo, nelle quali si dispiega l'architettura con la A maiuscola, questa appare armoniosa come un canto. Mettiamo le pantofole speciali che danno ai visitatori e ci aggiriamo per le sale, rendendoci conto che il palazzo è tuttora abitato dalla famiglia. In due stanze, infatti (l'accesso è impedito da cordoni tesi sulla soglia), vediamo molte foto personali, e ampie poltrone sovrastate da lampade da lettura. Non è la bolletta della luce, quella sulla scrivania? Strano andarsene di casa la domenica pomeriggio, lasciando campo libero a orde di turisti come noi, che osservano i loro affreschi, ammirano le stanze e magari immaginano di prendere appunti sullo scrittoio di legno rifinito in oro.

La Panda sembra conoscere le strade. Non so come, ma non ci perdiamo mai. Bassano, Treviso, Castelfranco; non compaiono mai i misteriosi cartelli così frequenti invece in Toscana, su cui si legge «TUTTE LE DIREZIONI», con frecce puntate a destra e a sinistra. Ad Asolo parcheggiamo fuori del centro perché questa cittadina che pare inventata è area pedonale, e ci addentriamo per le vie della città dove ha abitato uno dei miei autori preferiti: no, non Robert Browning, che pure l'ha immortalata nella poesia *Asolando*, ma Freya Stark, la quale viveva qui nelle pause tra i suoi viaggi avventurosi in Iraq e in Persia. Che contrasto con quei paesi! Asolo non ha pretese: mi sembra di camminare in una versione italiana di Carmel, in California, coi giardini nascosti, le cancellate coperte di piante rampicanti e le graziose casette. Un luogo in cui puoi pensare di ritirarti un giorno, se solo possiedi parecchio denaro. Asolo è piena di rose rampicanti, il cui profumo ti assale ogni pochi passi. Non cerco la casa o la tomba di Freya Stark, mi accontento di vedere ciò che lei vedeva nei molti anni vissuti qui nell'ultima parte della sua esistenza, alla fine della lunga stagione di scrittura. Certo prendeva il tè vicino alla fontana, e si serviva nella locale cartoleria. Anch'io acquisto un elegante quaderno bianco su cui scrivere, uno dalla copertina gialla che sostituisca quello blu pieno delle nostre prime esperienze a Cortona; e un album per le foto con la copertina dipinta a fiori.

Resisto alle boccette di inchiostro violetto, indaco o verde, sigillate a cera, e alle costose penne stilografiche. Il piacere di avere del bel materiale di cancelleria non è paragonabile a nessun altro: dipenderà dall'eccitazione di quando, da bambini, si comprano ogni anno gli oggetti per la scuola. Poche delle cose che ho acquistato nel corso della vita mi hanno dato la stessa soddisfazione dei registri gialli a righe, i quaderni a spirale, i blocchi di appunti con le pagine di cinque diversi colori, e le copertine di pelle con gli anelli. Una cartella rossa con tanti scomparti e cerniere è proprio il massimo.

Mi torna in mente la prima volta che scoprii tali gioie, sulla scrivania di mio padre nel suo ufficio al mulino. Mi permise di prendere i quaderni di stenografia, le cui pagine erano divise da una linea, e una matita rossa da appuntire con una speciale macchinetta, dotata di un disco rotante a cui si adattavano matite di varia grossezza. Un sabato mattina in cui ero andata a trovarlo al mulino rimasi affascinata da un grande sparagraffe automatico, dal suo suono metallico. All'asilo la maestra ci aveva detto che unghie e capelli non hanno sensibilità, così misi il pollice sotto lo sparagraffe e feci partire la graffetta, che ovviamente mi provocò un acuto dolore. Mio padre si arrabbiò a morte e me la tolse con l'aiuto di un cacciavite. Il mio corpo rammenta perfettamente ogni sensazione, tremo ancora per il dolore. «Vedi il mio pollice?» e lo mostro a Ed.

«Sì... e allora?»

«Guarda l'unghia spezzata.»

Ed lo avvicina al pollice dell'altra mano: «Già». Gli racconto la storia. «Mi fai star male» dice lui. «Perché te ne sei ricordata?»

«Volevo comprare l'inchiostro color violetto, ma ho avuto paura che in valigia si versasse.»

«Un momento: non dirmi che il vecchio, rumoroso sparagraffe che usi a casa è quello dell'ufficio di tuo padre?»

«Invece sì.»

Per due giorni girovaghiamo nei dintorni, tornando la sera in albergo o nella nostra fantastica postazione gastronomica. Alle pareti dell'ingresso sono appese fotografie di famiglia, uomini in divisa da soldato, neonati, ritratti di gruppo. Ci piace quest'atmosfera così intima e il calore della famiglia. Gli abitanti del posto si riuniscono nei bar a bere, a guardare il calcio in TV, a chiacchierare della prima comunione della figlia o dell'idiota che a marcia indietro è andato a sbattere contro l'acero presso l'ufficio postale. Noi partecipiamo, brevemente e marginalmente, alla loro vita. Ed dice ai proprietari che torneremo per provare il menu autunnale. Uscendo si volge indietro a guardare il locale con rimpianto.

Il primo approccio a Venezia, dunque, non è dall'aeroporto Marco Polo o dal treno; attraversando il Veneto in auto e fermandoci a Chioggia, ho imparato un nuovo modo di percepire questa regione d'acque. Ho sempre pensato che Venezia fosse una città emersa dall'acqua, e che nell'acqua prima o dopo sarebbe risprofondata. Girando il Veneto ho acquisito il senso della geografia dei luoghi, restandone più colpita che mai. Venezia si adagia su un terreno poco più consistente della sabbia su cui camminavo nell'isola di St. Simon. L'impresa di fondare un impero su questo arcipelago lagunare dimostra un grande potere d'immaginazione in chi vi si è dedicato. Costruirono argini di rami di salice intrecciati. Che pazzia! Le fondamenta stesse sono su palafitte, che affondano nell'acqua e nel successivo strato limaccioso, per raggiungere infine il più solido strato ancora inferiore, argilloso. Le centinaia di piccole isole furono in seguito messe in comunicazione tramite ponti, dando l'impressione generale di canali scavati in una singola isola. Alcune vie d'acqua furono riempite, mutando ulteriormente l'effettiva topografia.

L'istinto mi dice che imparando a «leggere» questa mappa d'acque, troverò anche il bandolo di ciò che tanto colpisce la mia immaginazione. So già che non è solo la particolare bellezza di Venezia ad attirarmi. Forse una chiave può essere rappresentata dal fatto di comprendere che Venezia deve la sua origine a quanto è *contrario al pensiero razionale*: di solito è su una roccia che si edifica la propria chiesa (o la propria compagnia assicurativa).

Parcheggiamo in un garage lontanissimo, lasciando nel bagagliaio dell'auto la maggior parte delle valigie, saltiamo su un vaporetto che attraversa un vasto specchio d'acqua e presto imbocchiamo il Canal Grande. La memoria trasfigura la città in colori pastello. La realtà del vaporetto che solca il canale, le barche a motore cariche di frutta o casse di *acqua minerale*, le larghe chiatte delle ditte di costruzione, piene di assi di legno e sacchi di cemento; la bellezza mozzafiato, favolosa eppure concreta dei *palazzi* che si riflettono nel Canal Grande... Sto appoggiata al parapetto e mi mordo la nocca dell'indice della mano destra: una vecchia abitudine di quando sono attonita. Perché la bellezza non ti passa davanti e basta: ti rapisce. Comincio a sentire l'euforia che prova il viaggiatore trovandosi in un luogo che è supremamente se stesso.

Arrivare a Venezia sembra l'atto più naturale del mondo. Vale per tutti? Si tratta del resto di un luogo arcinoto, dai film, dai calendari, dai libri, ma la conoscenza di esso è stratificata, va ben al di là di una facile dimestichezza.

Sono assalita dai ricordi, e al momento di metter piede sulle *fondamenta* vorrei tanto liberarmi la mente. Venezia era la nostra città, mia e del mio primo marito: pur essendoci venuti due volte soltanto, amavamo l'alberghetto pieno di fiori, dove dormivamo col materasso sul pavimento perché la rete cigolava. Il nostro gondoliere aveva una voce suadente, scivolava per i canali, passava con maestria sotto i ponti. Be', d'accordo, cantava *O sole mio*, ma era anche piuttosto bravo in *Nessun dorma*. Al mercato del mattino, un venditore aveva costruito una piramide di pesche bianche, e sui banchi, tra il ghiaccio, sembrava presente ogni qualità di pesce dell'Adriatico, pronto per le donne coi loro cesti e per i proprietari di ristoranti, seguiti da garzoni con cassette in bilico sulle spalle. A causa della mia fobia degli uccelli, mi rifugiavo sotto i portici di piazza San Marco, mentre mio marito passeggiava tra le migliaia di piccioni e poi tornava a descrivermi la *piazza* da prospettive a me in eterno precluse. Trovammo una cartoleria che vendeva eleganti quaderni bianchi rilegati in pergamena e carta marmorizzata, e mangiammo pasta al nero di seppia. Mi innamorai del ciclo di Sant'Ursula del Carpaccio, con la santa che giace in un letto monumentale e sogna, mentre un angelo con la palma, simbolo del suo martirio, varca la soglia. Quattro anni dopo ci tornammo con nostra figlia, ed ebbi il piacere di assistere alla sua felicità nel girare tra le calli e i canali. Aveva un cappello di paglia da gondoliere, e correva qua e là per accarezzare gatti che non volevano essere accarezzati; lasciò il borsellino su un *vaporetto*, e pianse per la perdita dei pezzetti di vetro che aveva collezionato durante il viaggio. Strano, i frammenti che ti restano nella memoria... Non ricordo le sue reazioni dinanzi alla laguna, ai ponti, a *piazza* San Marco. Le piacevano le manopole e la cannella di ottone, a forma di cigno, della vasca da bagno dell'hotel. Mi stupisco sempre di come la memoria supera d'un balzo gli anni trascorsi e torna al tempo e al luogo in cui i vecchi amori permangono intatti. La tempesta dei ricordi si placa.

Quante volte l'acqua alta ha invaso Venezia, da allora! Ma adesso sono qui. Con Ed. E in una nuova vita. Ci riapproprieremo della città a modo nostro. Sbircio Ed e mi viene da ridere: ha lo sguardo perduto. «Venezia» dico soltanto, e lui annuisce.

È già abbronzato, e si sporge dal parapetto nella sua camicia di lino giallo. La pura bellezza di Venezia scorre dietro la sua figura, e penso che sarebbe una persona con cui fuggirei, se non lo avessi già fatto. M'incanta l'idea dei giorni che passeremo insieme vagabondando per Venezia: *bella, bella*. Inoltrandoci nella parte in cui il Canal Grande si allarga, esso sembra inclinarsi. Dopo poco il vaporetto sbatte contro il pontile: «Siamo in Paradiso».

«Sì, se in Paradiso non c'è Venezia, non ci voglio andare.»

L'albergo è un ex convento a torre, e dà su un armonioso campo che un tempo era laguna ma poi venne colmato. Torre significa luogo romantico ma anche stretto: la piccola camera, col suo arredamento grazioso, ha l'aria molto veneziana, e Ed sembra Gulliver nella casa di un lillipuziano.

Siamo arrivati in tempo per il giro delle «ombre». Un amico italiano di Cortona ci ha raccontato dell'abitudine dei veneziani di fermarsi a questo e a quel bar, nelle ore del tardo pomeriggio. I bar sono spesso piuttosto piccoli, col bancone direttamente sulla calle, e la gente ci si ritrova a bere un'*ombra*, ovvero un mezzo bicchiere di vino: il termine «ombra» deriva dal fatto che inizialmente il luogo deputato per simili incontri era sotto i portici ombrosi di piazza San Marco. Le persone bevono e poi vanno insieme in un altro bar, e sovente non si conoscono se non per questa abitudine. «È un amico con cui si va in giro per ombre» dicono i veneziani. Sul bancone, una serie di *assaggini* che mi ricordano i *tapas* messicani: pezzetti di polenta con pesce, *moleche*, granchietti alla griglia, acciughe fritte, e *baccalà* cucinato in diversi modi. Ne passano due o tre e se ne tornano a casa, i gruppi di amici mutano continuamente composizione. Sostiamo in un bar con una tale varietà di *antipasti* che decidiamo anche di cenarvi. Proviamo le *sarde in saor*, sardine fresche in salsa agrodolce, un piatto che risale al periodo dei Dogi. Venezia ha una pessima fama, in quanto a ristoranti, ma se esci dal centro puoi trovare parecchie *trattorie* che servono piatti di cucina casalinga e pesce fresco. Il classico repertorio veneziano comprende fegato di vitella con cipolle (ben diverso, per fortuna, da quello della mensa del college), risotto o pasta al nero di seppia, e l'ottimo *risi e bisi*, dove bisi sta per piselli. E ancora pesce alla griglia con radicchio rosso, zuppe di pesce, pasta ai frutti di mare, insomma il pesce la fa da padrone. Venezia e la Sicilia, per tanti versi opposte, condividono il privilegio del pesce, e il complesso uso delle spezie che deriva loro dalle varie dominazioni subite.

Lasciamo la cartina in albergo: vogliamo girovagare senza meta. Fuori dai luoghi più frequentati dai turisti, Venezia è straordinariamente attraente. Capitiamo in uno *squero*, cioè una corte in cui costruiscono o riparano le gondole. Un uomo sta verniciando la sua di nero, e mi rammento che in passato, prima della peste e delle leggi suntuarie, le gondo-

le erano invece coloratissime. Voglio che Ed veda le nove tele del Carpaccio con la Leggenda di Sant'Ursula. La santa,
che aveva rifiutato di sposare Conan per restare vergine,
giace addormentata su un letto a baldacchino, con in terra
un cagnolino e vasi di fiori sul davanzale. Dall'altra parte
del letto non c'è quasi nulla. Un angelo entra esitante, le
sfiora la spalla e le porge la palma del martirio. Un pensiero irrazionale mi passa per la mente: «Guarda, non si è mai
svegliata, in tutti questi anni di mia assenza...»

Nelle varie botteghe, che mi fanno pensare alle corpo-
razioni medievali, vediamo pezze di velluto damascato,
frutta candita, grossi braccialetti d'oro, teste di porfido e
oggetti di vetro soffiato. Mi piacerebbe andare nelle case,
provare dall'interno che significa avere l'alta marea al
pianterreno, sentire l'odore del marmo umido e vedere i
riflessi dell'acqua sul soffitto, tirare pesanti tendaggi sbia-
diti e lasciar entrare il sole.

All'imbarcadero per le isole saltiamo sul primo vaporetto in
partenza. Gli scali a dieci o venti minuti da Venezia sono in
realtà remotissimi nel tempo e nello spazio. Sono solo iso-
lotti di canne che affiorano appena dall'acqua: forse anche
questo contribuisce a esaltare lo splendore di Venezia. Superiamo Murano, non ci fermiamo in un'isola lavorata a
terreno agricolo e scendiamo a Torcello.

Dal pontile seguiamo un canale di acque morte fino ai resti di un insediamento. Le cittadine deserte mi danno l'impressione che tutti gli abitanti siano volati via, e in effetti
qui la malaria decimò la popolazione, ma fu secoli addietro. La chiesa romanico-bizantina di Santa Fosca risale a
molto dopo, all'XI secolo: se sapessi disegnare, tirerei fuori
le matite e farei uno schizzo del suo elegante portico. La
cattedrale, l'edificio più antico dell'intera laguna, fu inizia-
ta nel 639. Da allora al XIV secolo Torcello conobbe un lun-

go periodo di prosperità, coi suoi ventimila abitanti la maggior parte dei quali dedita alla pastorizia e all'arte della lana. Il pavimento musivo della cattedrale è dell'XI secolo; i mosaici alle pareti sono più tardi, compreso quello della Madonna col Bambino in campo d'oro che, delle migliaia e migliaia di Madonne, è da non perdere. E neppure il Giudizio Universale, con la sua sinistra teoria di scheletri.

A partire dal XIV secolo cominciò il lento declino. Ho letto che attualmente ci vivono sessanta persone, ma noi non vediamo nessuno, tranne qualche venditore ambulante di souvenir per turisti. «Che posto magnifico per girare un film!» Ed sta guardando un giardino abbandonato pieno di statue, con l'abside della cattedrale alle spalle e la calda luce spiovente.

«Che tipo di film?»

«Uno ambientato nei tempi antichi. Qui tutto va in rovina. Ma guarda, stanno restaurando quella *casa*. Forse qualche pendolare tra Venezia e Mestre ha deciso di trasferirsi qui: invece di respirare il fumo delle fabbriche può coltivare la terra. Io ci vivrei benissimo...»

«Se avessi una barca.»

«E un orto, e una cantina piena di bottiglie di vino, e una ricca biblioteca.»

«La prossima volta voglio dormire qui alla *locanda*. I pochi turisti se ne tornano tutti a Venezia con l'ultimo vaporetto. Le isole di notte...» Non finisce la frase.

L'affollata, esuberante Burano è l'opposto di Torcello, e fa uno strano effetto arrivarci dopo quel silenzio e quella quiete; eppure subito t'innamori delle case lungo i canali, dipinte di vivi colori. Mi ritrovo a fotografare il balcone fiorito di una casa rossa, o le reti da pesca tese ad asciugare sulla prua di una barca gialla, o una donna che, affacciata a una finestra azzurra, scuote la rossa tovaglia da tè. Tutti i colori con cui non oseresti mai dipingere la tua casa, visti qui trasmettono un senso di pura gioia. È come se ogni abitante si fosse precipitato a una gigantesca svendita di vernici, acquistando in particolare barattoli di arancione e di violetto: molti brutti quadri devono essere stati concepiti durante una gita a Burano. Il paese è allegro, festoso. Mangiamo al sacco sull'erba, di fronte alla laguna, poi riprendiamo il vaporetto che fa la spola fra le isole, superiamo San Michele, il cimitero, e puntiamo verso la terraferma.

In piedi sulla prua, mi accorgo che sto cercando di carpire gli odori di palude. Lontana, sull'acqua d'un pallido verde, Venezia balugina nella fioca luce del sole al tramonto. Cullata dallo sciabordio del mare contro lo scafo, ripenso all'*incipit* di uno dei miei libri preferiti, *Parla, ricordo* di Nabokov: «La culla pencola sull'abisso, e il buon senso ci dice che la nostra vita non è che un breve lampo di luce tra due eternità di tenebra. Quantunque siano identici, l'uomo considera l'abisso prenatale con maggior serenità rispetto a quello verso cui sta andando (a circa quattromilacinquecento battiti cardiaci l'ora)». Lo stavo rileggendo la notte scorsa e sentivo profondamente l'intensità di questo brano.

La passione di vedere ciò che resta del passato è forse un ponte verso «l'abisso prenatale»? *Tutto ciò ha avuto luogo prima di te.* E puoi venire a contatto con molto di quanto ti ha preceduto, chiari indizi che infine conducono a te, al breve lampo di luce che tu rappresenti. *Sto galleggiando.* Venezia è tutta luce alluvionale. *Sto camminando sull'acqua.* Sono ipnotizzata dal cielo di madreperla, dalla laguna, dalla Venezia di... Frugo nella mente; sì, ci sono: dalla Venezia del passato irrecuperabile, fragile, sbiadito legame con l'inconscio.

Finalmente trovo pace: ora so che cosa sono venuta a pescare in queste acque, so che cosa una città lagunare come questa mi può dare, a differenza delle altre città, con la concreta realtà delle loro strade sotto i piedi – o sotto gli pneumatici –, le loro entrate e uscite ben individuabili nello spazio. A Venezia il tempo non scorre, ma si raggruma in un eterno presente, il tempo di quando noi non esistevamo ancora. *Perché siamo creature anfibie, viscidi esseri di terra e d'acqua.* E l'odore della palude ti penetra nel midollo.

Noto che i gondolieri è come se «lavorassero» l'acqua, passando dall'una all'altra sponda. In *Morte a Venezia* di Thomas Mann leggiamo della loro «maestria... con quella particolare nerezza che è solo delle bare».

Invece no, i gondolieri non somigliano a Caronti che attraversino lo Stige: camminano miracolosamente sulle acque. La forma della gondola ha molto più della chiave di violino che della bara. Il nostro destino mortale è un concetto che ci viene insegnato, ma della morte non abbiamo, ovviamente, esperienza diretta. Quest'acqua è troppo luminosa, una distesa d'argento con sfumature rosa e oro, davvero remota dall'idea di morte. Solo ora comprendo perché Shelley, Mann, McCarthy, Ruskin, gli articoli di viaggio, i film – cioè i miei vari approcci a Venezia – non giungono mai alla Venezia che mi sento sotto la pelle. *Morte*: così chiamano il suo potere di attrazione. Ma per me hanno capito male, esattamente il contrario: è per *nascere* che attraversiamo le acque.

Da lontano i gondolieri sembrano sonnambuli, col nero profilo delle gondole sospinte dai sogni sulle acque dell'inconscio.

Alla sera mi ritrovo nuovamente a riflettere. Stiamo bevendo un bicchiere di vino in un bar sul Canal Grande, e mi domando se ha sempre questo aspetto luminoso, scintillante. Probabilmente in agosto rimanda un fetore di spazzatura. Il cameriere è affabile, cortese. «Come fanno a essere così gentili avendo a che fare con tanti turisti?» L'americano al tavolino accanto sbatte il bicchiere sul ripiano per attirare l'attenzione del cameriere, e i suoi amici scherzano tra loro, fingendo di spingersi vicendevolmente in acqua. E pensare che sono persone adulte.

«Coi turisti ci convivono, ci sono abituati. Immagina che cosa dev'essere a luglio, coi rifiuti che galleggiano nel canale e truppe di gente sudata, che emana un odore acido...»

Ad aprile la gran massa non è ancora arrivata, ma c'è comunque abbastanza gente da farmi evitare i luoghi più frequentati. Si tratta per lo più di un turismo di bassa lega, fatto di persone in berretto e calzoncini, che si trascinano qua e là con un bicchiere di carta in mano, modello McDonald's. A braccia conserte guardo severamente i nostri vicini, che sembrano divertirsi come matti.

Giro la sedia in modo da fronteggiare il canale, e mi accorgo di un fatto particolare: i volti dei turisti che, sul vaporetto, costeggiano i *palazzi* – la Ca' d'Oro, le bifore a trafori marmorei, gli scalini muschiosi e le facciate brune o rosa antico – i cui riflessi ondeggiano nell'acqua azzurrata, i loro volti, dico, hanno un'espressione sbigottita. I lineamenti si ammorbidiscono, gli occhi sono colmi di bellezza, inondati di limpida luce. Ciò che guardano li muta nel profondo, scendono dalle gondole come creature nuove.

Tutti i ristoranti che scegliamo sono in quartieri lontani dal centro. Ci perdiamo di continuo. Dopo cena, quasi a mezzanotte, le *calli* sono immerse nel più completo silenzio. I nostri passi rimbombano, parliamo sottovoce. Gatti addormentati sui davanzali e sulle soglie non ci degnano nemmeno di uno sguardo. Tornati in albergo, l'impiegato della reception ci racconta della corrente politica fautrice della separazione di queste regioni dal resto dell'Italia. Oggi si sono impadroniti di un vaporetto (anche se hanno pagato il biglietto!) e ci hanno caricato un furgone dipinto in modo tale da sembrare un veicolo blindato, a bordo del quale hanno poi attraversato piazza San Marco, agitando i fucili. Dopo poco li hanno arrestati. «Una *carnevalata*. Credono che sia Carnevale» conclude l'impiegato, stringendosi nelle spalle. Alle quattro circa ci destano i passi sonori e ritmati di una marcia: «*Uno, due, tre, quattro*». Ci affacciamo sul *campo* e vediamo una ventina di uomini dell'esercito della Padania, vestiti di nero e intenti a sfilare al passo dell'oca; un surreale flashback del Ventennio fascista. Mi paiono ben addestrati, ma Ed dice che non è poi così difficile, il passo dell'oca. «Stavo sognando» aggiunge «di pattinare sul Canal Grande ghiacciato, di volteggiare in piazza San Marco e poi di scivolare all'indietro sotto i ponti, costretto, nel farlo, ad abbassare la testa per non sbattere.»

«Cosa vorrà dire?»

Si è già addormentato. «Venezia ghiacciata. Venere di ghiaccio. Venere e Venezia. Noi a Venezia.» Io, invece, non posso più dormire, così mi metto a leggere delle passioni di lord Byron per alcune dame veneziane, i suoi pomeriggi di studio sull'isola di San Lazzaro, dove esiste ancora un collegio armeno, e le sue nuotate dal Lido alla fine del Canal Grande. Ed ha talento, per il sonno: basta che posi la testa sul cuscino ed è fatta. Mi domando se la schiena di Byron fosse sexy quanto quella di Ed, e se la donna di turno, magari moglie di qualche mercante veneziano, fosse egualmente attratta dalla sua pelle chiara e liscia. Tornare nell'abisso prenatale... e Byron in carne e ossa nel gelo; che si toglie l'acqua dagli occhi, e vede i *palazzi* all'alba, mentre cerca di nuotare controcorrente. Mi sembra quasi di sentire la corrente e la tensione dei suoi muscoli. Impossibile leggere... ho negli occhi le immagini di Venezia, e la lampada sul comodino ha la potenza di un lumino da notte. Nulla è più difficile da sostenere che la realtà del passato. Il borsellino rosso perduto da mia figlia, pieno di tesori. Il libro mi scivola sul pavimento ma Ed non si muove. Per un istante fantastico di tuffarmi nel canale: probabilmente dopo dovrebbero farmi la lavanda gastrica, ma sarebbe comunque un episodio da aggiungere al mio *curriculum vitae*.

I pipistrelli sono tornati, si slanciano su di noi in pazzi svolazzamenti. Anzi, non è un volo, il loro: sembrano piuttosto coriandoli scuri in balia di un vento di burrasca. Ho sempre avuto il terrore che uno mi s'impigliasse nei capelli, ma dopo centinaia di cene in cui li abbiamo avuti come ospiti, ormai mi fido della precisione dei loro radar. Mi ricordo di aver visto la radiografia di un pipistrello, al corso di anatomia: nell'involucro di pelle spessa come cuoio, lo scheletro è simile a quello di un piccolo uomo. D.H. Lawrence descrive il pipistrello come «un guanto nero lanciato nella luce / e che poi ricade», le sue ali «simili a pezzi di ombrello»; ma a me resta impresso l'omuncolo imprigionato lì dentro, condannato a cibarsi di insetti. A Bramasole li vedo ovunque, dormono negli interstizi tra lo stucco e la pietra dei muri, e ora sono per noi una presenza familiare.

Dovrebbero eccitarsi, nel «sentire» una ciotola colma di fave e un vassoio con uno spicchio di *pecorino* appoggiati sul muretto, la nostra comoda mensola di servizio. In caso contrario, sarebbero gli unici esseri, nella provincia di Arezzo, a non condividere questa mania tutta toscana. All'inizio o alla fine di qualsiasi cena, siamo costretti a mangiar *fave*, e il raccolto di Anselmo, come previsto, ci subissa: ne regaliamo ai vicini, agli amici, a chiunque le accetti. La combinazione di *fave* e *pecorino* è forse la più amata in Toscana, e vive in primavera la sua breve, intensa stagione. Viene servita come piatto forte, o come *antipasto*, o come dessert. Il *pecorino* dev'essere fresco; questi due prodotti della primavera sembrano fatti l'uno per l'altro.

Il *pecorino* di stasera è speciale, grazie al nostro amico Vittorio. È nato e cresciuto a Cortona e adesso lavora per un viticultore, dopo parecchi anni di lavoro a Roma (aveva scelto di fare il pendolare – nonostante il lungo viaggio – per continuare a vivere come piace a lui). Si ferma da noi di ritorno dalle gite in montagna, dove va per *funghi porcini*, e quando siamo in città gli lasciamo un sacchetto di *fave* appeso al batacchio del portoncino. È presidente del gruppo locale di Slow Food, un'organizzazione internazionale che si pone quale scopo la conservazione delle cucine tradizionali e dei metodi più puri di coltivazione e preparazione degli alimenti. Slow Food: il contrario di Fast Food. Ovviamente ci siamo associati. Gli incontri consistono in cene di otto portate con dieci o dodici vini di una particolare regione. Proprio ciò che fa per me. Gli incontri, peraltro, si ripetono, da parte di altri gruppi, in altre città d'Italia, e alla fine della serata si passa alle votazioni, comunicate via telefono, e alla proclamazione dei vini migliori.

Nel tardo pomeriggio Vittorio ci porta a far visita a un amico che ha un podere e che si chiama – nome che mi stupisce! – Achille. Aspettiamo che torni dalla mungitura. Da un lato della casa c'è una vasca da bagno in corrispondenza di un rubinetto di acqua fredda, e in una posizione tale da godere del panorama di Cortona, in lontananza, incorniciata da colline boscose. Una mezza lattina di olio, inchiodata al muro accanto, serve da portasapone. Qua e là per l'aia una serie di panchine ricavate da tronchi d'albero. Arriva Achille, un uomo d'una settantina d'anni, portando un secchio di latte di pecora e un rastrello dal manico reso liscio dall'uso, coi rebbi fatti di pezzi di legno appuntiti a mano e fissati in un ramo. Insomma, l'ha costruito da sé: un oggetto bellissimo, simbolo della sua individualità; avrebbe potuto comprarlo (un rastrello non costa molto), ma ha preferito farselo. Achille è robusto, severo e dai gesti misurati, i suoi occhi di tartaruga ci squadrano in un baleno. Ogni giorno vissuto sotto il sole ha aggiunto un solco al suo volto, fino a fargli assumere l'aspetto scuro e rugoso di un vecchio guanto da baseball. Lo seguiamo in una stanza vicino alla stalla dei vitelli. Le forme di cacio occupano quattro assi di legno sospese. Ed nota lungo le corde, a intervalli regolari, delle piccole ruote di stagno dentellate. Achille sorride e ci spiega che impediscono ai *topi* di scendere lungo le corde e di mangiare il formaggio.

Sul latte galleggia uno strato di grasso. Con un canovaccio Achille copre le maglie di un setaccio, attraverso il quale versa poi il latte. Infine aggiunge il caglio preso dall'apposito contenitore. Vorrei fargli delle domande, ma non sembra il tipo da conversazione oziosa. Il locale ha un odore che non avevo mai sentito prima, un forte, primitivo odore di latticini stagionati: in barba alle leggi europee sulla pastorizzazione, formaggi come questi sono lavorati così da tempo immemorabile. Achille ci invita a scegliere una forma che non mostri fenditure nella crosta, poi la gira guardandomi intensamente (certo gli sembrerò strana almeno quanto lui a me) e mi dice che devo ripetere quel gesto ogni giorno. «Perché?» azzardo, anche se ho dedotto che gli ingredienti, non ancora stabili, necessitano di essere ulteriormente amalgamati. Non mi risponde, ma abbozza un mezzo sorriso. La gialla forma rotonda di circa otto etti assomiglia a una piccola luna. L'avvolge accuratamente nella carta stagnola.

Entra la moglie di Achille con un altro secchio: è vestita da casa, con stivaloni di gomma, e al pari del marito ha il viso cotto dal sole. Tacciono entrambi, immagino siano in imbarazzo, abituati come sono a vivere isolati; la donna ricomincia l'operazione. Dispone di una cucina a legna nella corte, che utilizza quando dentro fa troppo caldo: un pentolone per la pasta tutto ammaccato ne dimostra l'uso frequente. Me la figuro, la sera, dopo che ha finito i lavori domestici, fare il bagno nella vasca all'esterno, circondata da una pace assoluta.

Il divertimento, con le *fave* fresche, è sgusciarle a tavola e mangiarle, come s'è detto, insieme al *pecorino*. Quello di Achille è molto morbido e saporito, senza però il retrogusto di stallatico tipico della maggior parte dei *pecorini*. Ed se ne taglia un altro pezzo, e noto che da solo ne ha fatto fuori un buon quarto. Dopo cena passeggiamo per i terrazzamenti, con in mano il bicchiere della staffa: le zucchine stanno per fiorire e i loro magnifici fiori meriterebbero il pennello di un Van Gogh o di un Nolde che ne carpisca l'oro fuso. Ci soffermiamo presso le piante di pomodoro, pensando a quanto ancora dovremo aspettare prima di colmare i nostri cesti dei frutti succosi. Ed stropiccia tra le dita una foglia e mi fa annusare la promessa di pomodori maturi. La bietola è già pronta, e molta più di quanta me ne aspettassi per preparare il risotto. Osserviamo infine il raccolto di *fave*: lo abbiamo appena intaccato; qualcosa mi dice che dopo questa primavera non vorrò più vedere un solo baccello.

Trascorro il pomeriggio con Vittorio, a girovagare per la campagna sulla sua auto, i vetri abbassati, mentre Ed dedica la giornata alla scrittura. Ci fermiamo da un contadino che vive in una casa costruita nel '400 e tuttora proprietà di un conte della stessa famiglia, la cui villa è in fondo alla strada. Tommaso è felicissimo di rivedere Vittorio, che è cresciuto non lontano di lì e col quale giocava nel fienile. Ci mostra un superstite di quegli anni, un vecchio carretto dipinto. Simili luoghi isolati dal tempo non divengono mai familiari, e visitandoli si ha l'impressione di tornare indietro nei secoli, a un modo di vita immaginato ma mai conosciuto.

Quando chiedo notizie della cappella sul retro della casa, Tommaso ci dice che è chiusa dall'epoca napoleonica, come se stesse dicendo da mercoledì scorso. «Prima» seguita «i pellegrini si fermavano qui per tre giorni, e il conte dava loro cibo e ospitalità.» Dalla sua maniera di esprimersi sembra che parli del conte attuale, e che la gente venga accolta nelle sue vaste stanze.

Provo a chiedergli di poter vedere l'interno della cappella. Allora ci introduce in casa sua; seguendolo, sbircio le sobrie stanze in cui abita col fratello, i letti di ferro, i cassettoni, le tende di lino bordate di ricami all'uncinetto – testimonianze di una passata presenza femminile, una moglie o una sorella – e le fotografie appese alle pareti. Niente TV, tecnologia zero, neppure una radio. Camere austere come celle monacali e perfettamente pulite. Percorriamo corridoi medievali semibui; Tommaso avanza sicuro, noi gli teniamo dietro come possiamo, finché giunge a una porta e ne gira la grossa chiave. La prima cosa che scorgo è una bagnarola di rame, poi qualche attrezzo agricolo, dei barili. Via via che gli occhi si assuefanno alla smorta luce che spiove dall'unica finestra tonda, comincio a distinguere gli affreschi di un santo e della Madonna. Un riquadro vuoto e bianchissimo era evidentemente occupato da una tela. «È giù alla chiesa, adesso. Fermatevi e chiedete al prete di mostrarvi San Filippo, che ha vissuto felicemente da queste parti.» La cappella è stranamente fastosa, per appartenere a una fattoria: forse il conte l'ha costruita così per invogliare i sudati pellegrini a sostare in un luogo ben lontano dal suo giardino privato.

Tommaso ci porta in cucina e ci offre un bicchiere di *vin santo*, il vino dell'ospitalità in ogni casa di contadini. Ovunque e a tutte le ore ho bevuto *vin santo*, col suo sapore vagamente di ciliegia. Si accomoda dentro il grande focolare fatto apposta per sedervisi, e lui e Vittorio ricordano l'abitudine di raccontarsi storie attorno al fuoco, anni addietro. Tommaso è il contrario del grave Achille: anche lui ha vissuto la sua vita senza andare troppo lontano, però è loquace, ama raccontare. Allunga le gambe, riprendendo la tipica posizione dei *contadini* che d'inverno si riscaldavano al fuoco, nei tempi che furono, vicini abbastanza da rimestare la polenta nel paiolo. Mi guardo intorno, e non vedo tracce di impianto di riscaldamento, perciò immagino che l'abitudine ancestrale sia ancora viva, le sere di gennaio.

Tommaso ci mostra le sue mucche della Val di Chiana, i bianchi bovini che diventano le famose bistecche alla fiorentina, cucinate alla griglia col rosmarino: ne ha quattro adulte e tre vitelli, che ci fissano con gli occhi nerissimi, e ha messo loro nastri rossi attorno al collo, contro il malocchio. Mi sono sempre chiesta come mai la bistecca rappresenti il piatto forte dei menu toscani eppure le mucche nei campi non si vedono. In realtà le allevano al chiuso, le curano e le vezzeggiano, ma le tengono crudelmente incatenate alla greppia. Sono gigantesche, grandi tre volte una mucca normale.

Il giardino recintato adiacente alla casa di nuovo attesta una presenza femminile da tempo scomparsa. Il vecchio rosaio sostenuto da pali di ferro ancora fiorisce, e la gialla rosa rampicante dai piccoli fiori si sta espandendo rigogliosa sulla rete di recinzione.

Li seguo con circospezione per tema di imbattermi in anatre e galline: la mia fobia è un handicap non soltanto sulle *piazze* invase dai piccioni. Se Tommaso sospettasse che ho paura delle galline, mi prenderebbe per matta. Due tacchini beccano il terreno vicino al fienile: trovo che siano i volatili più brutti sulla faccia della terra.

Superiamo in auto la villa del conte, dimora malinconica

con tutte le persiane chiuse, circondata da castagni, quindi raggiungiamo la chiesa. Stanislao, il polacco che ci ha aiutato a costruire il lungo muro di pietra quando avevamo appena comprato Bramasole, vive, insieme alla moglie Reina, con il curato di questa parrocchia, don Fabio. Lei cucina e si occupa della casa e della chiesa, mentre Stanislao lavora fuori come muratore, ma fa anche qualcosa per la parrocchia nei finesettimana. Capita che il sabato Stanislao venga anche da noi, ad aiutare Ed, e la moglie aiuti me in giardino. Minuta e instancabile, possiede una straordinaria energia. Ora il prete sta insegnando il catechismo in giardino a due bambini. Reina ci invita in casa, e passando ci fa vedere lo studio di don Fabio: potrebbe essere lo studio di San Gerolamo, così come appare nei dipinti. Dalla finestra aperta un raggio di luce polverosa raggiunge una scrivania ingombra di libri rilegati in pelle, alcuni aperti, altri capovolti: manca solo il simbolo del santo, il leone dormiente. Alla parete del corridoio pende la tela che prima era nella cappella di Tommaso. Nella chiesa, su un muro laterale, file di istantanee raffiguranti i parrocchiani deceduti. Vittorio discerne molti volti familiari, persone conosciute nella sua infanzia. Infine lasciamo Reina intenta a stirare il panno di lino dell'altare, e don Fabio in giardino, con le sue due pecorelle dai capelli rossi.

Essendo cresciuta in una cittadina di provincia, ho cominciato presto a scalpitare: non vedevo l'ora di andar via, mi attirava la grande città. Ricordo anche, però, il fascino – sia pur minore – che esercitava su di me la vita di campagna.

La nonna del mio ragazzo, Mimo, abitava vicino Mystic, un crocevia nelle zone del tabacco e del cotone. Una veranda circondava la casa a due piani, dove mai la credenza era sguarnita di torte al limone o al cocco. Nelle semplici camere ogni letto aveva la sua trapunta ripiegata in fondo.

La veranda affacciava sui campi aperti, e lei usava sedervi, il pomeriggio, a sgusciare fagioli. Di tanto in tanto prendeva un ventaglio, col manico di legno e un'immagine di Gesù, e con esso scacciava le mosche. Io, sull'altalena, leggevo *Anna Karenina*. Sui campi polverosi, nell'ora del tramonto il cielo diventava fosco, arancione e viola ghiacciolo, con macchie d'oro e rosa, un rosa da biancheria intima dozzinale; alla luce dell'aureo globo, il cielo sui campi di tabacco era blu come sulla superficie di un lago. Mi rendo conto che in questi ricordi manca del tutto il mio ragazzo, ma eravamo noi le testimoni di quella bellezza. Ogni giorno avrebbe potuto essere il giorno del giudizio. Infine Mimo si concedeva un bicchierone di gin and tonic.

In *The mind of the South*, un libro a me caro, W.J. Cash osserva che a tale atmosfera si deve il romanticismo della gente del Sud: essi vedono costantemente il mondo attraverso un velo di nebbia, perciò riesce loro difficile riconoscere la realtà. La vita di Mimo mi affascinava: percorreva sulla sua Buick le strade sterrate fra i campi, e raccattava i braccianti. Sua nonna, rimasta vedova molto presto, conduceva da sola l'azienda agricola, preparava conserve di frutta, battezzava i vitelli, cuciva e cucinava; al nostro arrivo spalancava la porta e ci accoglieva a braccia aperte.

Riscoprendo la vita di campagna, mi domando ora come sarebbe vivere alla maniera di Achille o di Tommaso. Per anni ho pensato: «Che spreco!» Amavo la vita piena di colpi di scena, forse qualcuno si sarebbe buttato sotto il treno per me... no, ero quasi sicura che non mi sarebbe capitato nulla di così estremo.

Adesso mi piacciono le albe in campagna, i tramonti, sento la soddisfazione di vivere in un mio regno naturale, e cresce gradatamente in me la diffidenza verso un mondo in cui il lavoro è esaltato. Trovare un equilibrio tra ambizione, solitudine, stimoli, avventura... come fare? Al college sentivo parlare Ramsey Clark, poi ministro della Giustizia, e lo rammento affermare qualcosa come: «Quando morirò, voglio essere così stremato che mi dovrete gettare alla discarica dei rottami», voleva che la vita lo consumasse totalmente. La sua filosofia mi colpì, e la feci mia. Come scrittrice, avevo anche una tendenza alla meditazione e alla solitudine, e per la maggior parte della mia vita sono riuscita a mantenere un discreto equilibrio tra i due atteggiamenti. Negli ultimi anni, però, mi sono troppo rivolta verso l'esterno: dopo aver diretto per cinque anni il mio dipartimento all'università, ho dato le dimissioni e sono tornata al puro insegnamento. Avevo voluto rivoluzionare la struttura del dipartimento, scrivendo infiniti rapporti, valutazioni, promemoria, stando in ufficio fino alle otto di sera. Ebbene, pochi mesi dopo la gente a stento si ricordava delle importanti innovazioni da me operate; il tempo si era richiuso sulla mia assenza, lasciandomi la soddisfazione personale di un lavoro ben condotto, ma considerando il tempo, lo stress e le difficoltà, la soddisfazione personale non bastava. Quali sono le cose che ti arricchiscono? E quali ti svuotano? Ciò che ti leva energie accanto a ciò che ti rende felice... Ciò che il mio lavoro e la mia creatività mi danno, indipendentemente dal giudizio altrui, è una gioia affine a quella con cui nasciamo e che ci accompagna per sempre. Mystic, in Georgia, non era per me, a trent'anni: ci avrei fatto il diavolo a quattro; adesso, probabilmente, la mia vita lì scorrerebbe piacevole e serena. L'intonaco della casa di Mimo è sempre crepato dal sole? E i campi hanno tuttora quel lucore azzurrino? E voi, Tommaso, Achille, volete anche voi morire talmente esausti da essere gettati via? Gli americani...! Avete mai sentito dire di una donna che ha paura dei polli?

Anselmo se la prende comoda. Anche quando aveva l'ufficio, pieno di foto di case fatiscenti che sperava di appioppare a qualcuno, non gli mancava mai il tempo per fare due chiacchiere. Trasformatosi nel nostro giardiniere, si dedica ai tralicci di bambù per le piante di pomodoro; mi porta le rose dal suo giardino e cestini di fragole, ma soprattutto ci accompagna in giro. Quando Ed gli dice che ha bisogno di un carretto per trasportare i limoni dentro e fuori della *limonaia* in inverno, ci porta subito in macchina dal suo vicino, il *fabbro* di Ossaia. Il quale schizza il disegno di un attrezzo a due ruote la cui parte anteriore si infila direttamente sotto il vaso; sarà pronto la prossima settimana.

Anselmo ci fa cenno di seguirlo. «Come si chiama questo fiore?» domando, indicando una pianta a cespuglio cresciuta negli interstizi di un muro di pietra.

«L'ho visto dappertutto, in città. Sembra un po' il fiore della passione» nota Ed.

Anselmo ci guarda incredulo: «Sono *capperi*», e ne coglie parecchi. «Li ho messi anche nel vostro muro, ma dovete tenerli sotto controllo, perché potrebbero sciuparlo.» Capperi... ovunque: e noi neppure lo sapevamo.

Nel capannone agricolo, dove regna una gran confusione, ci porta in fondo, dove dormono coperti di polvere numerosi oggetti legati alla vinificazione: barili, piccole botti e un grande *torchio*. Ed lo ammira come farebbe con una macchina nuova, annuendo ed esaminandolo da tutte le angolature. Anselmo ce ne spiega il funzionamento, poi prende da un ripiano due bottiglie del suo *vin santo*. «Da gustare coi *biscotti*» dice.

In realtà il suo *vin santo* è un tantino torbido, forse è rimasto troppo a lungo su quella mensola, ad aspettare... Visto che ci troviamo vicino alla casa della sorella e del cognato, vuole farceli conoscere. Ci sediamo dietro, nella sua Alfa, e dopo un attimo lo vediamo sterzare nella loro aia. La sorella ci viene incontro e lo saluta come non lo vedesse da anni. Il cognato, intento a sfrondare i peri di una lunga fila a spalliera, ci raggiunge di corsa. Veniamo presentati come «*stranieri*». Ed ecco spuntare il *vin santo* per gli «stranieri». «È il suo?» domanda Ed ad Anselmo. Ma no, è quello del cognato. Ed osserva il frutteto. Lontano vedo un tettuccio di lamiera ondulata su quattro pali, a proteggere qualcosa che sembra una piscina. «Posso guardare gli alberi?» domanda Ed.

«Certo.» Le file sono perfette. Le piante, a forma di anfora, danno pere a forma di anfora. Paiono tutte robuste, eccezion fatta per una sezione, dove vediamo una fossa circolare a causa della quale le radici sono morte e le foglie stanno cadendo. Il cognato ha un'aria seccata; si accarezza una barba inesistente, la bocca torta in un'espressione sprezzante.

«E qui che è successo?» domanda Ed.

Anselmo scuote una mano in aria, come a voler dire «Sant'Iddio Onnipotente!». «*Porca miseria!*» esclama, e indica la struttura di lamiera. «Hanno scoperto una villa romana, qui sotto, e adesso stanno scavando. Mi hanno fatto morire quest'albero.» In Italia il sottosuolo resta sempre di proprietà dello Stato, ma chiaramente ai suoi occhi il gioco non vale la candela. «E hanno ucciso anche un olivo» aggiunge, accennando col mento a una pianta su un monticello di terra con un piccolo fossato attorno. Sappiamo che si tratta per lui di un peccato capitale.

«Una villa romana?»

«Tutta la collina è un museo: non c'è solo una villa, ma la città intera. Lo sanno tutti, ma adesso hanno fatto la scoperta...» Si stringe nelle spalle. «Anzi, se me lo chiedessero, potrei mostrare loro anche la casa di Annibale. Ma non me lo chiedono: scavano e basta.»

Annibale sconfisse Flaminio non lontano da qui, e il nome Ossaia allude alla gran quantità di cadaveri sul luogo della battaglia. L'uomo ci conduce attraverso l'orto e un campo fino a una casetta diruta, che sembra vecchia, sì, ma non di duemila anni. «Sì, Annibale ha vissuto qui.»

Torniamo verso lo scavo. Sotto il tettuccio provvisorio ve-

121

diamo un mosaico in bianco e nero, e la geometria delle varie stanze. Qui c'era una villa imponente, orientata giusto in direzione del giardino della coppia. In questa stagione lo scavo è fermo.

Sulla strada del ritorno Anselmo ci racconta che anni prima avevano aggiunto una stanza alla casa: «Hanno trovato un pavimento a mosaico proprio dove hanno gettato le fondamenta».

La tappa successiva è da una vedova che vuol chiedere ad Anselmo di venderle la casa. Anche se non ha più l'ufficio, infatti, Anselmo fa ancora qualche mediazione. «Forse vi piacerebbe: è tutta da restaurare» e mi guarda nello specchietto retrovisore, quasi investendo un ciclista: si bea delle sue frecciatine.

«No, grazie.»

Passa il cancello e si ferma nella corte esterna, dove le galline fuggono starnazzando. Una donna vestita di nero, all'antica, ci viene incontro: curva come una virgola, sembra avere più anni della città di Cortona. Anselmo ci presenta e subito lei mi afferra la mano con la sua, callosa, e non la lascia più, mentre ci accompagna a visitare la proprietà. Forse al pensiero di dovere, di qui a poco, tacere per l'eternità, parla in continuazione. Riesco a stento a guardare gli adorabili coniglietti stipati in una gabbia. «Lei li vede in maniera diversa da te» dice Ed. «Arrosto e guarniti con foglie di finocchio. Poco le importa delle loro soffici orecchie.» Visitiamo l'*orto*, dove le verdure prosperano, poi un'occhiata a due mucche, quindi spalanca la porta di casa: «Vedete, è tutta da restaurare, le stalle e la *cantina* sono rimaste intatte». L'attrezzatura per vinificare occupa ogni centimetro quadrato, decine di damigiane dalla paglia marcita, barili di quercia e bottiglie. In una linda stanzetta mi mostra il tavolo su cui impasta quando sopra, in cucina, fa troppo caldo. Sugli scaffali, vasetti di conserva di pomodoro; sulla soglia, dove arriva il venticello, una sedia con la seduta di vacchetta, e accanto il suo lavoro a maglia e di cucito. Intanto continua a strizzarmi la mano (gli anelli mi penetrano nella carne), e da un lato vorrei che smettesse, dall'altro sono lusingata dalla sua subitanea affezione. «È perché vuole che compri la casa» mi sussurra Ed, in inglese.

«Sì, risale almeno al 1750...»

Al primo piano, apre le stanze in cui hanno vissuto i suoi genitori; il letto di ferro con il copriletto bianco evoca i corpi dell'arcigna coppia, la cui fotografia color seppia pende alla parete. Una poltrona, un *armadio*, un comodino per il *vaso da notte*. La sua camera è identica, con in più una triste stampa di Gesù, decorata di rametti di palma, e una foto ovale di suo marito da giovane: lo sguardo fiero, le labbra strette e sottili, probabilmente ritratto nel giorno del matrimonio; fissa il letto che hanno condiviso per decenni, diventando più vecchi di quanto non immaginasse quel giorno, quando la macchina fotografica colse la sua vivida espressione. In un bicchiere d'acqua galleggia una dentiera rosa: era del marito?

Al pari di molte cucine italiane, anche questa odora di prodotti per la pulizia della casa, persino i rubinetti rilucono. Inevitabilmente, tira fuori *vin santo* e *biscotti*, questi ultimi duri come pietre; forse risalgono al 1750. Mi piace molto osservarla: mentre racconta velocissima ad Anselmo che andrà ad abitare dalla figlia, perché ormai la casa è diventata troppo grande per lei sola, guardo gli occhi mobilissimi e intelligenti, i capelli legati da un foulard nero. Il suo corpo minuto promana energia. Le dita mi dolgono a causa della lunga stretta; ma alla fine mi ha lasciato per versare il vino.

Chiude il cancello dietro di noi, resta a salutarci con la mano finché non siamo fuori vista. Piccola com'è, ha una forza strepitosa; vorrei conoscere la storia della sua vita, vederla fare la pasta e le asole. Mi domando che cosa sogni.

«Che peccato che debba andar via di qui, per abitare in un appartamento di Foligno! E poi chi mai comprerà questo posto?» faccio io.

«Chiede il doppio del suo valore, segno che non vuole vendere.»

«Mi piace. La stalla potrebbe diventare una bellissima sala da pranzo con le porte spalancate su una terrazza.»

«Mi ha colpito il balcone al primo piano» aggiunge Ed.

Anselmo scuote la testa: «Non si sa mai che cosa piace a voi stranieri. Probabilmente riuscirà a vendere a qualche pazzo come voi».

«Preparatevi a una festa di sei ore» ci dice la nostra amica Donatella. «Giusi ha trasformato l'aia in una cucina in piena regola, dove ha messo a lavorare sei cuoche.» Giusi è sua sorella, che l'aiuta a badare a Bramasole in nostra assenza, ma sono molto diverse: Donatella ha una bellezza misteriosa, sul genere di Monna Lisa, ed è molto ironica; è bello guardarla a fondo negli occhi nerissimi. In America Giusi sarebbe una reginetta di bellezza, potrebbe capeggiare una squadra di majorette, ed è carina, socievole e allegra. Sono sorelle e anche le migliori amiche l'una per l'altra. Sapendo che torniamo, ci fanno trovare la casa piena di fiori, e la cucina con frutta, caffè, pane e formaggio, così da evitarci le prime compere quando arriviamo stanchi per il volo. Sono entrambe ottime cuoche, istruite direttamente dalla madre che fa ancora i ravioli in casa.

I due figli di Giusi hanno fatto la prima comunione, il che merita una *festa*: da settimane non la vediamo, occupata com'era a organizzare l'evento. Dopo la funzione, circa ottanta persone si riuniscono nella casa dove Giusi e il marito, Dario, vivono coi genitori di lui. La sorella di Dario e la sua famiglia abitano in un'altra casa sulla stessa proprietà. Sono quasi autosufficienti, per ciò che riguarda il cibo: hanno un grande orto, allevano polli, conigli, agnelli e oche. Inoltre gli uomini vanno a caccia, e una riserva di carne di cinghiale è sempre a disposizione.

Tutto quanto producono, e ben altro, entra nel pranzo per la prima comunione. Quando arriviamo, a mezzogiorno, la festa è già a pieno ritmo: Giusi mi accompagna a visitare la casa, che le è costata almeno due anni di intensi lavori di ristrutturazione. È riuscita a serbare la calda atmosfera contadina, aggiungendo però nuovi bagni, scale di pietra e una cucina all'ultimo grido, dove naturalmente troneggia una stufa a legna. Ogni manopola, ogni superficie scintilla. Sull'aia, già il *prosecco* scorre a fiumi e le donne passano coi vassoi di *crostini*: ai funghi *porcini*, al formaggio piccante, e soprattutto ai fegatini. Sotto un ampio padiglione di tela bianca hanno sistemato una tavolata a ferro di cavallo; ovunque, palloncini e striscioni di carta colorata. I due ragazzi sono seduti a capotavola, tra i genitori. Abbiamo spiato nell'adiacente capannone, dove numerose braccia sono al lavoro: un tavolo al centro è stracarico di torte di frutta e di enormi ciotole di insalata e le donne indossano tutte abiti floreali; il luogo è una girandola di colori. Stanno ancora pulendo e tagliando le verdure: ogni piatto viene infatti guarnito con un mazzetto di porri, carote e asparagi tenuti insieme da un filo di erba cipollina. L'aspetto della madre di Giusi mi sorprende: giovane e dai capelli rossi, non somiglia affatto alle figlie. Ha fatto i *cappelli del prete*, un tipo di pasta, per ottanta persone.

Come scopriamo ben presto, i primi sono due. La gente si serve abbondantemente di una porzione di *tagliatelle* al ragù di *cinghiale*; alcuni ne prendono ancora, io ripulisco il piatto col pane, tanto buono è il sugo. Seguono i *cappelli del prete* ai quattro formaggi; con bis. L'efficiente esercito di donne cambia rapidamente i piatti dopo ogni portata, e certo di là qualcuno li sta lavando come un matto. Arriva l'agnello con verdure, cucinato nel forno all'aperto. In lontananza udiamo pecore e mucche, ancora ignare del fatto che non godranno ancora a lungo dei verdi pascoli, essendo destinate agli stessi piatti addobbati. Due cuccioli pezzati passano di mano in mano, accarezzati e vezzeggiati da tutti. In anni precedenti si sarebbe trattato di bambini, ma dato il declino delle nascite (l'Italia è in testa alle classifiche europee) di bimbi ce ne sono pochi. Una di quattro anni, civettuola, col vestitino rosso, sta sfruttando al massimo la sua posizione: è praticamente circondata dagli ammiratori. Cominciano i brindisi, ma i due ragazzini sono scomparsi, insieme agli amici: uno dei regali ricevuti è un computer fornito di videogiochi, così sono corsi in casa a combattere contro i nemici virtuali. Le caraffe di vino vuote sono subito sostituite da quelle piene. Mi sento sazia, è un banchetto luculliano, ma Ed continua a mangiare: ancora un po' di agnello? Lo vedo alzare gli occhi, sorridere: «*Sì*, grazie». E *patate*? «*Sì*.»

D'un tratto compaiono tre uomini portando qualcosa di molto pesante. La gente si fionda loro incontro, gridando e scattando foto. Troppo grande per il forno di casa, il coscio di chianina è stato cucinato nel forno di un albergo in città, e adesso arriva su un vassoio che potrebbe reggere una persona. In breve cominciano a girare nuovi piatti, con la carne e le patate croccanti. Ne prendo appena: Dio, com'è buono! Posso averne ancora? Solo un assaggino... Ed mangia a quattro palmenti, due donne italiane gli hanno chiesto se per caso lavora nel cinema, perciò il suo umore è alle stelle. Arrivano le insalate, le torte, il *tiramisù*. Ed ecco riemergere di corsa i due ragazzi, che, vergognosi, tagliano la torta a tre piani e ne offrono le prime fette ai genitori. Il dolce è farcito di squisita crema al limone. Infine escono la *grappa* e il *vin santo*. Sono basita: Ed li beve entrambi, e si ritrova a braccetto con altri uomini, a cantare una canzone che non ha mai sentito prima. Qualcuno prende a suonare la fisarmonica, si dà inizio alle danze. Mai ho mangiato così tanto in vita mia; per non parlare di Ed...

Alle cinque, siamo i primi ad accomiatarci: aspettiamo per cena i nostri amici Susan e Cole, che si sono sposati a casa nostra all'epoca dei lavori di restauro. In seguito verremo a sapere che molti ospiti sono rimasti fino alle undici, con il coscio di chianina sempre a portata di bocca.

I nostri amici sono arrivati in anticipo, li troviamo seduti davanti alla casa e, pur felicissimi di vederli, possiamo a stento camminare, o parlare. Ed descrive loro il pranzo, finendo con: «Spero che saremo ancora qui quando i ragazzi si sposeranno: immagina che banchetto...» Crolliamo per un paio d'ore, e riemergiamo verso il tramonto, un momento di grazia per portarli in giro nell'orto, a raccogliere zucchine, cipolle e insalate per la frittata e il contorno della loro cena. In quanto a noi, non intendiamo mangiare o bere per almeno tre giorni. Sorseggiamo acqua tiepida mentre Susan e Cole gustano un Brunello superbo.

La mattina ci svegliamo al rumore di un camion che risale a marcia indietro il viale di ghiaia; Anselmo, da terra, gli sta dando istruzioni per procedere diritto. Scendiamo e vediamo due uomini che scaricano un *torchio*, lo stesso che Anselmo ci aveva mostrato a casa sua. «*Un omaggio* per voi» dice tutto allegro. Il dono viene lasciato davanti all'ingresso, e noi lo ringraziamo calorosamente, domandandoci dove metteremo quell'ingombrante oggetto. Ci dà istruzioni sul suo funzionamento e comincia a spiegarci come si fa il *vin santo*: che l'autunno sia ancora lontano e che non abbiamo ancora abbastanza viti non sembra importargli. Quando siamo arrivati qui la prima volta, una stanza era piena di reti appese, e Anselmo subito ci disse: «Servono per far seccare le uve per il *vin santo*». Susan e Cole, entrambi appassionati di giardinaggio, ci raggiungono, dichiarandosi disposti ad aiutarci nella vendemmia. Anselmo, in questi anni, sorvegliava Ed mentre imparava a curare le viti da Beppe e Francesco, e ho sentito un brivido nell'accettare il suo dono: ci passa il *torchio* come fanno le staffette con la torcia.

Qui non è mai buio del tutto: le stelle fanno molta luce. Anche la luna, che sale lenta oltre i vetri della finestra passando dal riquadro inferiore a quello mediano, al superiore, fa compagnia a chi soffre di insonnia. L'unico usignuolo, che abita nel leccio sopra la casa, rompe il silenzio col suo verso insistente. L'alba è l'ora più bella, quando, negli ultimi istanti della notte, comincia il concerto degli uccelli. Uno di noi sveglia l'altro: «Ascolta, cominciano adesso...» Sono tantissimi, un immenso crescendo, nunzio del giorno. E il cielo non mostra «l'Aurora dalle rosee dita», ma un colore che sfuma nell'indaco, la luce permea a grado a grado le colline e il canto degli uccelli si leva sul mondo. Si destano alla loro musica talpe, topi, porcospini, bisce, volpi, cinghiali, e tutte le creature rifugiatesi nelle tane per la notte. Ci destiamo anche noi. La terra è nuovamente fresca e intatta, tinta di colori ancora fusi l'uno nell'altro; mentre cresce il giorno, alla luce del sole essi divengono più chiari, più netti. Ma dov'è il cuculo a quest'ora?

I nostri amici si svegliano al canto degli uccelli. Ed tende ogni mattino l'orecchio, per distinguere il canto di quello che, secondo lui, gorgheggia un motivetto di *West Side Story*. Li portiamo a passeggiare sulla proprietà, a cogliere fiori di campo. Nel corso della primavera ho fotografato ogni nuovo fiore; in particolare mi hanno colpito le orchidee bianche e rosse. Il bel quaderno che ho comprato ad Asolo, che ha in copertina il disegno di un fiore preso da un erbario medievale, è gonfio di foto di papaveri contro muri di pietra, di fiori di edera, lupino e lavanda, di garofanini selvatici, gigli, rose canine e i soliti fiori azzurri senza nome. Difficile identificare – libro di botanica alla mano – tutti quelli gialli: sono troppi, e si somigliano.

Susan e io togliamo dalle rose le foglie macchiate di nero e quelle con la temibile ruggine; queste ultime saranno bruciate. Mi spiega come ottenere le talee dalla mia rosa preferita, di fronte alla casa, che ancora fiorisce dopo trent'anni di abbandono e il cui profumo di violetta è particolarmente intenso al mattino. Trascorriamo ore nel giardino e sui terrazzamenti, cogliendo fiori di campo; infine scendiamo nell'orto a riempire il cesto di lattuga, per pranzo.

A casa, in California, siamo così occupati per l'intera giornata che alle otto del mattino, due o tre volte la settimana, abbiamo rapidissime conversazioni telefoniche, in particolare sulle nostre figlie, entrambe all'università, sul lavoro in libreria di Susan, e su cosa stiamo leggendo. Pochi giorni di passeggiate, visitare un museo, cucinare insieme e sedere alla fioca luce delle lucciole e della Via Lattea, rinsalda la nostra amicizia. «Perché a casa abbiamo così poco tempo?» ci domandiamo, senza saperci dare una risposta.

Come il cinguettio degli uccelli, le tortore, le farfalle e le api, così la fioritura nei campi mi dà una grande gioia: mi sembra sia un meraviglioso dono della natura. Mentre mi profondo in lodi della vita in campagna, telefona un amico inglese, per raccontarmi che hanno trovato nel loro pozzo due piccoli di cinghiale, annegati. Con l'aiuto di una zappa sono riusciti a pescarne le carcasse putride e gonfie.

A cena Cole riflette sul perché ci siamo tanto appassionati a questo luogo. «Forse perché rappresenta un ritorno alla vita semplice? Un posto in cui, per alcuni mesi all'anno, riuscite a liberarvi la mente dai malefici influssi cittadini...»

Sereni, nella sera silenziosa, con le lanterne lungo il muro, le lasagne e un buon bicchiere di Vino Nobile, annuiamo. Ma al dolce mi sento di correggere la sua impressione: «Non è solo questo. Qui viviamo davvero la fine di un secolo orribile». Ripenso alle prostitute sulla strada, ai camion terribilmente inquinanti; e agli scioperi, così frequenti da meritare uno spazio fisso sui giornali, con le informazioni sui servizi non operanti quel giorno. «La gente sta passando un momento difficile. E qui riescono a cavarsela meglio di noi in America. In Toscana la vita quotidiana è migliore.»

«I rapporti interpersonali sono diversi: più diretti ed esclusivi» dice Ed. «Noi ragioniamo per grandi numeri, e i grandi numeri sfuggono di mano.»

«C'è poca criminalità, le persone hanno buone maniere, il cibo è molto migliore, e poi gli italiani si divertono di più.» Mi rendo conto di aver detto «buone maniere», un termine che potrebbe appartenere a mia madre. «Mi piace la cortesia degli incontri per strada, o di quando entro in un negozio a comprare... Persino il postino sembra felice di recapitarmi una lettera, e uscendo da un ristorante gli stranieri augurano la buonanotte agli altri clienti.»

Raccontiamo loro delle nostre recenti gite nei dintorni, delle persone che abbiamo conosciuto. I nostri amici espatriati parlano di quanto è cambiata Cortona, ma i grandi, rapidi (e necessari) cambiamenti sono avvenuti nel dopoguerra; adesso tutto procede più lentamente. La vita cittadina non è mutata, sono state prese le giuste misure per proteggere l'ambiente; inoltre la vivacità culturale, in questo piccolo centro, dovrebbe far vergognare molte grandi città americane. Penso alla generazione più giovane – Donatella, Giusi, Vittorio, Edo, Chiara, Marco, Antonio, Amalia, Flavia, Niccolò – che si fa custode delle antiche tradizioni: quando la nostra adorata Rita ha ceduto la bottega di *frutta e verdura*, lo scorso anno, l'ha presa un giovane. Insomma, a differenza di tanti borghi di provincia, i giovani di Cortona non l'abbandonano per trasferirsi in città. Ho detto abbastanza, mi pare.

Passa cantando un gruppo di persone, di ritorno dal centro. Nella mia vita normale non potrei immaginare una cosa simile di mercoledì sera. Restiamo ad ascoltare quel suono così poco familiare.

«È così... la vita in Italia è tuttora una "dolce vita".»

«Un'altra dolcezza è questa *parfait* alla pesca» dice Ed. «Mi farà male ai denti?»

I giorni scorsi hanno aggiunto centinaia di immagini ai miei archivi mentali. Ritrovare le radici di luoghi sperduti nella campagna bilancia le conoscenze astratte con una evidente, tangibile realtà. Rivedo con gioia la casa di Achille tra le colline: forse ora sarà intento a insaponare la schiena della moglie, nella fresca aria della sera. Perché non mettiamo anche noi una vasca da bagno all'esterno? E la festa di Giusi, lunga un giorno, mi resterà per sempre impressa nella memoria, per la sua sontuosa liberalità. Probabilmente Ed sognerà l'ingresso nel padiglione del coscio di chianina, e magari ci aggiungerà di suo uno squillo di tromba. La *signora* dagli occhi brillanti che dorme accanto al ritratto incorniciato del marito ha attraversato il secolo, e ancora sento la sua stretta mentre introduce nel suo mondo la nuova arrivata. Anselmo ha fatto il suo vino per l'ultima volta, e ora tiene d'occhio la nostra uva. Prima o poi avremo la nostra produzione. Suo cognato, il quale intrattiene intimi rapporti con Annibale e i Romani, ha un senso del tempo che lo manda in bestia: vuole che i suoi peri, i suoi olivi vivano bene *adesso*.

LA RADICE DI PARADISO

La mattina presto Ed raggiunge i terrazzamenti superiori per tagliare il tronco di una pianta d'edera che minaccia un muro. A non stare bene attenti, a poco a poco i tralci s'insinuerebbero tra pietra e pietra, e tempo due giorni o vent'anni il muro potrebbe rovinare sulle rose. Si sofferma a osservare le quindici colombe bianche del nostro vicino, Placido, che si librano sulla vallata: due volte al giorno vivono qualche minuto di libertà, si sparpagliano nel cielo, volteggiano un poco, quindi tornano tutte insieme alla piccionaia. Poi Ed vede un movimento alla sua sinistra, e da dietro un leccio spunta una donna, con bastone e sacchetto di plastica. La misteriosa raccoglitrice!

Non pare per nulla turbata dall'essere stata colta in flagrante. «*Buongiorno*» lo saluta. «*Bella giornata*, vero?» e con il bastone fa un ampio gesto a indicare la valle.

Sempre gentile, persino con chi forse gli ha rubato i giaggioli, Ed si presenta. «Ah» fa lei «è il professore svizzero.»

«Non svizzero: *americano*.»

«Be', credevo che fosse svizzero» dice, dubbiosa.

Pur essendo una giornata mite, indossa due o tre maglioni uno sull'altro, una sciarpa annodata attorno al collo e stivali di gomma. Sorride, mostrando i denti d'oro. «Letizia Grazzini» proclama. «Abitavo qui, tanti anni fa.» Apre la sporta. «E ci torno sempre.» Ha raccolto vari tipi di erbe, e a parte ha un sacchetto di lumache. Presenta a Ed un mazzo di erbe lunghe lunghe: «Vede, avete anche i porri selvatici...» Fruga ancora e ne tira fuori altri: «*Prenda, prenda*».

Ed è ormai completamente disarmato, sedotto dalla sua pelle abbronzata, la faccia rugosa e gli scintillanti occhi neri. Prende i porri. «La casa era sua?» In realtà ci hanno raccontato che apparteneva a due vecchie zitelle di Perugia, che l'avevano lasciata in abbandono per trent'anni.

«No, no, *signore*, ero la moglie del fattore, occupavamo soltanto una parte della casa: quella» e punta il bastone. Ed lo sa bene: una volta comprata la casa, abbiamo sventrato quella parte per farne un unico grande locale. «Qui abbiamo lavorato duramente per molti anni. Adesso mio marito è morto, sono rimasta sola...» Tace un momento. «*Insomma*...» conclude, come a dire: «Che altro posso aggiungere?»

Ed le chiede di insegnarci a trovare le erbe. Forse potrebbe mostrarci la *mescolanza*.

«Ah, *sì, certo, certo!*» esclama lei, e agita il bastone in segno di saluto, scomparendo dietro le *ginestre*.

Strappo delicatamente le erbacce cresciute nelle aiuole per le rose e sradico i ciuffi spinosi. La carriola continua a riempirsi, il mucchio in un angolo lontano è alto quanto un covone; e dal taglio dei rovi risulta un ulteriore covone: dopo la prossima pioggia Ed e Beppe li bruceranno. L'erba secca costituisce un pericolo, perciò all'inizio dell'estate, dopo ogni pioggia, si levano nella valle i fumi dei fuochi, impestando l'aria appena rinnovata. Il fuoco mi terrorizza, anche se i contadini stanno lì vicino, pronti coi secchi pieni d'acqua nel caso il vento spinga le fiamme sull'erba inaridita. Questa primavera un contadino, tutt'altro che alle prime armi, è morto bruciato allorché, per un'improvvisa ventata, il fuoco gli si è appiccato ai vestiti.

Col forcone sgombro il terreno: le aiuole sono pronte, è tempo di piantare. Al vivaio, ieri e l'altroieri, ci siamo riforniti tanto da avere la macchina carica, e a ogni nostra visita la *padrona* ci fa un regalo; ci corre dietro dicendo: «*Un omaggio e grazie!*», e mi porge una campanula, o una rosa rampicante, o una fucsia. Per due volte ci ha regalato un coleo rosso di Borgogna, che a me non piace: sembra una pianta sopravvissuta a un'esplosione nucleare; ovviamente, nel cantuccio più remoto del giardino, prosperano più che mai. Altre volte capita che ci inviti a scegliere a nostro gusto: ma dopo una lunga incursione e l'acquisto di decine di piante, ci riesce difficile scegliere anche il dono. Un arbusto in vaso preso due anni fa è diventato un cespo coperto di fiori gialli che durano un paio di mesi.

È un uso frequente, da parte dei negozianti, fare regali ai clienti: una maglietta per festeggiare l'anniversario dell'apertura, bellissimi calendari per Capodanno, e una volta addirittura un pacco con quindici diversi tipi di pasta, se la spesa superava le *duecentomila lire*.

Le piante regalate mi piacciono quasi più di quelle che compro: un geranio profumato dello scorso anno è cresciuto del triplo, un cespo di lavanda ha un odore meraviglioso. Forse il fatto che mi siano state regalate mi induce a curarle maggiormente, o forse qualcosa di donato prospera di per sé. Persino al coleo mi sto appassionando.

Dopo aver lavorato all'aperto l'intera giornata, resta l'ultima operazione: attacchiamo la pompa e ci trasciniamo a innaffiare la lavanda e i nuovi cipressi; una volta ben radicati, non avranno più bisogno d'acqua. Il viottolo verso il lago, dapprima una giungla e poi un sentiero, si è trasformato ora in un viale. Il prossimo anno metteremo più viti sul lato destro (adesso è troppo tardi per piantarle) e una siepe di lavanda su quello sinistro.

Ed sta cucinando in forno la *parmigiana* di melanzane, poi raccoglie la lattuga c appronta il tavolo all'esterno; io faccio il bagno nella vasca, sprofondata nella lettura di Virgilio. C'è qualcosa di più bello di un uomo ai fornelli? Tiro fuori il quaderno giallo, dove ho cominciato a scrivere le idee per il giardino; e prima di lanciarci in questo argomento che certo ci assorbirà per la serata, leggo dei versi molto intensi di Virgilio:

a primavera le terre si gonfiano e chiedono semi produttivi.
[...]
il campo benigno germoglia e alle tiepide brezze di Zefiro
la terra apre il seno; sovrabbonda su tutto un tenero
umore; i germi si affidano sicuri ai nuovi raggi
del sole, il tralcio non teme il levarsi dell'Austro
e la pioggia sospinta pel cielo dal forte Aquilone,
ma sporge le gemme e dispiega tutte le sue fronde.
Crederei che non diversi splendessero i giorni all'origine
del mondo crescente, e non avessero diversa condizione [2]

Mi colpisce in particolare il distico finale. Immagino Virgilio seduto insieme a noi, che badiamo a riempirgli il bicchiere col vino locale, e lo ascoltiamo mentre racconta di quanto poco questo luogo è cambiato, invitandoci a diradare i frutti degli alberi di pere.

Valutiamo l'attuale stato del giardino, ne ritroviamo la struttura originale. Dopo aver ridato nuova vita a ciò che già c'era, sebbene soffocato da edera e rovi, cominciamo una fase più ambiziosa, pur serbando la configurazione primigenia. Nel Rinascimento, e anche dopo, dimora e giardino erano allineati secondo un asse centrale. I viali facevano le funzioni di corridoi, dai quali godere del giardino interno da varie angolature. Il nostro è largo quanto la casa, con sopra e sotto i terrazzamenti. Dell'originale sistemazione

[2] Virgilio *Georgiche*, traduzione di Luca Canali, Milano, BUR classici greci e latini, 2000 *(N.d.R.)*.

resta la lunga siepe di bosso, con cinque alberelli alti e potati a forma di pallone.

Ora devo fare progetti secondo una visione a lungo termine, entrare, insomma, nella filosofia del giardino. Penso a come appare dalle finestre del terzo piano, a cosa è sopravvissuto in questi ultimi anni, e soprattutto a ciò che mi dà davvero piacere, indipendentemente dal fatto che attecchisca o meno. Ed si interessa ai fiori che attirano api e farfalle: la lavanda, per esempio, è una calamita, in particolare per le farfalle bianche, che animano il giardino. Movimento e musica: il ronzare delle api fa da sottofondo al cinguettio degli uccelli, ai loro gorgheggi o al loro gracchiare. Amo avere in casa ogni giorno fiori recisi; ed entrambi ci deliziamo dei profumati effluvi che il giardino emana, e che invadono la casa soprattutto al mattino presto. Il color pesca della facciata sembra in tinta con i fiori gialli, rosa e albicocca.

I terrazzamenti si susseguono su un pendio piuttosto erto; di lato, il boschetto di tigli, a cui abbiamo dato il nome di Lime Tree Bower, occupa un rettangolo di una ventina di metri e confina con i terrazzamenti a olivi e alberi da frutta. Ogni parte del giardino ha un nome, così evitiamo tutte le volte noiose perifrasi, del tipo: «Sai, dietro le siepi di lillà, sul viale che in fondo si affaccia sul lago...», oppure: «A est della casa, sotto i *tigli*...» Persino a ogni olivo abbiamo dato un nome, ispirandoci a familiari e amici, ai nostri scrittori preferiti, ai luoghi che amiamo. Non abbiamo ancora controllato quali sono morti con la gelata.

Il Lime Tree Bower, con la magnifica vista sulla valle e l'Appennino, è la nostra sala da pranzo all'aperto. Dallo spiazzo davanti alla casa, dove viviamo dall'ora di colazione a quella delle lucciole, alcuni gradini di pietra conducono al giardino. Sul lungo viale, il Rose Walk, abbiamo recentemente piantato cinquanta rose per parte. Mi stupisce sempre vedere l'erba che nasce spontanea, verdissima nelle sue infinite varietà: abbiamo un prato senza averlo piantato. Un

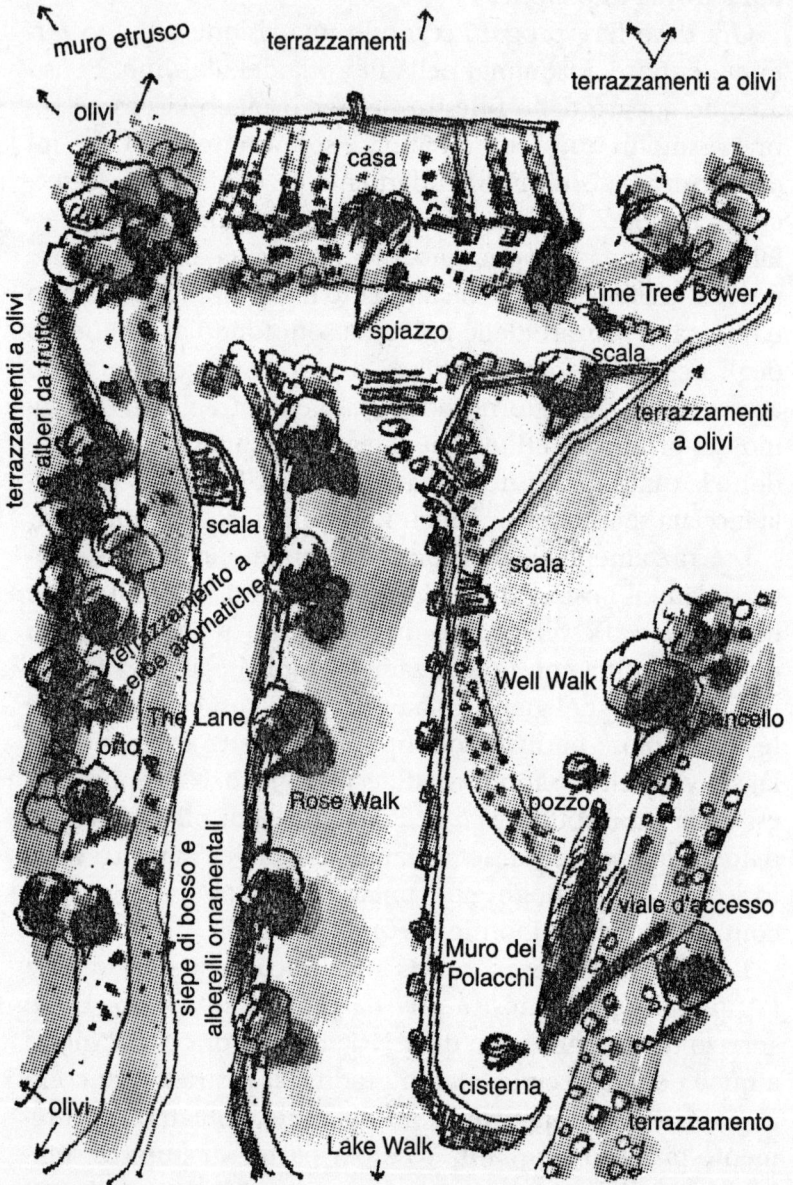

muro etrusco

terrazzamenti

terrazzamenti a olivi

olivi

càsa

terrazzamenti a olivi e alberi da frutto

spiazzo

Lime Tree Bower

scala

terrazzamenti a olivi

scala

terrazzamento a erbe aromatiche

scala

The Lane

Well Walk

càncello

orto

Rose Walk

pozzo

siepe di bosso e alberelli ornamentali

viale d'accesso

Muro dei Polacchi

olivi

cisterna

terrazzamento

Lake Walk

immenso muro che abbiamo costruito il secondo anno, il cosiddetto Muro dei Polacchi, chiude un lato del giardino; dal lato opposto, resta il muro originario, e la siepe di bosso con la sua ornamentale forma sferica. Degli archi in ferro adornano il viale da un capo e dall'altro, uno coperto di gelsomino; sul secondo vorrei far arrampicare due «Mermaid», una varietà di rosa gialla.

Tutto sommato il giardino ha una sua disposizione geometrica. Nel ripulirlo dopo anni di abbandono, abbiamo cercato di seguire la siepe di bosso ricostituendo il rettangolo originale, perpendicolare alla casa. Durante la costruzione del muro, qui abbiamo scoperto un tratto di strada lastricata: abbiamo tolto il primo strato, ma il secondo era sotto l'erba; del resto le strade romane potevano essere incassate nel terreno anche di tre metri e mezzo.

Sulla sinistra, una scala di pietra conduce al Well Walk, una zona del giardino con la cisterna e il pozzo dove già esistevano le siepi di lavanda, rosmarino e salvia. Non sapevamo che questi devono essere potati drasticamente, d'inverno. In California abbiamo visto un giardiniere tagliare la lavanda quasi rasoterra: noi non l'abbiamo fatto, e il gelo ha ucciso tutte le piante, tranne due.

A destra del Rose Walk c'è The Lane, un vialetto di bosso con un alto muro di pietra da ambo i lati. Il tappeto erboso è di camomilla e mentuccia, il cui profumo certo attira la biscia bianca e nera stabilitasi sotto una pietra in corrispondenza del rubinetto: il vecchio pozzo e la sorgente che abbiamo scoperto nel corso della seconda estate a Bramasole, infatti, sono qui. The Lane termina con un gruppo di lillà, e quindi si riunisce alla parte centrale del giardino e al viale d'accesso, continuando in quello che chiamiamo The Lake Walk. Da lì al confine della proprietà abbiamo piantato i cipressi e la lavanda, e ora vogliamo recuperare una strada (medievale? romana?) occultata dalla vegetazione, che si ricongiunge con una via romana e arriva fino in città. I panorami più aperti si godono dai bordi della tenuta: una distesa di oliveti, alberi da frutto, mandorli e viti, qualche zona lasciata allo stato selvaggio con rocce e ginestre. Dei terrazzamenti, il superiore è consacrato alle *erbe aromatiche* e alle verdure, l'altro è il regno di Anselmo, il suo enorme *orto*, la sua grande illusione.

Rifletto a come sistemare le varie parti del giardino. Abbozziamo qualche disegno per convincerci di avere le idee chiare. «Immagina le cose in maniera duratura» mi dice Ed. «Non possiamo cambiare ogni anno... Piantiamo una vagonata di roba e non abbiamo successo: dobbiamo pensare a piante che non necessitino di cure, per crescere. Ti ricordi l'estate in cui ho passato intere giornate a portare secchi d'acqua a quei trenta olivi?» Li avevamo piantati in vari terrazzamenti in alto, senza sapere che da maggio ad agosto non sarebbe caduta una goccia di pioggia. Con cinque acri, numeri e dimensioni sono questioni completamente diverse, e ci abbiamo messo tanto, ad adottare la giusta prospettiva, ma alla fine abbiamo capito: il nostro senso delle proporzioni deve essere moltiplicato al cubo. «Pensa a qualche arbusto» dice Ed, e comincia a scrivere: ibisco, forsizia, agrifoglio, oleandro.

«L'oleandro non mi piace, mi ricorda le autostrade.»

«Allora cancellalo.»

«Che ne dici di altre rose? Potremmo costruire un arco lungo tutto il Muro dei Polacchi.»

Rientrando, troviamo una e-mail della nostra amica Judy, esperta di rose: «Fate attenzione alle rose Mermaid, che possono crescere fino a dodici metri e hanno terribili spine uncinate».

Troppo tardi: due innocenti Mermaid sono pronte per essere piantate, domani.

Stasera mi torna in mente Humphrey Repton, un mio antenato dal ramo paterno. La mia bisnonna si chiamava Elisabeth Repton Mayes, la cui memoria è rimasta soltanto nel mio secondo nome e in una fotografia in cui tiene tra le braccia il nonno neonato: dev'essere stato il bambino più brutto nato in Inghilterra alla fine del XIX secolo; nell'immagine fissa accigliato la macchina fotografica e agita i pugnetti mentre la madre lo guarda amorosamente, si vede già che è un tipo volitivo. Lei morì quando lui era ancora un bambino, il padre partì per l'America e dopo un poco si fece raggiungere: a nove anni, mio nonno compì da solo il viaggio in nave, con una piccola valigia e un sacchetto di mele. Rimase a guardare dalla murata la zia Lily sempre più lontana, finché scomparve alla vista. Questa storia a suo tempo mi colpì: non potevo credere che il freddo e autoritario nonno Jack fosse stato un fragile bimbo in viaggio da solo verso una nazione straniera, me lo figuravo piuttosto a scorrazzare per il ponte, terrorizzando gli altri passeggeri.

Ancora più indietro, nel ramo di Elisabeth, si colloca Humphrey Repton (1752-1818), un architetto di esterni che rese popolare quello che oggi è noto come il giardino all'inglese. Dato che mio nonno era un autentico despota, mi piace pensare che qualcuno della sua stirpe amasse gli alberi e i fiori, e forse anche Humphrey aveva qualcuno contro cui ribellarsi, visto che il padre faceva l'esattore delle imposte.

Istintivamente preferisco i fiori che crescono liberamente, non in aiuole ben definite. Mi piacciono il delfinio blu e la digitale, alti sulle altre erbe, che ondeggiano al vento. Vorrei riempire i terrazzamenti di gigli gialli che volgono il capo verso il sole, e di piante di gardenia che profumano le serate, coi loro fiori bianchi e immacolati come tante piccole lune. E ancora la speronella, le campanule, i ranuncoli, le fragole... e tante rose rosa.

Humphrey scrisse cinque libri, oltre a cinquantasette

progetti per giardini, interfogliati di carta trasparente, per mostrare il prima e il dopo. Anche il titolo del suo primo libro, *Sketches and Hints on Landscape Gardening*, la dice lunga su di lui: non pretenzioso, invitante. Sulla base dei suoi schizzi, osservazioni e suggerimenti puoi concepire il tuo giardino con una certa libertà; la sua visione della vita, insomma, mi sembra radicalmente diversa da quella di mio nonno, allevato «con le maniere forti», che chiamava i miei fidanzatini «tappetti», e considerava la mia passione per la scrittura «con la testa fra le nuvole» quasi un atto criminale. Lo stile del giardino all'inglese ideato da Humphrey gradatamente influenzò la più rigida concezione di quello all'italiana. Ora io cerco, per Bramasole, un compromesso tra i due, seguendo anche – è ovvio – le nostre personali predilezioni.

Con un solo acro su cinque destinato alla frivolezza dei fiori, so che Humphrey non avrebbe considerato il mio giardino degno d'uno dei suoi progetti. Ma tengo a mente i suoi consigli, mentre penso a come procedere.

Durante l'inverno, a San Francisco, ho cominciato a leggere libri sull'evoluzione del giardino all'italiana. Sapevo che già Plinio scrisse a proposito delle siepi di bosso e delle forme bizzarre in cui tagliarle, e dei nomi scritti con tralci e fiori. Si ritiene che il suo giardino fosse vicino a Città di Castello, ovvero a pochi chilometri da Bramasole; là, durante le cene, le portate arrivavano galleggiando in una vasca, su grandi uccelli finti e barche in miniatura; ti sedevi e partiva uno zampillo: la sua idea di giardino rispecchiava quella di felicità, la filosofia dell'*otium*, la vita trascorsa in un elegante abbandono intellettuale.

Sprofondata a letto, tra i cuscini, mentre fuori il vento scuoteva gli alberi e la pioggia salmastra lavava i vetri, leggevo *Gardens of the Italian Villas*, di Marella Agnelli, e *The Ita-*

lian Renaissance Garden, di Claudia Lazzaro, cercando di comprendere come si potesse pensare a viali trasformabili in canali, in modo che gli ospiti attraversassero il giardino su piccole imbarcazioni. Alcuni giardini avevano giochi d'acqua, che simulavano la pioggia o il vento impetuoso. Mi colpisce il giardino immaginato non solo come abbellimento della casa e luogo ameno, ma anche pretesto per divertenti sorprese, con fontane che inaspettatamente ti schizzano al passaggio, e il *giardino segreto*: a chi non piacerebbe una simile idea? Sul terrazzamento più in alto ho piantato dei girasoli secondo un disegno circolare; adesso mi arrivano quasi al ginocchio, e a luglio i grandi fiori e foglie quasi celano lo spazio interno. Spero che venga qualche bambino a farci visita: da piccola sarei impazzita, per un posto così. I *giochi d'acqua*, che più di altri aspetti del giardino antico provano la grande differenza culturale tra quel tempo e il nostro, rappresentavano forse l'elemento fondamentale del giardino all'italiana: a una svolta magari mettevi il piede su una certa pietra e un getto ti bagnava da capo a piedi; e leggendo testi letterari ti rendi conto che simili scherzi divertivano, anzi, la gente se li aspettava: nessuno se ne andava incollerito per la camicia di seta macchiata. Oggi non saprei se persone al di sopra dei dieci anni si divertirebbero, qualora accadesse loro nel mio giardino. Ma il fatto dell'acqua mi convince: dev'esserci acqua, in un giardino, perché dà gioia quanto la vista dei fiori. L'acqua è musica, nell'acqua fanno il bagno gli uccelli, essa è movimento e un posticino fresco per i rospi.

Le statue erano d'obbligo, nel giardino all'italiana; simboleggiavano le idee del proprietario, il suo atteggiamento filosofico, i suoi interessi, come il teatro o la musica. Ma spesso avevano un semplice scopo ornamentale, come nello specchio d'acqua della grotta artificiale all'ingresso del Giardino di Boboli, a Firenze, dove tre bambini di marmo nuotano e scherzano fra loro. Da piccola guardavo affascinata il globo di specchio nel cortile dei miei nonni, in cui si riflettevano, deformate, la grande quercia davanti, o la mia faccia; rimandava i raggi del sole con tale potenza che temevo si sviluppasse da un momento all'altro un incendio.

Comunque pochi giardini trasmettono davvero gioia. Una volta conobbi una signora, a Dayton, che aveva disseminato il suo, per il resto allestito con normalissimi cespugli, di palle da bowling. Il che mi stupì, tanto che le chiesi come le fosse venuto in mente.

«Be', ne avevo una» mi rispose. «Ed era così carina ricoperta di neve...» Tacque, cercando disperatamente un motivo da darmi: ma avevo sbagliato io, a chiederle una spiegazione razionale a quello che era solo un capriccio. «Chiunque sa piantar fiori» aggiunse. Lunga pausa, sguardo malizioso. «Ma ci vuole un vero giardiniere, per avere delle palle.»

La tradizione di abbellire i giardini in Toscana è vivissima. Vi si vedono infatti vecchi orci per l'olio con sopra vasi di gerani; una cancellata di una casa a Camucia reca disegni di note musicali, e i magazzini che vendono oggetti da giardino sono pieni di statue: rozzi David di terracotta, Flore, Veneri, le quattro stagioni, ninfe, i sette nani. In alcune botteghe di antiquari ho visto splendide fontane di travertino con iscrizioni latine, e altri ornamenti da giardino di troppo valore per essere lasciati all'aperto.

Anche la bizzarra abitudine italiana di potare il bosso in fantasiose fogge è ormai lontana nel tempo. Immagino Ed su una scala, che ricava dalla nostra siepe navi e draghi, il papa, o un cervo con tanto di corna. In una villa medicea ci sono un lupo, un cane, un cervo, una lepre, un elefante, un cinghiale e altri animali; a Camucia una casa ti accoglie con due grandi scoiattoli di bosso; e un nostro vicino esibisce un pavone. Perché non una Ferrari, un bicchiere di vino, il dito teso in un gestaccio, o un pallone da calcio?

Documentandomi sui più famosi giardini italiani, vado

mentalmente a quelli dei cortonesi, che riprendono in scala minore molti vezzi della grande tradizione: sentieri lastricati con ciottoli di fiume, prati più o meno vasti, moltissimi vasi di fiori e di limoni sparsi qua e là per il giardino, voliere, siepi di bosso o di alloro, alberi fronzuti per pranzare all'aperto. Non ho mai visto tante rose come in Toscana, piantate lungo una recinzione, o stranamente isolate, in lunghe siepi; mentre aiuole e prati sono piuttosto rari, in quanto necessitano di ciò che i toscani non amano sprecare: l'acqua. Un piccolo giardino può avere anche cinquanta vasi di varie misure, e la *limonaia* per gli agrumi, i gerani e le ortensie. Il giardino pubblico di Cortona inizia con una parte ombrosa, con panchine e aiuole fiorite attorno a una fontana di ninfe e tritoni; più in là il parterre (così lo chiamano) si estende per circa un chilometro lungo un muraglione, da cui ammirare i panorami del lago Trasimeno e della valle. Un ricordo del giardino all'italiana permane nel viale di tigli, largo abbastanza da permettere il passaggio di due carrozze, anche se adesso è frequentato solo da gente che passeggia o fa jogging. Quello di Cortona è il giardino pubblico più bello che abbia visto in borghi consimili, alcuni dei quali, invece, lo hanno fuori della cinta muraria, e i cittadini vi si recano a cercare un po' di refrigerio dalla calura dei vicoli.

L'idea italiana di una severa geometria nell'architettura dei giardini non mi si confà, risponde a un'estetica del tutto diversa: storicamente, i fiori hanno un ruolo minore, rispetto a statue, viali, fontane, siepi, pergole o padiglioni.

Il giardino italiano, scrive Pindemonte nel 1792, era «il regno del sole e del marmo, più che dell'erba e dell'ombra»: all'inizio i giardini di qui mi trasmettevano un certo senso di desolazione, con il rigore dei loro riquadri e le infinite siepi di bosso mi sembravano innaturali. Via via, però, ho cominciato ad abituarmi a questo concetto spaziale, notando come spesso lo schema del giardino riproduca quello della casa, le sue proporzioni, e statue, scalini e balaustre servano a dare l'idea di stanze a cielo aperto. Siamo in un paese mediterraneo, dove la gente vive più fuori che dentro e, nei grandi giardini, frutteti o boschetti vengono fatti crescere ai margini della proprietà, a indicare la cesura tra la natura addomesticata e quella selvatica: una bella idea, che perdura indipendentemente dalle epoche e dagli stili. I primi studiosi di giardini ne parlano come di una «terza natura», intendendo come prima quella autentica, e come seconda la coltivazione agricola. La terza si modella sull'idea di bello e di arte.

Tutto sommato i giardini mi sembrano di un'artificialità estrema, abituata come sono ai prati del sud degli Stati Uniti – con sanguinella, azalee, camelie – e ai giardini poco curati della California. Eppure mi rendo conto che hanno una loro funzione: fino a tempi relativamente recenti l'Italia era suddivisa in tanti stati, perciò chi viveva nel castello o nella cittadina fortificata aveva di necessità un atteggiamento di chiusura e di sfida verso il mondo esterno. E i giardini erano riparati, disegnati in un certo senso per far dimenticare i pericoli e il caos appena fuori delle mura.

Sempre più mi arrendo al sentimento italiano del bello. Ma come riportare nel mio giardino gli elementi che ho imparato ad amare? Vorrei possedere la rapida, libera mano di Humphrey, il suo gusto per la semplicità e la naturalezza. Riuscirò a combinarle con la geometria e il gioco, un ossimoro che rappresenta la vera fonte di sorpresa?

Leggere libri sui giardini è istruttivo ma frustrante: le fotografie, ovviamente, danno un senso falsato di profondità e prospettiva. Ancor peggio, non mi giunge il profumo di ciò che vedo, né posso chinarmi a stropicciare una fogliolina pelosa, o contemplare la luce che penetra tra le foglie nuove di un salice. Dunque le pagine patinate di un libro sui fastosi giochi d'acqua di Villa d'Este mi entusiasmano fino a un certo punto: l'acqua schizza da seni femminili, o dalla bocca dei delfini, scende rapida in cascate che imitano quelle vere, ma io non ne odo il sussurro, il chioccolio, per quanto avvicini l'orecchio.

Due ore nel roseto botanico di Cavriglia valgono i libri letti in un intero inverno. Giugno è il mese ideale per vedere – per odorare – il giardino della Fondazione Carla Fineschi, il più grande giardino di rose del mondo. Subito comincio a scrivere i nomi delle rose che vorrei, senza curarmi del fatto che nel nostro vivaio le rose non sono indicate con nomi precisi, sicché non le riconoscerò mai: ogni varietà – Borbone, Cinese, Damasco, Tea, le varie rampicanti – è qui rigorosamente etichettata. Ed e io ci perdiamo, ci ritroviamo, tra le migliaia di rose speriamo di identificare le due, rosa, che appartengono alla storia di Bramasole. Entrambi individuiamo la profumatissima *Reine des violettes* che le assomiglia, ma le nostre sono più chiuse, come peonie. Forse la *nonna* che viveva a Bramasole non ne ha mai saputo il nome, o forse è una semplice rosa di campagna, priva di lignaggio. La chiameremo Rosa della Nonna. Vaghiamo, osservando i giardinieri che tagliano i fiori appassiti, e le altre persone quasi svenute per il profumo. Dietro il giardino vendono alcuni tipi di rose; ne compriamo tre bianche, dette *Sally Holmes*, da piantare lungo il viale d'accesso alternate alla lavanda. Non è che ami molto le rose bianche, ma perché non averne qualcuna che catturi la luce lunare?

Nel museo *Firenze com'era*, uno dei miei preferiti per la sua quiete da ex convento e i pochi visitatori, resto affascinata dalle decine di quadri con vedute aeree delle ville medicee, del pittore fiammingo Justus Utens. Queste mezzelune (erano state infatti concepite, nel 1599, per ornare le lunette della villa di Artimino) rappresentano dimore e giardini com'essi erano originariamente, dando la possibilità di vedere lo schema del giardino ideale a quell'epoca. La villa di Pratolino mostra un'elaborata sequenza di vasche su un pendio, con l'acqua che scende dall'una all'altra; nel giardino di Lambrogiana quattro grandi riquadri, circoscritti da pergole e con una vasca per ciascun ingresso, sono suddivisi a loro volta in quattro. La corte di queste ville di solito non ha abbellimenti – tranne, talvolta, un pozzo. Neppure se vincessi alla lotteria, vorrei avere un giardino di queste dimensioni: nonostante il grande interesse con cui ho letto le lunghe riflessioni di George Sitwell (padre dei notevoli scrittori eccentrici Osbert, Sacheverell e Edith) sui suoi giardini, che contemplavano la creazione di laghi e colline e altre modifiche del paesaggio, sono sempre sconcertata da chi progetta su una simile scala.

A Firenze ciò che resta del mediceo Giardino dei Semplici (ovvero orto in cui si coltivano piante medicinali) è tuttora aperto al pubblico. Cosimo I ebbe l'idea nel 1545, e da allora i botanici vi hanno piantato esemplari di felci, palme, erbe aromatiche, fiori e arbusti, onde studiare le proprietà medicamentose delle piante. È un luogo vicino a San Marco, piuttosto mal tenuto e protetto da un'alta cancellata, e stamani non c'è nessuno, tranne una donna con un bimbo in carrozzina e un uomo che, munito di un vecchio tubo di gomma, sta letteralmente affogando le piante: a quel ritmo gli ci vorrà un mese per innaffiare tutto l'orto, ed ecco perché molte piante hanno chinato il capo. Dal Giardino dei Semplici non traggo nuove idee, ma è comunque un posto ombroso in cui sfuggire al caldo della città, e un esempio di giardino nato con finalità scientifiche.

Il giardino delle erbe aromatiche a San Pietro, vicino a Perugia, mi ha invece fornito parecchi suggerimenti. Ora nei suoi cortili, terreni e austere celle monacali ha sede un dipartimento della facoltà di agraria. Le guide dell'Umbria nemmeno citano quest'oasi di pace, ma il libretto (in italiano) acquistato sul posto spiega la complessa numerologia e il simbolismo delle piante in questa ricostruzione del giardino medievale di meditazione, al quale si affianca un orto dei semplici. Scopro che un'erba appiccicosa, la *parietaria*, che spunta in ogni muro screpolato di Bramasole, ha una sua storia: il nome latino è *elxine*, serve a sciogliere i calcoli, risanare le ferite e calmare le coliche, e persone di qui mi hanno detto che è anche la principale causa di allergie; nell'estirpare le sue tenaci radici, provo ora maggior rispetto per la sua esistenza. Una variante rosa di quella che in California si chiama *oxalis* gialla ha il nome di *acetosella*; e sulla pianticella strisciante che Beppe chiama *morroncello* l'etichetta recita: *pimpinella* (in latino *sanguisorba*), buona per tutto, dalle piaghe alle ulcere. La *santoreggia*, che credevo fosse una semplice erbetta per insaporire insalate e minestre, sembra essere, invece, un potente afrodisiaco, soprattutto insieme a miele e pepe. Persino la melissa ci appare sotto una nuova luce: le sue foglie procurano sogni dorati; non so se ho mai fatto sogni permeati di luce d'oro, ma in ogni caso voglio berne un infuso. E di che magnifico azzurro è il fiore della borraggine, allorché si staglia in un giardino di erbe aromatiche!

Riaffioro dalle mie letture con una coscienza nuova: che idee limitate e confuse avevo su come creare un giardino! Comincio a buttar giù nel quaderno giallo una serie di possibilità per un giardino alla mia portata, a partire dagli schizzi per i pergolati che, a chiunque li guardasse, sembrerebbero impalcature o gallerie della metropolitana. Quasi tutti i giardini toscani hanno una pergola, e non solo per via dell'uva: sono fatte di legno di castagno, di pietra, di rami di salice o di ferro, e rappresentano un punto di riferimento, oltre a proteggere dal sole. Pranzare sotto i grappoli d'uva è un'abitudine allegramente edonistica, e i raggi di sole che penetrano di tra i pampini rendono belli tutti i visi, invitando ciascuno a prendere dalla vita il massimo godimento. Perché in California non ho mai costruito una pergola? Immagino ora come sarebbe stata bene sul retro della mia casa a Palo Alto. Avrei potuto togliere quell'orribile siepe di ginepro e creare un punto ombroso.

Ho un'abitudine, che mi serve per regolarizzare il mio metabolismo, purificare il sangue e rafforzare il cuore: se non riesco ad addormentarmi, immagino di tenere in braccio tutti gli animali che ho amato; ripenso ai momenti più felici della mia vita, mi rivedo camminare per le vie di Cuzco, San Miguel, Deya, con gli scorci, le finestre, i volti, i rumori; penso una per una le persone a me care. Adesso focalizzo la mente anche su tutti i giardini delle case che ho avuto, indipendentemente dai fattori economici che a quel tempo li condizionarono. Sono più abituata a curare gli interni, un argomento sempre attuale tra le donne della mia famiglia, da ciascuna delle quali ho udito frasi del tipo: «Non avrei mai messo la carta da parati in sala da pranzo, in particolare questa alla cinese, con le gru in volo: ho come l'impressione che una mi debba cascare nel piatto. Piuttosto avrei dipinto le pareti di giallo vivo, con uno specchio di lato, al posto di quelle misere applique...» Mi domando se anche loro, in caso di insonnia, fanno il mio stesso esercizio.

I grandi giardini all'italiana sono tutti suddivisi in riquadri; e questo lo sapevo: ciò che non sapevo era che essi sono detti «quinconce», perché ogni riquadro ha quattro alberi agli angoli e uno nel mezzo. In Cicerone già si legge di giardini a quinconce, collegate da una serie di vialetti. Di solito per le siepi si usa il bosso, ma alcune sono di salvia, rosmarino, lavanda o mirto. Dentro le quinconce i giardinieri piantano gigli, rose e fiori a bulbo come i narcisi, i giacinti e il croco. Il giardino tutto, poi, è delimitato da lunghe pergole, dove passeggiare gradevolmente all'ombra.

Leggendo l'elenco delle piante presenti nei giardini di alcuni secoli fa, mi rendo conto di come molte delle mie preferite già venissero usate, ovverosia il ciclamino, il gelsomino, il caprifoglio, la santoreggia, la clematide, l'anice. Altre, invece, non sono più in auge, come l'issopo, l'assenzio, la ruta, il tanaceto, la melissa, il cumino, la finocchiella, la balsamina, la brionia e l'edera. Spesso le erbe aromatiche potevano sostituire i fiori. L'iris e il *giglio selvatico*, che crescono spontanei a Bramasole, sono citati di frequente, e io mi domando da quanto tempo abbiano attecchito in queste regioni.

Sono contenta di scoprire che alcune piante da me scelte facevano comunemente parte dei giardini rinascimentali: l'estate scorsa ho piantato l'*issopo*, che mi ha ricompensata coi suoi fiori rossi e sottili e che sembra voglia diventare un bel cespuglio; Francesco dice che fa bene se strofinato sulle escoriazioni. Ho piantato anche la melissa, che poi ho scoperto essere lo stesso arbusto che chiamavo citronella; ha l'odore dell'olio con cui mia madre mi spalmava nelle sere d'estate, per proteggermi dalle zanzare, quando giocavo fino a tardi nei viali e nel cortile dei vicini. Adesso coi rami adorno la tavola, se ceniamo all'aperto; forse è ugualmente utile contro gli insetti.

La *santoreggia*, invece, della famiglia della menta, l'ho piantata per caso. Al mercato ne ho comprata una pianta in vaso, e la donna del banco mi ha consigliato: «Ne usi i fiori e le foglie».

«In che modo?»

Ha alzato le braccia: «Nell'*insalata, signora*, nella *zuppa*, dove vuole». Poi mi è capitato sott'occhio il nome latino della *santoreggia, satureja hortensis,* e allora ho capito.

Il gelsomino cresce sulla terrazza al piano superiore, dove si arrampica su un arco di ferro e una ringhiera. E prima ho piantato il caprifoglio, il cui profumo mi riporta a un sentiero in Georgia, bianco sotto il chiaro di luna, quando il mio innamorato del liceo ne prese un rametto e lo intrecciò ai miei capelli; ci baciammo, la sua bocca all'inizio era dura e rigida, ma in un attimo si abbandonò. Il caprifoglio non è una pianta che colpisca per la sua bellezza, ma se mi sporgo dalla finestra dello studio, guardando i cipressi e le colline, ritrovo non solo la fragranza mielata, ma la strada dietro Bowen's Mill, il vento tra i rami del pino, e l'odore del dopobarba Royal Lime con cui il mio timido ragazzino si era inondato le guance, anni e migliaia di chilometri lontano da qui. Io non ero affatto timida: da settimane speravo che mi baciasse.

I profumi del Sud hanno un grande potere: tengo sempre una gardenia in vaso che mi ricorda quella gigantesca nel giardino di mia madre. Le passavo accanto, tornando a notte fonda, e mi investiva col suo odore intenso; le foglie erano verde scuro, e i fiori così bianchi che sembrava quasi emanassero un alone fosforescente. Ne coglievo una e la mettevo in un bicchiere sul comodino, per svegliarmi tardi, il giorno dopo, e sentire che il suo profumo aleggiava nella camera. Il giardino dei miei, in Georgia, era carino, ma niente di speciale; in agosto aveva un aspetto miserando. Avevamo camelie, gigli, azalee, mirto, speronella, fiordalisi, e sul retro una siepe di fiori della sposa, al cui interno mi ero fatta un nascondiglio: mia madre mi chiamava e io non rispondevo; la spiavo di tra la candida fioritura, e la vedevo diventare sempre più furiosa. Spiare era una delle mie attività preferite; l'altro mio nascondiglio, in posizione strategica non lontano dall'ingresso principale, era sotto la veranda, tra le ortensie blu. Da lì vedevo le gambe pelose del postino, i suoi calzini neri, e le gonne delle amiche di bridge di mia madre; talvolta udivo spezzoni di discorsi proibiti, su Lyman Carter che «corre la cavallina», o i trattamenti di elettroshock subiti da Martha a Asheville.

A Bramasole ho un vaso di ortensie rosa e bianche, i cui fiori sono grandi quanto la testa di un bambino. Tra due vasi, in un punto un po' nascosto ma adatto per avere una visuale dell'intero giardino, Ed ha messo una panchina di pietra. Nulla, però, può eguagliare l'eccitazione di spiare chi entrava o usciva da casa dei miei. Abbiamo inoltre piantato del *lillà*, sia bianco sia violetto.

Comincio a capire che il giardino è un luogo in cui posso dare alla memoria una collocazione e una stagione. Anche Ed ama il lillà, presente ovunque nella sua città natale in Minnesota: là, passato il rigido inverno, la fioritura doveva essere un bello spettacolo. La sua vicina Viola Lapinski, una «vecchia zitella» (solo adesso Ed si rende conto che aveva all'epoca poco più di trent'anni), ne portava dei rami, il sabato sera, quando veniva a guardare la TV insieme a lui e alla sua famiglia.

Devo domandare a mia figlia – la cui prima parola in assoluto è stata «flava», cioè *flower* – se serba memoria del nostro giardino a Somers, New York, con gli aceri dalle gialle foglie, in autunno, che formavano sul terreno un tappeto alto fino al ginocchio, e lei ci si rannicchiava sotto insieme al cane... Lungo il muro di recinzione piantai le mie prime erbe aromatiche, e mai più, da allora, ne ho avute tante e di tale varietà. Un giorno Ashley sedeva in terra accanto a me, e trovò una vecchia boccetta da farmacia color ametista, che conservò per anni. Davanti alla casa, una siepe di peonie fioriva ogni stagione, e mia figlia credeva che qualcuno con troppo rossetto ne avesse baciato ogni piccolo globo. Che cosa ricorderà? La sua camera, a Palo Alto, aveva una vetrata scorrevole, e lei usciva ogni giorno tra l'arancio selvatico, il limone, il nespolo, il kumquat. Di certo i loro profumi sono rimasti nelle sue circonvoluzioni cerebrali. Vorrei che avesse da ricordare una pergola di pampini: la costruirò, perché ciò avvenga.

I profumi producono lo stesso effetto della musica e della poesia: non evocano pensieri razionali ma sensazioni, che irrompono nel tuo corpo, vi scorrono come linfa. Ed passeggia tra i lillà e all'improvviso sua madre mette sul tavolo il vaso della lavanda, suo padre offre delle caramelle a Viola, che ha in testa bigodini arancioni per esser bella alla messa dell'indomani. Nella stanza incombe, da sopra il televisore, il volto incorniciato di Gesù, che osserva gli astanti dall'orto dei Getsemani. I suoi occhi ti seguono ovunque.

Un giardino carica di memorie anche il nuovo. La lavanda, i vasi di limoni, le balconate piene di gerani rossi, la malvarosa, le dalie, le rose per me non hanno storia, ma ora li vedo come se, novantenne, trovassi un sacchetto di lavanda risalente al giorno in cui Beppe ne piantò quaranta cespi, riportandomi il ricordo di tante estati in cui attiravano api e farfalle bianche attorno alla casa. E probabilmente nulla potrà mai farmi dimenticare l'orribile erbaccia dal cattivo odore di pesce, o quella appiccicosa che ogni volta mi fa correre in casa, in cerca delle pastiglie contro l'allergia.

«Se piantiamo tutto quello che hai scritto sul tuo quaderno giallo, avremo un orto botanico.»

«O forse un Eden.» Ed mi ha spiegato che la radice etimologica della parola «paradiso» viene dal greco *paradeisos*, che significa parco o giardino, e ancor più indietro da *dhoigho-*, muro d'argilla o di fango, e dal sanscrito *pairi-daeza*, cioè cinta muraria. La Genesi non parla di costruzione di muri nei sette giorni della Creazione, ma a me piace immaginare alte pareti di mattoni ocra con l'impronta della mano di Dio. Se Dio ha le mani, ovviamente. Sulle mura del giardino dell'Eden si arrampicava forse la rosa detta Mermaid, che cresce in un battibaleno? Le nostre sembrano aver affondato le loro radici nel momento stesso in cui le abbiamo poste nel terreno. Di sicuro dietro casa prosperava la Magenta Rugosa, tra i cui rami si celava il serpente e, chissà, forse un nuovo tipo di melo sarebbe adatto al giardino di Bramasole... Per adesso abbiamo solo meline selvatiche, troppo dure per costituire una tentazione.

In altre descrizioni di giardini, assai più tardi, mi incuriosisce la brionia – qualsiasi cosa essa sia: me la figuro come la pianta che cresce sulla tomba di Catherine e Heathcliff, i famosi protagonisti del romanzo di Emily Brontë, *Cime tempestose.* Uno studioso dell'epoca raccomanda di piantare rose ogni metro circa, alternate con maggiorana, mughetto, ranuncoli e timo; il timo e la maggiorana servono per coprire la nuda terra. «Che pensi delle zinnie?» dice Ed. «Le care, vecchie zinnie... Che cos'hai per me, in quel tuo quaderno giallo?»

«Va bene, basta con le piante. Intanto costruiamo la pergola. E poi vorrei almeno una statua. E una fontana.»

«Tutto qui? E una piccola follia? Tipo quelle grotte di cui leggevi... Anzi, potremmo fabbricare un finto rudere in fondo al Lake Walk: un mezzo arco, un pezzo di porta, una muraglia sgretolata.»

«Questa sì è un'idea! Un posto in cui stare quando...»

Ed mi guarda sbalordito: «No, aspetta un momento: scherzavo. Non mi dire che tu fai sul serio?!»

CUCINARE A PRIMAVERA

ANTIPASTI

LE FRITTELLE AL FINOCCHIO DI PAUL

Mangerei qualsiasi cosa, se cucinata da Paul Bertolli. Una volta mi ha servito dei tendini. «Tendini di quale animale?» gli ho domandato. Dopo un istante di esitazione: «Di vitello. Ti piaceranno» mi ha risposto. Sa che sono un po' schizzinosa, e tenta di educarmi. Quando faceva lo chef da Chez Panisse, qualche volta mi ha permesso di fargli da assistente in cucina. Il mio primo compito è stato quello di decapitare un mucchio di piccioni; le loro azzurrognole palpebre chiuse mi turbavano, ma non volendo limitarmi a lavare la lattuga ho cominciato a tagliare le piccole teste. Paul ha genitori italiani e profonde affinità col modo di vivere di questo paese; è geniale, nel far affiorare da ogni cibo la sua vera essenza. Il piacere che prova e la sua correttezza professionale emergono chiaramente dalla lettura del suo *Cucinare da Chez Panisse*, e di recente ha costruito un'*acetaia*, cioè un luogo per la lavorazione dell'aceto balsamico. È stato uno dei primi ospiti a Bramasole, e ci ha aiutato a sistemare la nostra cucina modello. In California mi piace frequentare il suo ristorante, Oliveto's, a Oakland, specialmente nelle sere consacrate a tartufi e funghi *porcini*. Questa che segue è la sua ricetta per le frittelle di finocchio, così come me l'ha dettata. È meglio scegliere finocchi piccoli, perché i grandi sono troppo coriacei.

2 hg di cuori di finocchio selvatico, puliti
2 hg di foglie e rappa
1 testa d'aglio, pulita
2 tazze e 3/4 di pane duro sbriciolato
3/4 di tazza di parmigiano *grattugiato*
1 uovo
1/2 cucchiaio da tè di sale
pepe nero fresco
3/4 di tazza di olio d'oliva

Togli i gambi del finocchio mettendo da parte la rappa. Su un tagliere, fa' grossolanamente a pezzi gambi, foglie e rappa. Metti il tutto in una ciotola, copri di acqua fredda e poi scola bene.
Metti il finocchio pulito in una pentola e cuoci a vapore insieme all'aglio. Alza la fiamma per 12-15 minuti, finché il finocchio e l'aglio non sono diventati molli. Fa' raffreddare e taglia finemente il tutto.
Aggiungi 3/4 di cucchiaio di pane sbriciolato e il parmigiano *grattugiato. Infine l'uovo, il sale e il pepe nero. Mescola con un forchettone finché non è piuttosto consistente.*
Con l'aiuto di due cucchiai da minestra dividi l'impasto in tante porzioni uguali, che poi metterai una per una in una ciotola con il resto del pane, lavorandole con le mani in modo da ottenere una sorta di polpettine.
Scalda l'olio in una padella; per sapere se è arrivato alla giusta temperatura, gettavi un pezzetto di pane, che deve sfrigolare. Friggi a fuoco molto vivace, girando le frittelle con un mestolo bucato. Passa via via le frittelle su un vassoio ricoperto di carta assorbente, quindi sul piatto da portata. Servile ben calde.

CARCIOFI FRITTI

Essendo del Sud, per me la parola «fritto» suona meravigliosa, ma da ragazza non conoscevo i carciofi, tranne quelli sott'olio, che invece sembrano davvero un nutrimento per l'anima. Al mercato, in primavera, ne vendono di cinque tipi: per cucinarli ripieni di erbe aromatiche, mollica di pane e pomodoro uso quelli più grandi. Da friggere o mangiare crudi, i più piccoli, rossi, sono i migliori. Anche questi, però, vanno accuratamente privati delle stoppacciose foglie esterne.

Scegli dieci piccoli carciofi, leva le foglie più coriacee e tagliali fin quasi al cuore. Falli in quattro parti, asciugandoli bene con la carta. Scalda in una padella olio di arachidi o di girasole. In una ciotola, sbatti tre uova insieme a 3/4 di tazza d'acqua, passa rapidamente i carciofi nell'uovo, quindi nella farina, scrollando quella in eccesso. Friggi nell'olio a 180°, finché non vengono dorati. Mettili su carta da cucina per asciugare l'olio e poi su un piatto da portata, insieme a spicchi di limone. Servita come antipasto, questa ricetta basta per otto persone.

PRIMI PIATTI

GLI ODORI

Di solito il verduraio ti regala sempre un mazzetto di *odori*, cioè prezzemolo e basilico, un paio di gambi di sedano e una o due carote. Se non devo fare il brodo o lo stufato, il mazzetto è destinato ad avvizzire in frigorifero. Una sera che non avevamo altro, Ed ha tagliato fini tutti gli *odori* inventando un ottimo condimento per la pasta. Lo abbiamo anche usato sulla *focaccia*, o tra le foglie dei carciofi cucinati a vapore, al posto del limone o dell'aceto.

Taglia finemente 2 carote, 2 gambi di sedano e 3 spicchi d'aglio. Soffriggi in 2 cucchiai da tavola di olio d'oliva; devono risultare croccanti. Aggiungi basilico e prezzemolo tagliuzzati, altri 2 cucchiai di olio d'oliva e fa' andare a fuoco lento per 2-3 minuti. Cuoci gli spaghetti *per due, scolali lasciando un poco della loro acqua e aggiungendo olio d'oliva. Mescola agli* odori 4 cucchiai da tavola di *parmigiano grattugiato, cercando di ottenere la stessa consistenza del pesto. Condisci gli spaghetti e servi in tavola. La ricetta è per due persone.*

RISOTTO PRIMAVERA

«Mai mangiato così bene» ha detto un amico, dopo aver assaggiato un semplice *risotto* alle verdure. Certo esagerava, ma un monticello di *risotto* al centro della tavola, circondato da verdure profumate e multicolori ispira entusiastiche dichiarazioni. È proprio il cibo primaverile per eccellenza, al quale puoi affiancare del pollo arrosto; però va bene anche come piatto unico, magari seguito da lattuga e pere e gorgonzola. Un *risotto* davvero speciale è quello alle ortiche, ovviamente usando le pianticelle giovani. Può capitare che anche a San Francisco qualche banco al mercato le venda. Vanno sminuzzate e scottate, quindi mescolate al *risotto* solo a fine cottura.

Prepara separatamente le varie verdure di stagione. Sguscia circa 1 kg di piselli freschi, che cuocerai rapidamente al vapore. Pulisci un mazzo di carote e tagliale a strisce, più o meno delle stesse dimensioni degli asparagi. Fa' stufare anche le carote, fin quasi a cottura. Prepara 7 hg di asparagi, levando la parte più coriacea, e cuocili a vapore o in forno. Fa' bollire vivacemente, poi abbassa la fiamma e unisci 5 tazze e 1/2 di brodo e 1/2 tazza di vino bianco. In un tegame soffriggi in 1 cucchiaio da tavola di olio d'oliva 2 tazze di riso arborio *insieme a una cipolla a pezzi; dopo un paio di minuti, man mano che il riso assorbe il liquido, aggiungi a poco a poco il brodo. Mescola di continuo fino a completa cottura. Alcuni lo preferiscono brodoso, ma secondo me per questa preparazione è meglio* al dente. *Aggiungi il succo di un limone, 1/2 tazza di* parmigiano *grattugiato e sala a piacere. Servi nel piatto da portata, con attorno le verdure. Questa ricetta basta per sei persone.*

ORECCHIETTE ALLE VERDURE

Le *orecchiette* sono ottime ai *quattro formaggi*, cioè *gorzonzola, parmigiano, pecorino* e *fontina*. In primavera sono squisite con le verdure.

Salta in padella 2 mazzi di bietola tagliata fine, insieme a cipolline fresche e aglio. A parte cuoci una quantità di orecchiette *sufficiente per sei persone. Scola la pasta e unisci le verdure. Se gradisci le acciughe, soffriggine 6 filetti, che aggiungerai al resto. Condisci e spolvera con 1/2 tazza di* parmigiano *grattugiato, o presentalo in tavola separatamente.*

ORECCHIETTE AI GAMBERETTI

Si tratta di un binomio divertente, date le dimensioni similari delle orecchiette e dei gamberetti. Funziona da piatto unico.

Sguscia 1 tazza di fave, che soffriggerai in poco olio fin quasi a cottura completa, poi aggiungi nella padella una piccola cipolla tagliata fine, o un paio di cipolline fresche. La cipolla deve diventare floscia. Condisci e metti il tutto nel frullatore. Pulisci e soffriggi in olio d'oliva 4 hg di gamberetti con 4 spicchi d'aglio interi. Aggiungi 1/4 di tazza di vino bianco, alza un momento la fiamma, poi riabbassala. Togli l'aglio. Cuoci la pasta per sei persone, scolala e condiscila con la salsa verde, lasciandone però un poco da parte. Mescola i gamberetti al resto della salsa. Sul piatto da portata, servi con i gamberetti sopra a tutto.

SECONDI

VITELLA AL LIMONE

Questo modo di preparare la vitella, scoperto in un'occasione in cui mi sono trovata d'improvviso senza pomodori per lo stufato che volevo cucinare, è diventato uno dei nostri preferiti. Il delizioso gusto naturale del limone accentua il sapore della carne tenera.

Lava e asciuga circa 1 kg di vitella a pezzi. Passa nella farina e rosola in olio bollente. Aggiungi 1 tazza di vino bianco. Togli la scorza a 2 limoni, e con sale e pepe unisci al resto. Arrostisci coperto per 40 minuti a 180°, finché la carne cede sotto la forchetta. Mescola e aggiungi il succo dei due limoni; questa operazione va compiuta a fine cottura, altrimenti la carne si indurisce. Rimetti in forno per cinque minuti. Servi in tavola (la ricetta è per sei), guarnendo con prezzemolo tagliuzzato.

CONTORNI

FAVE CON PATATE E CARCIOFI

La verdura primaverile più amata sono le *fave* crude. Le *fave* fresche sono assai diverse da quelle che ho sempre trovato nei supermercati, sbucciate una per una e congelate: pur non essendo cattive neppure quelle, fondamentalmente un baccello che dev'essere sbucciato non è più freschissimo. Le fave crescono senza grandi difficoltà, ma in California non si trovano spesso, solo raramente qualche contadino, al mercato, vende sacchetti di tenere fave appena colte. Qui in Toscana, a casa di un amico, ci hanno offerto come merenda un cestino di baccelli accompagnati da una forma di *pecorino* e una bottiglia di vino; da un altro amico, il rito delle *fave e pecorino* viene osservato alla fine di un pasto leggero, come piatto unico di verdura e formaggio: di fatto ogni ora sembra buona per questa combinazione ormai consacrata. La ricetta che segue può accompagnare fettine di vitella o braciole di maiale, ma vale anche come piatto unico.

Taglia in quarti e fa' stufare 6 piccoli carciofi finché non sono abbastanza teneri. Scola e metti da parte, irrorandoli con del succo di limone. Sbuccia e taglia a pezzi 4 hg di patate bianche (puoi anche usare le patatine novelle, rossastre), stufale fin quasi a completa cottura. Sguscia 6 hg di fave fresche e falle stufare. Scalda in una larga padella 4 cucchiai da tavola di olio d'oliva, e soffriggici 2 o 3 cipolle fresche, a fettine (o un mazzo o due di scalogno) e 3 o 4 spicchi d'aglio. Aggiungi le fave, le patate e i carciofi, timo, sale e pepe, e in più il succo di 1 limone. Cuoci mescolando fino ad amalgamare tutti i sapori. Servi su un piatto da portata. La ricetta è per sei.

Più il tuo forno è grande, più avrai facilità ad arrostire un'ampia varietà di verdure di stagione. A me piacciono di più le verdure in forno che grigliate, perché i sapori risultano più accentuati, mentre alla griglia predomina l'odore del fumo. Il finocchio arrosto è davvero squisito, e spesso ne rubo un pezzetto appena lo tiro fuori dal forno.

Ungi per bene una teglia antiaderente coi bordi alti, o una pirofila. Riempila con peperoni, zucchine e pomodori tagliati a metà, cipolle e finocchi in quarti, zucca, melanzane a fette, alcune teste d'aglio. Innaffia con olio d'oliva, aggiungi timo, sale e pepe. Metti la teglia in forno a 180°. Dopo circa 15 minuti, saggia con una forchetta la zucca, le zucchine e i pomodori, togliendoli via via che sono pronti. Rigira le melanzane e i peperoni. Tutto sarà cotto in 30 minuti circa. L'aglio va levato, e gli ospiti lo strofineranno sul pane abbrustolito.

ALTRE VERDURE IN FORNO

Da quando la mia amica Susan Wyler, autrice di parecchi libri di cucina, mi ha insegnato ad arrostire gli asparagi in forno, non li ho più cucinati al vapore. Anche se bruciacchiati e croccanti, sono squisiti. Egualmente i fagiolini sono ottimi in forno, e in genere le verdure arrostite risultano esaltate nei loro sapori. Nell'orto abbiamo circa duecento piante di cipolle, che ho preso l'abitudine di cuocere spesso in forno, con l'aggiunta di aceto balsamico; vanno benissimo per guarnire il pollo arrosto.

Allinea gli asparagi in una teglia da forno; condisci con olio, sale e pepe. Cuoci per 5 minuti circa a 200°.

Fa' stufare i fagiolini fin quasi a completa cottura. Scolali e passali in forno, con olio d'oliva, per 5 minuti a 200°.

Sistema in una pirofila antiaderente delle cipolle, dopo aver tolto due o tre strati esterni di foglie e averle incise una per una con una X. Innaffia abbondantemente con olio d'oliva e aceto balsamico. Condisci con sale e pepe. In forno per 40 minuti a 180°. Controllale, di tanto in tanto, e aggiungi, al bisogno, olio o aceto.

DOLCI

In *primavera* la frutta non è ancora matura, e i *gelatai* sono ancora chiusi. D'inverno per dessert si mangiano spesso le caldarroste attorno al focolare, una fetta di *gorgonzola* o i *Baci* Perugina, insieme a un bicchiere di *limoncello* o di *amaro*; per i più gagliardi, un bicchierino di *grappa*. Un banco, al mercato del giovedì, vende frutta disidratata; che affogata nel vino, con la scorza di limone e le spezie, e servita coi *biscotti*, sostituisce degnamente la fresca.

FRUTTA NEL VINO

Delicato e leggero, è un dessert casalingo che ti rianima. Ottimi i *biscotti* inzuppati nel vino zuccherato. I bambini odiano questo dessert.

Ricopri di acqua bollente 4 hg di frutta disidratata – albicocche, pesche, ciliegie e/o fichi – lasciandola riposare per 1 ora circa. Porta a bollore 2 tazze di vino rosso, con 1/2 tazza di zucchero, un po' di noce moscata e alcune scorze di limone. Unisci 1 tazza di

uva passa, bianca e nera, e la frutta disidratata.
Abbassa la fiamma al minimo, mescolando per 10
minuti. Togli la frutta, continuando a far bollire il
liquido, finché non diventa denso; quindi versalo
sulla frutta. Questo dessert è migliore il giorno do-
po. Guarnisci ogni porzione con una manciata di
pinoli tostati.

Sorbetto «sunset»

È un sorbetto molto semplice, ma tutto ciò che si prepara
con succo d'arancia sanguigna sembra inusitato e originale. Forse perché il rosso succo evoca il sangue? O sarà il puro piacere di dimezzare un'arancia, contemplando le due
perfette metà che si aprono, mostrando il loro sugoso interno? Questo sorbetto di arancia rossa, con le sue varie sfumature di dolcezza, titilla e rinfresca il palato.

Prepara uno sciroppo di zucchero facendo bollire 1
tazza d'acqua e 1 tazza di zucchero, e mescolando
continuamente per 5 minuti circa. Aggiungi 2 tazze
di succo d'arancia rossa e il succo di un limone.
Metti in frigo a raffreddare. Quando è ben freddo,
lavora il tutto nella gelatiera, seguendo le istruzioni
per l'uso; oppure metti in freezer finché non diventa
della giusta consistenza. Guarnisci con foglie di ci-
tronella o menta.

Torta allo zenzero

Il piacere di infornare è una cosa che hai nel DNA. Quando
è il momento di preparare il dolce, mi capita spesso di scegliere quelli di mia madre o di Willie Bell, e il mio bagaglio

a mano lascerebbe basito l'ispettore della dogana, se si desse la pena di aprirlo: vi troverebbe una bottiglia di sciroppo di zucchero di canna (perché come mangiare i biscotti, al mattino, senza burro e sciroppo di zucchero di canna?), o una bottiglia di sciroppo di mais per varie torte, tra le quali la seguente, una vecchia ricetta tra le mie preferite. Lo zenzero non ha niente a che vedere con la cucina italiana, ma sta benissimo insieme alla frutta.

> *Passa al setaccio 3 tazze e 1/3 di farina, 1/2 cucchiaio da tavola di sale, 1 cucchiaio da tavola di lievito in polvere, 1 cucchiaio da tavola di soda, 1 cucchiaio da tavola di noce moscata e 1/2 cucchiaio da tavola di zenzero in polvere. Amalgama 1 tazza di burro con 1 tazza di zucchero. Rompi 4 uova, separando tuorli e albume. Sbatti i tuorli con lo zucchero e il resto, poi aggiungi 1 tazza di sciroppo di mais e amalgama gradatamente alla farina, insieme a 1/2 tazza di panna. Monta i quattro albumi finché non diventano una massa soda, che unirai all'impasto. Versa l'impasto in una teglia antiaderente ben imburrata. In forno a 170° per 1 ora. Lascia raffreddare e capovolgi su un vassoio.*

ARANCE ROSSE CON VIN SANTO

Se non hai il *vin santo*, sostituiscilo con il brandy. È un dessert superbo, soprattutto insieme alla torta allo zenzero. In estate puoi preparare anche le pesche, così, mescolando solo per cinque minuti.

> *Fa' bollire 2 tazze d'acqua, 1 tazza di zucchero, 4 cucchiai da tavola di* vin santo *e 3 o 4 chiodi di garofano. Aggiungi 6 arance rosse fatte a pezzi, abbas-*

sa la fiamma e mescola per 10 minuti. Lascia raf-
freddare. Sbatti 3 tazze di mascarpone con 1/2 tazza
di zucchero, 1/2 tazza di vino bianco e il succo di un
limone. Servi il mascarpone in 6 ciotole, guarnito
con le arance.

GIRANDO PER LA TOSCANA

MONTE OLIVETO MAGGIORE

È il giorno ideale per una gita in auto. Il paesaggio verdissimo si dilava sul parabrezza, i castagni cominciano a piegare le fronde sotto la pioggia. Attraversiamo la valle, sfiorando la città di Sinalunga, e ci dirigiamo verso Monte Oliveto Maggiore, uno dei più importanti monasteri d'Italia. Sulle colline, quasi investite dalle sciabolate di luce d'una ribalta, si dispiegano infinite sfumature di verde: verde neon, o verde veleno, o verde-velluto... Quando avevo cinque anni, vidi un irresistibile muschio verde e ci saltai sopra, per poi sprofondare immediatamente nella melma da cui dovette ripescarmi mio padre, in abito di lino chiaro, mormorando «Dio mio...»: in realtà ero saltata sullo strato spesso e brillante di alghe che ricopriva la fossa settica dietro il mulino. Ma questo verde non è pernicioso, potrei slanciarmi e scorrazzare liberamente.

Comincia ad apparire lo scabro paesaggio delle *crete*, lo stesso visibile in tanti dipinti di scuola senese; paurosi e impervi durante l'estate, i profondi crepacci sono ora rivestiti d'erba. I monaci che hanno scelto questo luogo inseguivano certo l'idea di abbandonare definitivamente il mondo per consacrarsi alla vita solitaria e contemplativa. Cerco di immaginare come doveva essere viaggiare in simili luoghi nel XVI secolo, quando al massimo potevi percorrere qua-

169

ranta chilometri al giorno e, a giudicare dalle carte dell'epoca, quasi non esistevano strade. Una via tortuosa come questa sarà stata allora un sentiero, che un acquazzone bastava a cancellare. In Italia i cartelli segnalano sempre una direzione, e le strade non sono identificabili con un numero: cioè trovi indicazioni specifiche, piuttosto che la scritta «580 Est» o «880 Nord». Probabilmente ciò deriva dalla consuetudine di viaggiare sin dai tempi antichi. Un viaggiatore del XVI secolo narra: «Mi riposai così poco da avere il fondoschiena perennemente in fiamme, per via dell'attrito con la sella». Un problema comune, se già Catone dava ai viaggiatori il seguente consiglio: «Per prevenire le irritazioni, durante il viaggio tenete sotto il deretano un rametto di assenzio del Ponto». Con la nostra comoda Alfa il viaggio è gradevole e Ed si diverte negli stretti tornanti, o nel risalire e discendere le colline.

Dietro una curva sorge improvviso l'edificio di mattoni rossi. Il fossato e la poderosa struttura mi inducono a pensare che persino qui vi fossero necessità di difesa in epoca medievale. Il monastero – che mi sembra tanto una prigione dorata – è circondato da cipressi, cappelle e vialetti. All'ingresso un monaco benedettino, con la veste bianca lunga fino alle caviglie (dall'aspetto quanto mai ruvido e pesante), controlla che le persone siano vestite correttamente. La scorsa estate lo stesso rigido censore dei costumi impedì l'accesso a mia figlia, perché indossava una maglietta senza maniche e una gonna troppo corta; il monaco l'ammonì col dito, scuotendo il capo: le braccia scoperte non vanno bene. E Ashley si arrabbiò molto vedendo che invece gli uomini in pantaloncini potevano passare; tornò alla macchina e prese in prestito la maglietta del suo ragazzo, larghissima, grazie alla quale infine poté entrare. Oggi vedo respingere un uomo in pantaloncini: se i benedettini sono obbligati a indossare vesti di lana, significa che per loro il corpo è un concetto filosofico, e l'atto di oggi perlomeno mi lascia intendere che non si tratta di misoginia. Osserva la mia gonna a metà polpaccio, il mio maglione giallo, e mi fa cenno di entrare.

Nel chiostro del XV secolo, all'impressione di luogo fortificato si sovrappone quella d'uno spazio sereno, imbevuto di luce e pieno di vasi di gerani. Qui i monaci ancora restaurano libri antichi, o preparano un liquore di erbe medicamentose, che si chiama «Flora di Monte Oliveto». L'altro loro prodotto è il miele, e mi piacerebbe vederli mentre, nell'abito monacale, aprono le arnie, con gesti sempre uguali da secoli e secoli.

Sulle pareti sotto il portico si ammirano gli affreschi del Sodoma e del Signorelli (un figlio di Cortona), con il ciclo della vita e dei miracoli di San Benedetto, motivo di santa ispirazione per i monaci.

Nel lungo periodo in cui abbiamo restaurato Bramasole, eravamo ossessionati, di volta in volta, da differenti problematiche legate ai lavori da fare. Se vedevamo delle tubature, per esempio, ci domandavamo subito dov'erano attaccate e dove finivano, se erano di rame o di stagno. Dovendo risolvere la questione delle chiazze d'umido alle pareti, ci trovavamo a osservare la muffa o le sbollature nell'intonaco in chiese e musei, tentando di scoprirne l'origine, invece di badare agli aspetti artistici o architettonici.

Oggi ci fissiamo su un affresco del Signorelli in cui è raffigurato un muro che crolla. «I muri crollano» è la frase storica pronunciata da Primo Bianchi, il giorno in cui il muro del Lime Tree Bower è rovinato sulla strada sottostante: tra i nostri incubi, la caduta di pietre assume particolare rilievo. Sullo sfondo dell'affresco un monaco precipita a causa del muro che frana, e un diavoletto si libra su di lui. Forse ne abbiamo uno anche noi, tra i tigli sopra il nostro muro? Si vedono quindi tre monaci che trasportano il confratello esanime, e nell'ultima scena questi torna miracolosamente in vita grazie all'intervento di San Benedetto. Come in altri af-

171

freschi, non sembra poi un gran miracolo: dopo tutto forse il monaco era solo tramortito, ma Benedetto era tanto venerato che qualsiasi cosa facesse era considerato un atto miracoloso. Se non avessi comprato la guida nel negozio del monastero, non avrei ben capito il significato degli affreschi.

Mi colpisce il senso del tempo tipico di molte di queste rappresentazioni: l'intera sequenza degli eventi è messa in scena senza soluzione di continuità, con passato e presente ritratti contemporaneamente, l'uno più piccolo e l'altro più grande, o l'uno a destra e l'altro a sinistra; chi guarda li percepisce dapprima in maniera simultanea, e solo in seconda battuta «legge» gli episodi singolarmente e in progressione. Il tempo, insomma, non esiste più, come sovente avviene nel ricordo. Il pittore ci narra una storia, e così facendo è legato al concetto di tempo che parte da Alfa per giungere a Omega, ma alla base sta la vecchia intuizione: il tempo è sempre e solo eterno presente.

Nell'affresco successivo quattro monaci cercano invano di spostare una grande pietra. E guardando più da vicino notiamo che in quest'ultima si cela un demone. I monaci maneggiano lunghe pertiche di ferro esattamente come le nostre, le hanno incuneate sotto la pietra, ma il demone la rende inamovibile; finché Benedetto non la sfiora con il segno della croce. Anche noi abbiamo affrontato pietroni di quella fatta, senza l'intervento di alcuna potenza superiore. Adesso comprendo la sua santità: il potere di sollevare pietre è certo un attributo divino.

In un altro Signorelli, una donna vestita di azzurro ha il volto di tre quarti rispetto a chi guarda: è bella come quella con la brocca presso la finestra, nel famoso quadro di Vermeer. Contravvenendo alle regole dell'ordine, due monaci stanno lautamente pranzando fuori del monastero. Stanno a una tavola carica di cibarie, serviti da due donne e un ragazzo, raffigurato nell'atto di portare una ciotola. La donna con l'abito azzurro versa del vino da una brocca in un bicchiere, e sembra quasi di sentirne il gorgoglio: ha i capelli raccolti in una cuffia che lascia le orecchie scoperte, e il lungo collo e la spina dorsale ben visibile sotto la veste trasmettono pienamente il senso della fisicità del suo corpo; appare del tutto assorbita da ciò che sta facendo. La seconda donna, in verde chiaro, viene in fretta dal focolare, la gonna sollevata nel rapido passo, portando in alto qualcosa di assai simile a una *torta della nonna*. Per essere di una bellezza così delicata, ha mani e piedi molto grandi: forse sono stati dipinti da un allievo del Signorelli, magari un giorno che lui era uscito a bere un bicchier di vino. Queste due figure di donne sono tra le più intense dell'intero ciclo. Nella scena successiva siamo più avanti nel tempo: si vede quindi Benedetto che scopre in flagrante i due monaci satolli; ed eccoli in ginocchio, a chiedere perdono, con ancora sulle labbra il gusto del vino e della *torta della nonna*.

La decorazione delle pareti di Monte Oliveto cominciò nel 1495, e al Signorelli si devono sei affreschi; nel 1505 il ciclo della vita di San Benedetto venne ripreso dal Sodoma. Che strano nome, Sodoma! In realtà si chiamava Giovanni Antonio Bazzi; e per i monaci era «il Mattaccio». Leggo a Ed, dalle *Vite* del Vasari (uno dei tanti libri che porto sempre in viaggio, in uno scatolone sul sedile posteriore dell'auto), il brano che lo riguarda:

> *Era [...] uomo allegro, licenzioso, e teneva altrui in piacere e spasso con vivere poco onestamente; nel che fare, però che aveva sempre attorno fanciulli e giovani sbarbati, i quali amava fuor di modo, si acquistò il soprannome di Sodoma, del quale, nonché si prendesse noia o sdegno, se ne gloriava, facendo sopra esso stanze e capitoli e cantandogli in sul liuto assai commodamente. Dilettossi, oltre ciò, d'aver per casa di più sorte stravaganti animali: tassi, scoiattoli, bertucce, gatti mammoni, asini nani, cavalli barbari da correre palii,*

173

cavallini piccoli dell'Elba, ghiandaie, galline nane, tortole indiane [...] di maniera che la casa di costui pareva proprio l'arca di Noè.

«Forse il nomignolo si deve al suo amore per le bestie, piuttosto che a quanto immaginiamo... Come dire "bestiale"» riflette Ed. «Ho letto da qualche parte che aveva tre mogli e una trentina di figli. Pare impossibile.»

«Pensava solo al piacere...» continua il Vasari. Ma qui si sbaglia: ho visto i suoi affreschi in varie località della Toscana, e credo che si impegnasse moltissimo nel suo lavoro. Mi viene in mente Warhol, che sembra decadente e frivolo, uno che butta via la sua arte; ma una visita al Warhol Museum di Pittsburgh ti fa cambiare idea: lavorava come un ossesso, accumulando opere le più svariate, fantasiose, serie o di puro *divertissement.*

È facile riconoscere la mano del Sodoma, perché comincia ad apparire il suo serraglio: corvi, cigni, tassi, un formichiere, vari cani, e quello che somiglia a un ermellino. Le sette donne che danzano rappresentano le tentazioni della carne, a cui San Benedetto resiste. Nell'affresco dedicato appunto alle tentazioni del santo, per distogliersi dal peccato egli si lacera le vesti e si getta tra i rovi: certo un metodo più efficace della classica doccia gelata. Da un balcone controlla i monaci che si allontanano con un mulo: chiaramente vuole che stiano alla larga dalle tentazioni muliebri. Si tratta di uno degli affreschi più belli: noto le vesti floreali delle donne in contrasto con gli abiti sgraziati dei monaci; i due gruppi sono divisi da una soglia attraverso cui s'intravede una strada serpeggiante che conduce a un lago. Non posso esimermi dal pensare a quanto si divertisse il turbolento Sodoma nel dipingere donne bellissime davanti alle quali i monaci erano costretti a passare ogni giorno. Pensiamo inoltre che il Sodoma le raffigurò nude, e solo in seguito le rivestì, attenuando il loro potere seduttivo.

Uno dei momenti più alti dell'arte del Sodoma è in un punto che può sfuggire: in un passaggio a volta Ed vede per caso un Cristo legato alla colonna, con le braccia incise profondamente dalle corde e la schiena sanguinante per le scudisciate. Come il Cristo nella *Resurrezione* di Piero della Francesca, il Sodoma ce lo presenta non emaciato e sofferente, bensì muscoloso e virile. L'autoritratto dello stesso Sodoma è in uno dei primi affreschi del ciclo di San Benedetto, dove il santo ripara un vassoio rotto, un piccolo miracolo casalingo ottenuto con la preghiera: abbigliato da gentiluomo di corte, il pittore fissa con espressione assorta chi guarda; ai suoi piedi, due tassi e un uccello. Appare pieno di vita, e sono sicura che i benedettini lo consideravano una sorta di demonio.

Nessuno segue le tracce del Sodoma, come fanno gli appassionati con Piero della Francesca. Noi invece decidiamo di visitare, nella cittadina senza tempo di Trequanda, una chiesa dalla facciata a scacchiera, SS. Pietro e Andrea, che cela un suo affresco; nella Pinacoteca di Siena e nella chiesa di Sant'Agostino, troviamo altre sue tele e alcuni smalti; il San Sebastiano a palazzo Pitti a Firenze mostra ancora il suo luminoso talento per le raffigurazioni del corpo maschile: la muscolatura delle spalle e dell'addome, e il lieve velo che appena copre i genitali, aderente tanto da suggerire quanto intende celare. Quasi non bado al viso del povero Sebastiano, rivolto verso l'alto a implorare un angelo, o alla freccia che gli trapassa il collo.

Saliamo una scala di pietra che conduce alla biblioteca. Passiamo accanto a una porta con la scritta «CLAUSURA», poi a quella, aperta, del refettorio dei monaci, dove un ragazzo porta con un carrello delle casse di acqua minerale. Scorgiamo una grande tavolata a ferro di cavallo, con tovaglie bianche. I vasetti di fiori, l'acqua e le bottiglie di vino, nonché il delizioso profumo proveniente dalle cucine ci fanno intendere che i monaci non sono più costretti a uscire di soppiatto per mangiar bene. La sala ha un aspetto invitante, e il leggio testimonia l'abitudine di leggere brani delle sacre scritture durante il silenzioso pasto. Mi piacerebbe un volta unirmi a loro.

In barba ai turisti, è facile qui immaginare il senso di solitudine del luogo, il silenzio che regna nelle parti chiuse al pubblico e nel chiostro quando gli ultimi visitatori se ne sono andati e i monaci restano da soli, a meditare. Uscendo ho la forte impressione di aver letto una complessa biografia: le scene delle vite dei santi sono un *topos* dell'arte italiana, ogni quadro o affresco ne costituisce un capitolo. «Metti in scena l'azione» dicono i miei colleghi ai loro allievi dei corsi di scrittura creativa, e Sodoma e Signorelli mi sembra che lo facciano egregiamente.

Ho incamerato molte immagini da evocare nelle notti d'insonnia: il cranio rosato del monaco che mi saluta nel corridoio; l'odore di abete e di spezie dell'incenso e della mirra in chiesa; un bambino nero che osserva attentamente l'unico affresco in cui compare una persona di colore; un leggio intarsiato con un gatto selvatico che punta qualcosa di simile a un topolino; un monaco che canta nel viale di cipressi: potrebbe essere San Benedetto che esce dal convento per aiutare le vittime della peste; o forse si sta semplicemente dirigendo verso le arnie, per vedere se il soffio della primavera ha destato le api.

BAGNO VIGNONI E PIENZA

Ed zoppica; con la zappa ha involontariamente disturbato una serpe, e balzando indietro ha urtato col piede contro un sasso e si è procurato un gran livido.

«Che tipo di serpe?» gli domando.

«Be', una vera serpe. Mi ha spaventato a morte. Ci siamo trovati faccia a faccia» mi risponde, massaggiandosi il piede con un unguento.

«Vieni con me: ti faccio guarire. Entro le quattro saremo arrivati.»

«Poi potremmo cenare a Pienza. E mi piacerebbe anche visitare Monticchiello: non ci siamo mai stati.»

Bagno Vignoni, il piccolo borgo vicino a San Quirico d'Orcia da cui si scorge anche il castello di Rocca d'Orcia, è costruito attorno a una grande vasca termale, già frequentata dai Medici. Al posto, cioè, della *piazza* centrale, lo specchio d'acqua (non più in uso) riflette la piombaggine, le costruzioni di pietra scura e il portico. Non accade granché, a Bagno Vignoni: dietro il paese, un torrente di acqua calda scorre dal pendio in un canale di travertino; è possibile sedersi di lato e bagnarsi i piedi, proprio come faceva Lorenzo il Magnifico nel 1490.

La prima estate passata in Italia, lessi sui giornali di una rovente polemica sull'opportunità o meno che la sanità pubblica pagasse ai cittadini i soggiorni in località termali, cosa sentita da molti italiani come un diritto di nascita. Sono stata a Chianciano Terme, e ho visto la gente – peraltro abbronzata e apparentemente in perfetta salute – premersi il fegato con la mano mentre beveva bicchieri d'acqua: in varie vasche, immergevano il corpo parzialmente o per intero, onde assorbire le proprietà curative delle locali acque. Ho udito i nostri operai discutere sui benefici effetti di questa o quell'acqua, quasi stessero parlando di vini: gli italiani sono grandi conoscitori di questo rimedio primario, e li vedo spesso, lungo le strade, riempire le damigiane alle fonti. L'acqua, insomma, non è solo acqua, ma ha proprietà medicamentose.

Mia nonna aveva l'abitudine, una settimana l'anno, di sottoporsi alla cura delle acque solforose a White Springs, in Florida, vicino al Sewanee River. Io mi annoiavo moltissimo, e la consideravo un residuato dei tempi vittoriani: accettavo di accompagnarla solo per nuotare nelle polle d'acqua gelida, riemergendone puzzolente di uovo marcio, e lei mi salutava con la mano da una delle terrazze che davano sulla vasca, tenendo con l'altra un bicchiere di carta colmo del redolente liquido.

Mai avrei pensato di seguire le sue orme: invece sono venuta a Bagno Vignoni e ho cambiato idea. Ora siamo qui per il livido di Ed, ma vogliamo tornarci almeno una volta l'anno.

«Vedi, i suoi cani abbaiano» diceva mia zia, se vedeva una signora dai piedi gonfi negli scarpini di vernice; dopo settimane passate a sollevare pietre, a costruire pergolati e a vagabondare lungo strade di ciottoli, anche i miei cani abbaiano. Ci piace arrivare qui presto, per evitare lo spettacolo di altri piedi affaticati, contusi, sofferenti. Oggi, però, è già tardi. Mi tolgo i sandali e immergo lentamente le mie povere estremità, Ed è meno timoroso e tuffa le sue con decisione fino in fondo. In quel momento notiamo un uomo dal naso paonazzo intento a tagliarsi gli artigli ingialliti degli alluci; un'operazione che probabilmente non compie da mesi. Guardiamo le mezzelune che, simili a riccioli di cera, cadono nell'acqua. Ci spostiamo più lontano, a monte.

Lo shock dell'acqua calda a cinquantadue gradi, in una calda giornata, è piuttosto intenso. I piedi numero 45 di Ed appaiono sotto l'acqua ancora più grandi, accanto ai miei, lunghi e magri da coniglio. A tratti l'acqua sembra semplicemente tiepida, e io strofino i calcagni contro il fondo di travertino, concentrandomi sugli invisibili ma potenti minerali che cominciano a sanare le mie vesciche, a rilassare i tendini, i muscoli, a purificare pelle e unghie. Ed dice che il suo livido è sempre meno evidente, io ho come la sensazione che l'acqua mi attraversi i piedi; chiudo gli occhi, immaginando che esistano solo loro.

Dopo una ventina di minuti mi rimetto i sandali; ho le dita dei piedi rosso aragosta. Ed infila le espadrilles nell'acqua, e ne esce a sguazzo. È guarito.

Tornando in paese per prendere un *gelato* alla fragola,

non solo mi sento stranamente euforica, ma ho i piedi leggeri, mi par quasi di lievitare. La vita quotidiana in Italia non cessa di stupirmi: che cosa contengono, le loro acque?

Raggiungiamo Monticchiello per una strada non asfaltata, che si snoda tra campi di lupini, con qualche sopravvissuto papavero. Dentro la cinta di mura, la cittadina è curiosamente deserta. Infine capiamo: tutti hanno chiuso bottega e si sono ritirati nelle case per assistere all'importante partita di calcio, la cui cronaca sbraita ogni televisore, dalle finestre aperte. Vagando a caso, scorgiamo un tizio che ci spia dalla latrina pubblica, ai margini dell'abitato. Le mura della cittadella sono per lo più intatte e, dentro, le strade così pulite da rammentare i ponti tirati a lucido di una nave.

«È molto elegante» ci ha detto un amico. «Non ho mai visto tanti gerani in vita mia.» Come negarlo? Sono ovunque, in ogni veranda, su ogni scalino o davanzale; di magnifico effetto il contrasto con le case bianche dalle persiane chiuse, e il sole che dardeggia nei vicoli medievali. Uno dei tanti borghi della Toscana che non abbiamo potuto visitare: dovremo tornare per il negozio di tessuti di cui ho letto e, visto che la chiesa è sprangata, per la Madonna del Lorenzetti; di certo anche il prete è inchiodato davanti alla TV, a seguire le evoluzioni del pallone.

Ridiscendiamo da Monticchiello, lasciandoci alle spalle la sua orgia di gerani, e attraversiamo declivi fioriti, vigne, terreni con casali in abbandono, nel caldo pomeriggio tra gli odori di stalla... Ci attende Pienza, la prima città rinascimentale.

Pienza è diversa da qualsiasi altra città. Un papa, dal nome reboante di Enea Silvio Piccolomini, diede ordine di costruirla là dove era nato. Deve aver fatto demolire la maggior parte degli edifici medievali per ottenere, nella sua ultramoderna città rinascimentale, un insieme così armonioso.

Si narra una storia a proposito del Rossellino, l'architetto che riduceva sul lastrico chiunque decidesse di restaurare o costruire: spese per i lavori una cifra esorbitante, tenendolo nascosto al papa. Quando quest'ultimo lo venne a sapere, gli disse che aveva agito bene altrimenti mai lui, in quanto papa, avrebbe potuto permettere un tale sperpero, e dunque mai avrebbe avuto un simile gioiello in proprio onore. Ricompensò l'architetto con dell'oro e una cappa. Forse la prima persona che si è occupata dei restauri della nostra casa aveva udito questa storia!

La *piazza*, con la cattedrale da un lato e circondata da vari edifici destinati ai vescovi, ai canonici e al papa, è di stupefacente bellezza. Pienza è tutta bella, dalla strada residenziale che costeggia i bastioni, alle aste da bandiera in ferro, ai graziosi anelli in forme zoomorfe a cui legava la cavalcatura chi aveva da fare in città. Oggi non ci sono cavalli, e neppure automobili, per fortuna, il che contribuisce a meglio godere del luogo. Girovaghiamo per i *vicoli*, che hanno nomi evocativi: Vicolo Cieco, Via della Fortuna, Via delle Serve Smarrite, Via dell'Amore, Via del Balzello, Via del Bacio, Via Buia.

L'abside dell'aerea cattedrale del Rossellino sta sprofondando, perché appoggiata su uno strato di calcare che cede un poco ogni anno: una paurosa crepa che sembra aggiustata con uno sparagraffe corre per tutto il muro e continua nel pavimento. Ammiro la tela della mia cara Sant'Agata, vergine e martire, alla quale vennero strappati entrambi i seni per aver rifiutato di cedere a Quintino. Lunghissimo è il suo cammino nella storia, e sempre reca in mano il piatto coi seni amputati, che inizialmente avevo scambiato per due uova fritte. È la santa protettrice delle donne con problemi al seno, ed è anche la patrona dei campanai, forse perché in un qualche dipinto le mammelle sul piatto furono scambiate per piccole campane.

Una volta lessi che in epoca medievale le città lungo le

grandi vie percorse dai pellegrini erano piene di botteghe di souvenir. Perciò Pienza, zeppa di negozi di ceramiche, ha dei precedenti. La zona è anche famosa per il *pecorino*, e sulle vie del *centro* si apre una sfilza di negozi che vendono le tonde forme, avvolte in foglie, o dalla crosta ricoperta di cenere. Il forte profumo ci insegue ovunque; ne compriamo un tipo *stagionato* e assaggiamo quello *semistagionato*. Altre specialità sono il miele e le erbe aromatiche, anche usati in omeopatia: vediamo un miele per il fegato e uno per l'apparato respiratorio; un negozio ha dei vasi di *ruta*, che compro per il mio piccolo orto dei semplici.

Tutti questi negozi di alimentari mi attraggono e mi respingono al contempo, Pienza ne ha davvero troppi: vorrei vedere il ciabattino o l'ortolano nella strada fuori dal centro. Ciò che resta dell'antica arte del *ferro battuto* è un elegante negozio che vende lumi, tavoli, vecchie grate e alari ai turisti in gita da Bologna o da Milano. E a noi, ovviamente. Osserviamo le lanterne di ferro con globi di vetro che terminano a goccia, riproduzioni di quelle antiche ancora visibili in certe strade di Arezzo o di Siena. Ci serve un lampione da mettere fuori della *limonaia*, e un lampadario per una stanza da letto. Li troviamo. Acquisto anche un vecchio ferro da stiro, che si apre per mettervi i carboni ardenti; dalla levigatezza del manico, in legno, comprendo quante camicie e grembiuli il pesante oggetto deve aver ripassato.

Appena fuoriporta, scoviamo una *trattoria* con terrazza. I fiori di zucca fritti come sempre mi entusiasmano, poi proseguiamo con braciole di maiale alla griglia col rosmarino, patate arrosto ben pepate e insalata di rucola.

I solenni edifici attorno alla *piazza* della cattedrale hanno alla base dei lunghi aggetti di travertino, dove da secoli i visitatori usano sedersi (e lo si nota dal marmo polito), catturati dalla vista del grande pozzo centrale e della magnifica *piazza* del papa. Uno reca l'iscrizione «CANTON DE' BRAVI»: saremo all'altezza? Dopo cena ci sentiamo come trasognati;

181

sotto di noi il travertino rimanda ancora il calore del giorno, una bimba vestita da marinaretto insegue un gatto, la luna piena sta sospesa sulla perfetta *piazza* di papa Piccolomini. «È sorprendente come un atto di egocentrismo e molto denaro possano dare simili frutti» commenta Ed.

«Forse ha comandato anche alla luna di levarsi sulla piazza ogni notte...»

Dal bar ci giungono gli schiamazzi di un'altra partita di calcio; le donne e i bambini stanno fuori, gli uomini dentro. In una *piazza* adiacente alla principale, hanno addirittura messo un televisore all'esterno, accanto a un muro rinascimentale, e la gente si è portata le sedie per inneggiare insieme alla squadra azzurra. La luce livida dello schermo riverbera sul semicerchio di visi rapiti. Sottobraccio percorriamo la via in salita e, per la seconda volta oggi, mi stupisco di come gli italiani vivono il loro quotidiano. Ed mi mostra il piede e dice che gli è passato completamente il dolore.

ATTORNO AL LAGO TRASIMENO

Con le nostre folli liste di cose da fare per la casa, di solito ci poniamo un obiettivo, ci diamo dei tempi e un programma. Inutile tentare digressioni: «Férmati!» oppure «Svolta per quella strada!» Ma il paesaggio attorno al lago Trasimeno è un continuo invito al vagabondaggio senza meta, e non t'importa se la destinazione iniziale muta strada facendo. Vicina e lontana al tempo stesso da Perugia, Assisi e altre città toscane, la regione del Trasimeno è verdeggiante e tranquilla, con campi di girasoli e di mais quasi sulle sponde del lago. Il quale ha una circonferenza di cinquantaquattro chilometri e tre verdi isole – Maggiore, Minore e Polvese – ed è il più grande dell'Italia peninsulare. Piccoli traghetti blu e bianchi fanno la spola tra le isole. Il lago dà un'impressione di vastità. Da cieli arruffati le ombre delle nuvole in fuga trascorrono sulla sua superficie, d'un blu luminoso durante il giorno e spesso di gelido argento all'alba o al tramonto. Talvolta i colori aranciati del sole calante permeano le acque, e le colline intorno diventano rosso cupo. Non ho mai visto un paesaggio più mutevole. Mi hanno raccontato che durante la Seconda Guerra Mondiale i piloti lo scambiavano per una pista di atterraggio, e che il fondo del lago è pieno di carcasse di aerei. All'orizzonte gli Appennini distendono le loro pendici boscose, e sui cocuzzoli s'intravedono torri, rovine e borghi fortificati.

I casali abbandonati esercitano sempre su di me un irresistibile fascino; così, di quando in quando, Ed accosta al lato della strada e ci avventuriamo fra le sterpaie, nelle vecchie case prive di tetto, pensando a eventuali ipotesi di restauro. Nei paesi più grandi, come Castiglion del Lago, Città della Pieve, e soprattutto Passignano, che si allunga proprio sulla riva, incontriamo pochi altri turisti, sebbene nessuno scenda dall'autobus o si affanni per le vie con il piglio che contraddistingue me. Qui i visitatori amano per lo più sedere sotto un pergolato dinanzi al lago, a divorare la pizza coi peperoni, o passeggiare lungo una cancellata rinascimentale, o ancora percorrere in auto la campagna rigogliosa, magari ascoltando a tutto volume Pavarotti che canta arie strappalacrime.

Gli ameni paesini sulle azzurre acque del lago ci appaiono in pieno contrasto con quanto sappiamo della storia locale. Un'antica leggenda spiega l'origine del nome: il semidio Trasimeno era uscito a caccia, diretto verso le zone interne dell'Italia, quand'ecco, giunto sul lago, scorse la ninfa Agilla e se ne innamorò. Si tuffò in acqua al suo inseguimento, ma, non essendo immortale, annegò, e al lago venne dato il suo nome. A parte questa, le altre sono tutte storie di battaglie, di saccheggi, di castelli distrutti, ricostruiti, occupati da vari eserciti, rasi al suolo e nuovamente edificati. Mercenari, principi guerrieri, sovrani stranieri e città vicine compivano costantemente incursioni, e i castelli, oggi così incantevoli, erano una sorta di rifugi antiaerei dell'epoca. La scelta di costruirli in posizione elevata si doveva alla necessità di vedere il più lontano possibile, essenzialmente per avvistare in tempo i nemici. Qual era la posta in gioco? Certo l'acqua è sempre preziosa, soprattutto in caso di siccità; ma paesi e cittadelle facevano gola di per sé: basta un'occhiata alla cartina per rendersi conto che ci troviamo al centro esatto dell'Italia, in un crocevia di importanti flussi migratori. Chi dominava qui aveva anche il controllo sulle grandi masse che si spostavano da nord a sud: molte strade battute dai pellegrini diretti a Roma costeggiavano il lago, seguendo antiche vie romane. Sta di fatto, comunque, che tali e tanti conflitti non hanno nuociuto all'armonia dei luoghi.

Mi piace molto Castiglion del Lago, borgo fortificato circondato quasi per intero dall'acqua. In certi afosi pomeriggi estivi ci portiamo due sdraio sulla spiaggia e leggiamo; percorrendo un tratto erboso, raggiungiamo un bar con ottimi gelati; passeggiamo sulla sabbia, o cadiamo in un piacevole torpore, cullati dalle voci dei bagnanti in sottofondo. Una volta ho fatto il bagno anch'io; l'acqua era calda, ma ho dovuto camminare a lungo sul fondo sabbioso, con piccoli pesci che mi sfioravano le gambe, prima che fosse abbastanza alta da poter nuotare.

Nel fiabesco castello del Leone si può fare il giro delle mura merlate e percorrere per intero un lunghissimo, stretto corridoio con una serie di feritoie. A guardare avanti o indietro, si ha l'impressione di camminare in uno specchio. Il bar sala da tè vende anche miele; da tanto volevo assaggiare quello di castagno, molto scuro, e il miele di fiori di *tiglio*. M'incuriosiscono anche le tisane dalle proprietà omeopatiche, ciascuna adatta per un certo tipo di disturbo. La signora al bancone ci spiega che anche il miele ha caratteristiche simili; in particolare *grappa* e miele d'acacia sarebbe un rimedio infallibile per l'emicrania. Sarà, ma io ho sempre pensato che la *grappa*, altamente alcolica, lo facesse venire, il mal di testa.

Dopo aver trascorso la mattinata al lago e aver fatto una passeggiata, ci dirigiamo in macchina alla Cantina Sociale, appena fuori città, dove molte aziende vendono la loro uva. Il vino rosso prodotto da tali uve dev'essere piuttosto buono. Apriamo il bagagliaio e porgiamo il collo di una damigiana, che ci viene riempita esattamente come se si trattasse di un pieno di benzina. La colonnina segna i litri e l'importo: circa duemila lire il litro. Il vino già imbottigliato costa di più: dalle quattromila alle diecimila lire il litro. I rossi e i bianchi, con l'etichetta «Colli del Trasimeno» e «Duca di Corgna» (uno dei principi guerrieri della zona), sono a *denominazione di origine controllata*.

Cominciamo a discutere l'argomento che prediligo: dove pranzare. Visto che molte delle cittadine lacustri non sono neppure citate dalle guide, ci muoviamo a caso, esaminando i menu affissi fuori dei ristoranti e sbirciando l'atmosfera del locale. Nella regione del Trasimeno hanno una cucina tradizionale, di sostanza, nulla a che vedere con le mode, sebbene il ragù di lepre o di cinghiale a noi sembrino ricercatezze. Nella stagione invernale amo molto la *ribollita*, una minestra così soda che il cucchiaio ci si tien ritto. Piatti tipici sono il pesce di lago (carpe, alose, pesce persico): la *frittura* – dove le bestiole sono assai simili a quelle che mi sfioravano le gambe nell'acqua – e il *tegamaccio*, ovvero la zuppa di pesce, i cui ingredienti variano a seconda di ciò che si è riusciti a prendere. Usatissime le anguille, anche come condimento per la pasta (gli *spaghetti al ragù d'anguilla*, per esempio), mentre un pesce pregiato, il *lasca* (in inglese *roach*, nome assai meno invitante), è scomparso dalle acque del lago.

Decidiamo di seguire il lungolago, svoltando ogni volta che una strada ci attira, e poi di prendere il traghetto per l'Isola Maggiore; inoltre vogliamo anche visitare Panicale, Paciano e Città della Pieve, non lontane da qui. Date le brevi distanze, possiamo compiere gite di un giorno, tornando a dormire a casa, ma nessuno ci impedisce di fermarci invece in un qualche albergo sul nostro percorso, e Passignano, la principale località di soggiorno sul Trasimeno, ci convince come tappa per la notte, al pari dell'Isola Maggiore. Come i ristoranti, anche gli alberghi da queste parti sono semplici, ma comodi e gradevoli; e, cosa da non trascurare, poco costosi.

Prima di ripartire ci fermiamo al *forno* a comprare due *torte al testo*, una con la *pancetta* e l'altra col *parmigiano*. In vetrina ci sono i *serpentoni*, dolci di mandorle a forma di serpente, appunto.

La prima tappa è Tuoro, dove vogliamo vedere da vicino gli acquitrini. Sappiamo della famosa battaglia svoltasi qui. Un uomo intento a gettare le reti dalla prua della barca ci indica il punto in cui si accampò Flaminio, mentre Annibale attendeva l'alba per attaccarlo col suo variegato esercito, composto da numidi, berberi, libici, guasconi, iberici e altri senzapatria raccattati lungo la via. Gli era però rimasto un solo elefante, dei trentanove con cui aveva intrapreso il passaggio delle Alpi; inoltre aveva perso un occhio, ma l'altro gli era più che sufficiente per tenere sotto controllo i suoi quarantamila uomini: giocò d'astuzia, e in un caliginoso mattino spinse i Romani dritti nel lago. Ne morirono quindicimila, contro i millecinquecento di Annibale. Oltre a Ossaia, dove vive Anselmo, anche la cittadina di Sanguineto rammenta quell'orgia di sangue. A Tuoro, un orribile busto di Annibale onora la sua audacia.

Il secondo anno di liceo mi stupii nel vedere che il mio testo di storia moderna cominciava nel 1500, secolo che mi appariva remotissimo, ma viaggiando per l'Italia ho toccato con mano il fatto che il 1500 è in fondo un periodo recente. Resta tuttavia difficile immaginare Annibale che si scontra coi Romani, qui dove il paesaggio sembra immutato da epoche immemorabili. Oltre la fascia paludosa, vediamo nell'acqua dei pali che reggono le reti: un metodo di pesca che potrebbe risalire alla preistoria.

Il tratto Tuoro-Magione della superstrada a quattro corsie si snoda da questa parte del lago ma noi, fedeli alla nostra buona cartina, ci teniamo lontani dal trafficato *raccordo*: è più divertente viaggiare per strade secondarie. Lungo il tragitto teniamo d'occhio i cartelli gialli che indicano come raggiungere una chiesa del XIII secolo, una *fortezza*, delle mura romane o una torre. Di tanto in tanto ci fermiamo presso qualche azienda che pratica la *vendita diretta* di olio, miele o vino. Da Tuoro una serie di stradine conduce al torrione pendente di Vernazzano, a Mariotella – una *casa* medievale fortificata – e a Bastia Corgna, un castello abbandonato dal XIV secolo.

Castel Rigone domina il lago dall'alto. Qui parte delle antiche mura è tuttora in piedi, e all'inizio del XVI secolo vi fu costruito un piccolo santuario legato a una miracolosa immagine della Vergine. Dentro la semplice chiesa in pietra grigia restano bellissimi affreschi, tra i quali un'Annunciazione di Battista Caporali.

Scendiamo per la strada serpeggiante che porta a Passignano, un tranquillo paese dalle vie adorne di oleandri, con un centro medievale e molti caffè e alberghi sul lungolago. Due negozi hanno esposto fin sulla strada una vasta scelta di maioliche dipinte a mano, prodotto artigianale della vicina Deruta; e costano meno che nel luogo d'origine. Come fanno a rimettere dentro ogni sera tutte queste tazze, brocche, reggicandele e vassoi? Non ho saputo resistere alle tazzine da caffè a vivaci colori, ai piatti, a un'insalatiera, anche se sarà un problema portarli fino a San Francisco. I nostri servizi da tavola, a Bramasole, sono ormai un impossibile miscuglio. Burriere, vassoietti da *parmigiano*, teiere... Meno male che hanno inventato la plastica da imballaggio con le bolle d'aria! Per i regali di Natale sono a posto. Ed va a prendersi un caffè: più di tanto non mi tollera, quando faccio acquisti: stipo i pacchi nel bagagliaio e lo vedo dirigersi verso una *rosticceria* che vende anche pizza di patate al taglio; la pizza alle cipolle (cotte lentamente, quasi caramellate) fa da secondo.

Non c'è bisogno di studiare l'orario, per andare all'Isola Maggiore e a Polvese: i traghetti da Passignano, da Castiglion del Lago o da Tuoro sono così frequenti che basta saltare sul primo in partenza. Dopo venti minuti scendiamo sull'Isola Maggiore, un luogo fuori del tempo, dove non circolano le automobili; perciò decidiamo di trascorrere la notte nel suo unico albergo. Avvertiamo appieno il senso di completo isolamento quando l'ultimo traghetto riparte, e l'isola torna il villaggio di pescatori che è sempre stato. Una passeggiata di notte nel corso deserto contribuisce all'impressione di essere stati catapultati in una macchina del tempo: l'isola è attualmente abitata da una sessantina di persone, laddove la punta massima fu nel XVI secolo, quando contava seicento anime. Il paese, con le sue case di pietra dorata, si snoda lungo un'unica strada centrale, e dietro appaiono qua e là macchie di olivi; qualche donna sta sulla soglia per vedere meglio il suo lavoro all'uncinetto. Enormi reti – i *tofi* – montate su un cerchio di ferro, si asciugano al sole; hanno la forma della cornucopia, e servono per la pesca delle anguille. Facciamo il giro dell'isola (un paio di chilometri): in un punto approdò San Francesco, nel 1211; peraltro le tracce della sua presenza sono ovunque, in Toscana e in Umbria, e io penso alle infinite targhe che commemorano, in tutti gli Stati Uniti, un fugace passaggio di George Washington. Sull'isola restano tre chiese, visitabili: sul corso quella del Buon Gesù che, con i suoi ingenui affreschi, ricorda certe chiese messicane. Le altre, San Salvatore e San Michele, al termine di un erto sentiero tra gli olivi, risalgono al XII secolo.

Chiedo alla custode di San Michele notizie del bizzarro castello sulla punta dell'isola; passandoci accanto abbiamo cercato di sbirciarne l'interno, ma le imposte sono serrate da tanto tempo che l'edera ci è cresciuta sopra, spaccando il legno e insinuandosi nelle crepe dei muri. Un vero castello da Bella Addormentata! Da quella posizione si domina il lago per un arco di trecento gradi. Era un monastero – ci dice la donna – ma è abbandonato da anni. «È possibile visitarlo?» azzardo, senza molta speranza. Ma, come spesso accade in Italia, lei mi risponde di sì, perché la custode è una sua amica. «Sarà qui tra un'ora, tornate dopo» aggiunge.

In paese compriamo una guida dell'isola, in cui leggiamo che il castello fu costruito alla fine del XIX secolo sfruttando un vecchio monastero del 1328 con relativa chiesa di San Francesco. L'opera si deve al capriccio di un marchese: un dono per la moglie Isabella. La famiglia restaurò la chiesa, costruì l'attracco per le barche e fece venire un'irlandese che insegnasse alle donne del villaggio l'arte del merletto. Dagli anni Sessanta, però, nessuno ci abita più, e il lussuoso mobilio è stato venduto.

La custode gira nella toppa una gigantesca chiave di ferro e ci introduce nella chiesa, illuminata soltanto dalla sua torcia elettrica. Scorgiamo la volta, che simula il cielo stellato; le sedie, pezzi dell'altare e del coro ligneo giacciono affastellati al suolo. La seguiamo quindi per corridoi e stanze bui. Di tanto in tanto apre una finestra, da cui si gode una splendida vista del lago; vediamo begli stucchi e bordure dipinte, e le tappezzerie che pendono a brandelli. Una corte doveva essere originariamente il chiostro del monastero, con il suo grande pozzo di pietra. Perdo il conto delle stanze. Alla luce della torcia intravediamo la camera dei giochi e il teatro, con la scena dipinta e i tendaggi di velluto ammucchiati in un angolo: un castello per generazioni di topi. Incredibile con che rapidità l'edificio è caduto in rovina. Qualcuno desterà mai la principessa? La custode ci dice che gente di Roma vorrebbe restaurarlo, prima o poi. Speriamo che abbia una montagna di soldi...

Continuando il giro del lago, ci fermiamo in altri luoghi incantevoli. In particolare mi piace la tranquillità di Monte del Lago, una cittadella con alte muraglie e una porta che dà proprio sul lago. I ristoranti degli alberghi servono un'ottima *carpa regina in porchetta* e *zzurlingo al sugo di lago*. *Zzurlingo* è una parola dialettale per indicare un tipo di pasta fine, che qui viene servita con una ricca salsa a base di pesce. I loro *filetti di pesce persico con salsa della casa* vengono esaltati da un bicchiere di vino bianco frizzante. Da qui i panorami sul lago sono molteplici; dai bastioni, quando il cielo è coperto, l'acqua grigiastra vicino alla riva diventa al largo verde mela, turchese, blu lapislazzuli. Non incontriamo nessuno, tranne un gatto a tre zampe che dorme su un muretto.

La stessa serenità spira da Antria, che sembra un villaggio delle bambole, e da Montecolognola, in cui si entra da una doppia porta. In questi posti che, immutati, si scaldano al sole ora come in passato, riacquisto il senso normale del tempo. Tra le due porte di Montecolognola sta una rombante Moto Guzzi (perché non c'è l'obbligo di usare il silenziatore?) e uno di quei carri un tempo tirati dai buoi.

Città più grande e meno interessante, Magione si stende ai piedi di una torre che sembra perennemente ingabbiata in ponteggi. I Cavalieri di Malta hanno lasciato a Magione una meravigliosa fortificazione dei tempi delle crociate, ma adesso è proprietà privata, né si può vedere perché nascosta dagli alberi. Appena fuori Magione individuo un'altra cantina sociale, i cui vini DOC valgono quanto quelli sulla sponda opposta del lago. Accanto alla cantina vendono oggetti in *ferro battuto*, l'artigianato tradizionale della zona. Anche Cortona, al pari di molte altre cittadine, ha reggitorce e reggistendardi, anelli a cui legare i cavalli, roste e lanterne; peccato che, a eccezione di pochi mastri artigiani, si sia perduto l'uso di lavorare il ferro battuto. Il magazzino di Magione dispone di una vastissima scelta: fanno ancora i tipici lampadari con i globi di vetro, arnesi da focolare, alari e poi tavoli, letti ecc. L'ampiezza del deposito attesta la quantità di lavoro che hanno: com'è diverso, qui, dalla fucina con un solo fabbro di cui ci siamo serviti per Bramasole! Una delle cose che apprezzo particolarmente dell'Italia è che anche chi opera su così vasta scala fa di tutto per venirti incontro. Non mi piace il fiore sul parafuoco: «Ne posso avere uno senza fiore?» chiedo a Marco, che dopo un istante ci fa cenno di seguirlo. Entriamo nell'immenso laboratorio con braci roventi, pezzi di ferro, secchi di vernice; Marco prende la fiamma ossidrica e in dieci minuti ha tolto il fiore. Possiamo avere gli alari senza la voluta? Sì, la prossima settimana. Mi ricordo la lastra di travertino che abbiamo a casa, inutilizzata, e domando se possono farci una base in ferro. Certo che sì; ci invita in casa per mostrarci il tavolo che ha disegnato, la moglie ci offre una Coca-Cola e sediamo in veranda, mentre lui schizza una base che dovrebbe piacerci. È vero, ci piace. Pensiamo che si prenda almeno sei settimane di tempo, invece alla mia richiesta risponde: «Va bene martedì prossimo?»

Non lontano c'è Rocca Baglioni, con le sue due torri, e Zocco, un castello abbandonato su un poggio prospiciente il lago. A San Feliciano, un villaggio di pescatori, troviamo il Museo della Pesca, dove impariamo più di quanto ci occorra sulla storia della pesca nel lago.

Può sembrare che abbiamo scorrazzato per tutta l'Umbria, invece si tratta sempre di distanze brevi, pochi chilometri. Ci spostiamo a sud del lago, alla ricerca del Santuario di Mongiovino. Arriviamo che gli altoparlanti della chiesa diffondono le parole con cui il prete congeda i fedeli alla fine della messa; si spalancano le porte e decine di bambini e monache si riversano nella corte esterna, tra cadenti edifici. Solo la chiesa appare intatta, a pianta quasi quadrata, come non ne ho mai viste; le giriamo attorno per osservarla meglio, e troviamo parecchie roulotte, dove dormono provvisoriamente i benedettini. Saliamo la collina verso Mongiovino Vecchio, già roccaforte militare e adesso abitato da poche famiglie; in realtà fuori non c'è un'anima; come molti di questi borghi, si respira un'aria da *day after*. Un bucato sbatte al vento e da un'alta finestra ci giunge la musica inconfondibile di Jimi Hendrix. Ci sediamo sull'erba accanto a un muro fatiscente e mangiamo l'uva riscaldata dal sole che abbiamo incautamente lasciato sul sedile posteriore dell'auto.

Cerchiamo la Torre d'Orlando, un castello con torre costruito nel 917 che la nostra minuziosa cartina indica su una strada tortuosa tra Paciano e Panicale. Saliamo verso Paciano, tra oliveti in dolce pendio, ed entriamo a piedi, attraverso la porta medievale, in un centro sprangato per l'ora della siesta. Un gruppo di gatti rossi dorme su una soglia, neppure si degna di sollevare il capo. In un punto panoramico sulla valle qualcuno ha piantato della lavanda in cerchio attorno a due panchine, una di fronte all'altra: ci sediamo a goderci il giardino segreto. Le api ronzano, farfalle gialle e azzurre svolazzano qua e là, uniche creature in movimento in questo luogo; dopo la lieve pioggia della mattina il profumo intenso si leva a ondate. Sulla guida leggiamo che Paciano ha un museo e due chiese costruite intorno all'anno 1000; e altre ancora del XV secolo, con affreschi e portali intagliati. Tutto chiuso, ovviamente.

Nello strano torpore cittadino è impossibile persino bere un caffè, perciò decidiamo di proseguire, svoltando a sinistra laddove avremmo probabilmente dovuto svoltare a destra, per trovare la fantomatica torre. A ogni curva si aprono vasti panorami sulla campagna umbra. Il traffico che incontriamo è costituito da un gregge di pecore che bruca con gusto erba e rucola sul bordo della strada, mentre un frustrato

192

spaniel cerca di farle risalire sul colle. Spengiamo il motore e restiamo ad ascoltare il rumore dei campani.

Dopo poco arriviamo a Panicale, patria di Boldrino, un famoso mercenario e arruffapopoli del XIV secolo a cui parecchie città versavano regolarmente denaro per non essere oggetto di ruberie. Nonostante fosse un malfattore, è ricordato da una lapide: forse la mafia discende da questi mercenari medievali? Ma Panicale ha ben altre attrattive, che non la memoria di un simile losco individuo: l'imponente porta dà su una *piazza* con fontana, studiata abilmente in epoca medievale per raccogliere le acque piovane. Come molte città italiane, Panicale ha una chiesa intitolata alla Madonna della Neve, a memento di una nevicata avvenuta il 5 agosto del 552. Qui è nato il pittore Masolino, ma l'unico suo quadro esposto è un'Annunciazione nella chiesa di San Michele. Il dedalo di stradine invita al vagabondaggio, e le vedute del lago, in lontananza, non possono non rammentare certi scorci di dipinti. Il *Martirio di San Sebastiano* del Perugino, per esempio (nella chiesa di San Sebastiano), reca sullo sfondo, visibile attraverso delle arcate, un paesaggio umbro identico all'attuale.

La stessa chiesa custodisce altre due opere del Perugino, una *Madonna col Bambino* e una *Vergine in gloria*. L'artista è sepolto a qualche chilometro da qui, vicino a Fontignano, dove morì di peste, ma nella chiesa dell'Annunciazione c'è la sua tomba (moderna) e un affresco: giace poco distante da dove nacque come Pietro Vannucci.

Amo molto Città della Pieve, vivace e originale, ultima tappa del nostro giro attorno al lago: mi sembra un posto piacevole in cui abitare. Ci sediamo in un caffè, per assorbire il ritmo quotidiano della vita locale. Gruppi di uomini giocano a carte sotto un albero, una ragazza chiama gridando un uomo dietro le sbarre di un pittoresco carcere, alcuni monaci ci passano davanti coi cesti della spesa, gonfaloni coloratissimi si agitano al vento. Dopo la chiara pietra calcarea dei paesi umbri, Città della Pieve ci colpisce coi suoi edifici di mattoni rossi, i tetti di tegole e l'architettura a misura d'uomo, caratteristiche che la rendono particolarmente calda e accogliente. Ma l'uso dei mattoni rossi non è la sola eccentricità: la «via più stretta d'Italia», via Baciadonna, è tale da permettere a due dirimpettai che si affaccino alla finestra di baciarsi. La *piazza* centrale ha la forma di un rozzo triangolo, con la cattedrale per ipotenusa. La cattedrale è stata costruita sulle fondamenta di un antico tempio, e l'interno è dipinto a finto marmo: colonne tortili, mensole, pannelli, cerchi di tutti i possibili colori e disegni del marmo. Elaborate cornici dipinte inquadrano le altrettanto elaborate cornici delle tele, tra le quali un *Battesimo di Cristo* e una *Madonna in gloria* del Perugino, di grande interesse. Mettiamo le monete per accendere la luce, che li illumina troppo brevemente.

Sapevo dei quadri del Perugino a Città della Pieve; quel che ignoravo, invece, era il museo etrusco nel Palazzo della Corgna, con mirabolanti oggetti, come un raro obelisco dell'VIII secolo a.C.; vi sono anche molti sarcofagi. L'altro capolavoro presente in città è l'*Adorazione dei Magi*, ancora del Perugino, nell'Oratorio di Santa Maria dei Bianchi, vicino alla chiesa omonima: restaurato nel 1984, è davvero splendido. Dove ha preso quei colori, violetto, zafferano, verde mandorla, blu oltremare, e il fiotto di luce di cui non si discerne la fonte? Forse perché è l'unico quadro nella stanza, o perché stiamo per lasciare l'idilliaca cittadina, mi soffermo su ogni particolare, un angelo in alto a destra, un pastore, un cane bianco, alberi fronzuti, cavalli e, sullo sfondo, il paesaggio che il Perugino meglio conosce: le dolci colline attorno al lago Trasimeno.

DAL QUADERNO GIALLO:
RIFLESSIONI SUL VIAGGIO

Il primo viaggio da sola l'ho fatto a sei anni, per andare a trovare a Vidalia la mia zia preferita e la nonna cieca. Mia madre mi portò alla stazione ferroviaria di Abbeville, una quarantina di chilometri da casa nostra; quando arrivammo già il treno sbuffava e cominciava a muoversi. Non so perché del viaggio, avvenuto di notte, resta nella mia memoria un treno intensamente illuminato. La mamma balzò giù dalla macchina gridando: «Ferma! Ferma!» e il treno in effetti si fermò. Lei mi issò sul vagone e subito partimmo; vidi la vecchia auto della mamma sgommare e lei che mi salutava dal finestrino aperto.

Lo scompartimento era deserto. Mi ero portata la borsa da viaggio blu, tonda, e un romanzo per ragazzi. Avrei voluto già essere a casa di zia Mary. L'indomani per la nonna era giorno di biscotti, e avrei osservato le sue mani che compivano il lavoro anche per gli occhi. Si sarebbe lamentata in continuazione per dolori al fegato e alla testa dovuti alla sinusite; conterò le malattie, mi dissi, per vedere quante riesce ad averne: ne aveva collezionate ben diciassette. E poi mi avrebbe permesso di usare lo stampino dal manico verde per tagliare i cerchi di pasta, e avrei giocato nelle grotte umide dietro la casa, plasmando uccelli e cavalli con l'argilla rossa. Sfrecciando nell'oscurità verso Vidalia, mi lasciavo alle spalle il carretto di vimini pieno di bambole, e Tish, il mio cocker nero. Mi domandai se il mac-

195

chinista si sarebbe ricordato di farmi scendere alla stazione giusta, come mia madre lo aveva pregato di fare.

Mi accoccolai contro il finestrino, nelle orecchie lo sferragliare delle ruote sui binari, e guardavo passare le finestre illuminate delle fattorie. Mi incuriosivano le esistenze che scorrevano in quelle case.

Se ci ripenso, mi sembra quasi di abitare il piccolo corpo di allora, di sentire sulla fronte il freddo del vetro. È dalla prima esperienza che discendono il mistero e la seduzione del viaggio, o anche il fascino di una vita trascorsa in un unico luogo; il mistero che ho ritrovato anni dopo in uno degli ultimi haiku di Basho, scritto alla fine del XVII secolo:

Profondo autunno,
ma come vive il mio
vicino, mi domando?

Giunto al termine della vita, continua a domandarsi ciò che io mi sono domandata da bambina, e che mi domando tuttora.

Avevo quattro o cinque anni, il giorno che pizzicai forte il braccio della mia amica Jane Walker e le chiesi: «Come fai a esistere, e a non essere me?», un preconscio tentativo di ragionamento metafisico. Del resto non si smette mai di domandarsi chi sia «l'altro» e come sia possibile che la vita si svolga anche al di fuori del nostro corpo.

Visitando posti nuovi intendo in primo luogo rendermi conto di un'alterità: diverse culture, geografie, lingue. E io chi sono, in una nazione sconosciuta? E chi sono coloro che ci vivono?

Se ti stabilisci in un luogo anche per due settimane soltanto, vivendo in una casa che non sia un albergo, e compri fichi e sapone nelle botteghe, ti siedi nei caffè e nei ristoranti, vai a un concerto o alla messa, a poco a poco entri in sintonia con quel luogo, e più te lo rendi familiare più la gente ti è estranea, in quanto capisci che è simile a te ma non lo è. A Pienza, in quella calda serata, mi ha colpito la TV in *piazza*, e le persone che guardavano insieme la partita di calcio: un fatto che non accadrebbe a Pacific Hights, dove abito io. Persino le piccole cose dimostrano che si tratta di un mondo nuovo.

Una volta mi trovavo allo stand di libri di viaggio, alla Fiera libraria di San Francisco. Uno dei nostri argomenti di conversazione era: «Adesso che il mondo è uguale ovunque, come reperire un luogo a cui dedicare delle pagine? Inoltre, come descriverlo in maniera originale, in modo da farne emergere l'unicità?»

Rapida la risposta al primo quesito: non è così. E riguardo al secondo, penso sempre al suggerimento di Gerard Manley Hopkins: osserva a lungo un oggetto, finché esso comincerà a osservare te. Viaggiare può rivelarsi pericoloso, una forte luce riflessa inonda la «vita vera» ed è un'esperienza inquietante, talvolta. Penetrando troppo a fondo in un luogo, chissà cosa si può trovare?

Ho letto un'infinità di testi di viaggio, di articoli su giornali e riviste che non vanno oltre la mera osservazione: ti dicono dove dormire, dove mangiar bene, cosa devi assolutamente visitare; articoli da leggersi come favole, idilli. Un articolo su una cittadina tedesca ti entusiasma con la descrizione di personaggi caratteristici, la birra e i giocattoli dipinti a mano; tre pagine dopo, in cronaca, ecco un servizio sul movimento neonazista, che ha sede nella medesima cittadina: svanisce il *Gemutlichkeit*, resti perplessa. Quando anch'io scrivevo reportage di viaggio, qualche volta mi è stato detto di non citare la povertà o altre spiacevolezze del genere. Be', giusto... È una piovosa domenica mattina, e il lettore vuole sognare un poco, dopo essere stato dettagliatamente informato della carestia in Sudan e delle file interminabili di cadaveri.

Ma chi nutre davvero la passione del viaggio è alla ricerca di qualcosa: cosa? Qualcosa che possa cambiarlo, un che di ineffabile... altrimenti è tutto inutile. «Fammi cambiare» scrive Ed in una poesia. «Fammi cambiare in chi già sono.» Il cambiamento, la metamorfosi, fanno parte della ricerca del viaggiatore autentico.

Spesso ci portiamo dietro l'America: e come potrebbe essere diversamente, essendo noi figli della nostra cultura? Vediamo ciò che sappiamo vedere; invincibili dati genetici che risalgono agli istinti territoriali dell'età della pietra ci fanno segretamente immaginare che i danesi o gli ungheresi tornino a casa e la sera parlino inglese. Quanto costa in dollari? Chi ha inventato queste pessime colazioni? Dov'è il vero caffè? Peggio ancora: viviamo nel continuo terrore di essere derubati, aggrediti. Vediamo ovunque le violenze dell'America.

Ma non siamo i soli incapaci di distaccarci dalla nostra patria. Il desiderio di un ambiente familiare è in tutti molto forte: a Perugia ho visto i giapponesi fare la fila per mangiare al ristorante orientale; dinanzi allo squisito cibo italiano scelgono egualmente una versione (e sanno quanto peggiore!) della loro gastronomia. E viene come un fatto naturale il paragonare Via Veneto a Main Street. Purtroppo, se estremizzato, è un atteggiamento che nuoce all'acquisizione di nuove esperienze; è piuttosto la ricerca di una mera conferma di quanto già sappiamo. Un altro poeta giapponese scrisse: Cavalca nudo su un cavallo privo di finimenti. Ma noi siamo profondamente straniati quando viaggiamo, e la negazione di tale straniamento subentra rapida. Se soltanto ce ne rendessimo conto... cesseremmo di giudicare, di categorizzare: viaggiare significa rafforzare il bisogno originario di ricondurre il nuovo in un ambito a noi noto.

Andai a Pasadena (un nome che mi fa sognare: Pasadena), in una bellissima giornata, e vidi Starbucks, Banana Republic, The Gap, Williams Sonoma, Il Fornaio: catene di negozi eleganti che vendono articoli identici in decine di altre città. Dove sono io? Nulla ha operato in me un qualche mutamento, eppure ho la certezza che standoci più di un giorno avrei scoperto altri aspetti, più profondi, di Pasadena, che ha una sua unicità, che è diversa da qualsiasí altro luogo. Negli Stati Uniti, con i negozi in franchising e la TV che ti inondano senza posa dei loro prodotti, devi cercare con più determinazione e con più pazienza.

In Italia è più facile: ogni città, *borgo* o *fattoria* è profondamente se stesso; ha la sua fontana con le ninfe che cavalcano i delfini, la sua cappella con un quadro dell'Annunciazione, il suo obelisco etrusco, le sue famiglie, il cui nome è inciso sui banchi di chiesa sin dal 1500.

Uno scrittore una volta mi disse «Guardati da ciò che ti attira facilmente, solo perché diverso», e qui, oltreoceano, sicuramente ciò accade: vediamo ma non vediamo il bell'uomo in completo Armani che prende il caffè al bar, sfogliando «la Repubblica». In Italia vige il concetto del *fare bella figura*. Magari questa persona vive in un deprimente retrobottega ma si veste bene, ed esce in *piazza* lasciando una scia di acqua di colonia.

Quando ho cominciato a scrivere poesia, tenevo una «banca di immagini» (così la chiamavo), cioè un album in cui conservavo cartoline dei musei, fotografie, liste di parole che mi erano piaciute, insomma, qualsiasi cosa avesse relazione con lo scrivere. Nel corso degli anni ho cambiato metodo: tengo sempre parecchi bloc-notes, ma le immagini le interiorizzo, e viaggiando, vivendo in Italia, sono sempre pronta a incamerare le nuove esperienze, ciò che vedo. Se in vecchiaia finirò su una sedia a dondolo nella veranda di una catapecchia isolata in Georgia, vorrò avere un sacco di immagini da ricordare: paesaggi, cibi prelibati, passeggiate solitarie, certo, ma sarà sulle vite delle persone che la mia mente correrà con maggior passione. Una mano scosta una tenda di merletto, un volto compare dietro i vetri; e con una rigida smorfia, con gli occhi gelidi, qualcuno mi osserva crucciato. Ci guardiamo un istante, occhi negli occhi, poi la tenda ricade. *Salve... arrivederci.* Alle sette del mattino Niccolò, il bell'uomo proprietario della tabaccheria, bagna e spazza il lastricato davanti al suo negozio, canticchiando fra sé. Devi ricordare i suoi capelli ancora umidi per la doccia, il motivetto che accenna, il suo improvviso sorriso – devi ricordarlo per ciò che è. Questi squarci di vita mi fanno comprendere il verso di Wallace Stevens: «La bellezza è questione di un attimo, nella mente, ma nella carne resta immortale».

È un miracolo poter vedere Pompei, Macchu Picchu, Mont-Saint-Michel. È anche un miracolo passeggiare per Cortona, vedere la giovane coppia che vende frutta e verdura. Lei costruisce una piramide di limoni in un punto su cui batte il sole, lucidandone ogni foglia fino a farla brillare. È giovane e graziosa, in quel suo grembiule a strisce rosa, col quale forse vuole sottolineare il fatto d'essere la padrona. Il suo collo, lungo ed esile, la fa sembrare una creatura dell'aria che si è appena posata a terra. Lui assomiglia al suonatore di flauto sulla parete di una tomba etrusca, capelli neri e ricciuti, faccia da cherubino. Sta sistemando i cesti di piselli colti stamattina nell'orto della madre, poi taglia un'anguria a metà e la mette in vetrina, cosicché tutti ne vedano la polpa rossa e zuccherina. Lei mette il cartello sul registratore di cassa: le verdure per il minestrone possono essere ordinate il giorno prima, e lei le prepara a casa. Ogni cliente è accolto con gran calore, se chiedi tre pere le scelgono e te le porgono perché tu le veda bene. Per un momento sono stata partecipe della vita quotidiana in un luogo che non conosco, e la pera rossa che mi è stata tesa da una mano indurita dal lavoro mi tornerà alla memoria nel corso degli anni. È divenuta, appunto, immortale.

AP

«La fiera di Arezzo è questa domenica» dico a Ed, intento a tritare prezzemolo, basilico, carote e sedano per il suo sugo agli *odori*. Lo vedo trasalire o è solo una normale reazione, dato che sta tagliando la cipolla?

«Ci vuoi andare?» mi domanda.

«Sì. Tu no?»

«Certo» dice, e intanto sminuzza il sedano con la lama a *mezzaluna*.

«Troviamo sempre oggetti bellissimi.» Sta forse pensando alla volta in cui abbiamo trasportato per un chilometro, tra la folla, la vetrinetta di ciliegio che ora è appesa alle sue spalle? La guardo, gli sportelli aperti e dentro, sui ripiani, le tazzine da caffè che abbiamo comprato per tutta Italia: molte ce le ha regalate la nostra amica Elisabeth, quando è tornata in America, altre ci vengono dalle nostre svariate spedizioni; altre ancora da amici ospitati a Bramasole. È strano, come molti oggetti, nuovi per questa casa, abbiano acquisito rapidamente un significato profondo, quasi fossero cimeli familiari custoditi di generazione in generazione. La cosa mi lascia perplessa: credevo che gli oggetti si caricassero di valori simbolici col passar del tempo, o anche subito, se si tratta di doni speciali: i gemelli d'oro di mio padre, la brocca d'argento di mia madre, l'anello di lapislazzuli ricavato da un vecchio orecchino.

Ebbene, guardandomi intorno, in questa casa molte cose «nuove» sono altrettanto vicine al mio cuore. «Ti ricordi quando alla fiera abbiamo trovato il dipinto dell'angelo?» dico, alludendo all'angelo del XVIII secolo appeso dietro al nostro letto: un'adorabile presenza bionda il cui aspetto ho imparato ad amare. Porta gli stivali, e la gonna di broccato si apre nel mezzo mostrando un lembo di trina. Non sapevo che gli angeli vestissero di merletti... Del resto questo è androgino, e il suo volto intelligente si riflette nello specchio al lato opposto della stanza. Così lo vedo raddoppiato.

Ed mette gli *odori* a soffriggere. Dalla padella salgono profumi di terra e di pioggia: le carote rimandano al primo, mentre il sedano, che non sembra crescere sottoterra, ha un'essenza fresca e corroborante.

«L'ultima volta che siamo stati ad Arezzo abbiamo trovato queste catene. Vuoi la *bruschetta* o il pane fresco?» domanda.

Catene che pesano circa otto chili, le conosco bene. Purtroppo le abbiamo trovate proprio all'inizio, prima delle tre ali d'angelo ricoperte di foglia d'oro, il *putto* di scuola napoletana, il cherubino con una gamba sola, e i metri e metri di broccato che già furono una tovaglia d'altare. Sono catene di ferro da focolare, forgiate a mano, alle quali un tempo si appendeva il paiolo per la polenta o la *ribollita*. Le nostre pendono ora ai due lati del caminetto. «Sì, ci piacciono tanto. *Bruschetta*, grazie.»

La fiera antiquaria di Arezzo ha luogo la prima domenica di ogni mese, e tranne che in agosto, quando il caldo è davvero intollerabile, non ne ho mancata una. I banchi sono per lo più in Piazza Grande, al centro e attorno, e poi seguitano verso il Duomo, in *piazza* San Francesco (davanti alla chiesa col ciclo di affreschi di Piero) e in strade laterali. I commercianti espongono sui tavoli, sui marciapiedi e per strada mobili di pregio, opere d'arte o ciarpame di vario genere. Peraltro già di per sé, con un'ottantina di botteghe di questo tipo, Arezzo è una città di antiquari. Dietro i banchi, infatti, si aprono sulle vie i negozi normali, alcuni dei quali, i giorni della fiera, portano la merce fin sul marciapiede. Qui puoi trovare qualsiasi articolo: una culla decorata, una natura morta del XIX secolo grande quanto un'intera parete, cartoline trinate della Prima Guerra Mondiale, orci da giardino, stalli da coro. Lo scorso anno ho visto decorazioni della Seconda Guerra Mondiale, camicie dei prigionieri di guerra, ricordi del periodo bellico e uniformi intecche-rite. Mi è capitata sott'occhio persino una fascia con la gialla stella di David e la scritta JUDE, in vendita a tredici dolla-ri. Ne ho sfiorato il bordo sfilacciato: qualcuno l'aveva portata. Mi è parso immorale comprarla o anche lasciarla lì, oggetto tra gli oggetti. Ovunque ci sono vetri di Murano, coloratissimi, che restano stranamente intatti nonostante il pigiapigia. E per ogni oggetto, non importa quanto buffo, lezioso o orribile, esiste sempre un compratore.

Da bambina ero una collezionista in erba. Zio Wilfred mi serbava le scatole di sigari «Antonio e Cleopatra», che io lasciavo aperte, al sole, finché non ne svaniva l'odore pungente. In una ci misi le punte di freccia che avevo trovato, nelle altre bottoni, perline e sassolini. Nelle scatole da scarpe tenevo le bambolette di cartone coi costumi tradizionali di vari luoghi del mondo, e poi cartoline, conchiglie e aeroplanini di carta con i messaggi che Jeff, Johnny e Monroe mi lanciavano a scuola. La collezione più originale era quella dei dépliant: non facevo che spedire lettere in giro per gli Stati Uniti, indirizzandole alle Camere di Commercio delle singole cittadine, a cui chiedevo informazioni turistiche. E mi arrivavano lettere e dépliant, con notizie sul Pioneer Museum o The Future Farmers of America, su un nuovo lago artificiale e gli sport che vi si praticano, o sull'apertura di una fabbrica di pneumatici. Il desiderio di andar via nacque in me precocemente: non so perché, ma volevo vivere a Cherry, in Nebraska.

Aprendo una scatola e sparpagliandone il contenuto di conchiglie, arselle, lumachelle e bivalve striate spalancavo anche la porta della memoria, legata a certi luoghi e avvenimenti. Allineavo le conchiglie sul pavimento, e saltava fuori una spiaggetta di sabbia. Ascoltavo il rumore del mare in una conchiglia ed esso mi riportava la sensazione di quelle che mi sfioravano le caviglie a Fernandina. Disponevo a spirale i cirripedi e stropicciavo col pollice l'interno rosa madreperla.

Le collezioni di allora mi tornano alla mente con tale intensità che penso di poter aprire l'armadio, prendere una delle scatole e trascorrere questo piovoso pomeriggio giocando con la bionda olandesina dal grembiule a fiori e gli zoccoli, o con le gemelle polacche dalle camicette scure a nido d'ape, i nastri e i grembiuli.

Il collezionare, al pari dello scrivere, funziona da *aide-mémoire*. Mi annoiavo sempre ad ascoltare una mia vecchia parente, con le sue storie di cucchiaini ricordo: «Questo l'ho comprato quando sono andata in vacanza sulle Smokies nel 1950...» Ma davvero la memoria ti fa vivere due volte. Così come le parole prendono forma sulla carta, e si è in grado di riconciliare gli opposti.

Rivedo la collana di perle regalatami per la laurea, che mi si apre in chiesa e le perle si disperdono sul pavimento, mentre il coro canta *Jerusalem*.

Ho negli occhi l'immagine dei ragazzi che si alzano; sono giovani, e come tali capaci di vedere senza dover guardare. Si contendono l'osso biforcuto del pollo, domandano cosa c'è per dessert. Chiudo la scatola, chiudo l'album, metto alla finestra che guarda a sud la vecchia tenda di merletto, e il vento la solleva, e insieme solleva anche lo spirito.

Oggi, adulta, non amo molto collezionare oggetti. Avevo cominciato a comprare vecchie campanelle, ma in breve me ne sono scordata. Ho parecchi ex voto messicani di stagno dipinto, e nel tempo ho accumulato molti piedi e mani antichi, di argilla o di legno, braccia e gambe di bambole: in realtà non intendevo farne una collezione, ma qualcuno che è venuto ospite da noi mi ha fatto notare quanti ne ho in giro per casa. La collezione si amplia, comprendendo altre parti del corpo: alla fiera di Arezzo ho comprato tre teste di santi di biscuit, due prive di capigliatura e una con una parrucca bionda e occhi di vetro. Ho anche acquistato una serie di vecchi dagherrotipi, con cui ho ricoperto una parete del mio studio: per tanti volti ho immaginato delle storie. Ma ciò che assolutamente mi appassiona, alla fiera di Arezzo, ha un'altra, remota origine.

Non ci vado solo a cercar mobili per Bramasole (ne mancano ancora molti), o a scovare tesori: mi piace osservare la gente, fermarmi a prendere un *gelato*, vagabondare, invisibile, nell'immenso mercato, in cui si respira l'atmosfera delle fiere medievali. All'una ciascuno copre il proprio banco con tele incerate o giornali e va a pranzo; oppure, più semplicemente, aprono un tavolo da picnic con tanto di tovaglia, e parenti e amici si mettono a mangiare polli arrosto, pastasciutte e pane. I visitatori affollano i bar ordinando panini e pezzi di pizza, o *focacce* alla salsiccia e agli asparagi all'eccellente *gastronomia*.

Candelabri dorati da chiesa, orci per l'olio, cherubini di pietra... ma cosa mi trascina immancabilmente verso i banchi di vecchia biancheria? «Questa volta» dico a Ed «non mi ci voglio fermare. Guarderemo i cancelli di ferro, i lavabi di marmo provenienti da monasteri in rovina, e l'argenteria con gli stemmi di famiglia. Certo non ho più bisogno di federe o...»

Inizialmente resisto: con tutti gli oggetti che ci sono ne avrò più che abbastanza. Ed ha avvistato degli alari e uno specchio; io qualche ex voto di stagno dipinto. Lui dimostra uno speciale trasporto per gli attrezzi in ferro lavorato a mano, chiavi e serrature, ma dopo due ore gli si stampa in faccia il suo tipico mezzo sorriso annoiato.

Di solito in America mi incalza sempre, quando siamo ai grandi magazzini. Gli altri uomini siedono comodamente nelle poltrone loro assegnate per l'attesa; Ed sta in piedi, e mentre tasto la seta e controllo i bottoni delle camicette, comincia a conversare ad alta voce con un manichino. Si agita, sorride, ci gira intorno. «Molto elegante, questo tailleur» dice. «Le sta benissimo.» I clienti lo fissano, le commesse cominciano a innervosirsi.

Invece qui si allontana a prendere un giornale o un caffè. Torna e mi trova a rovistare in un mucchio di biancheria. Non capisco se abbia l'aria stupefatta o stremata. Mi domando se stia borbottando tra sé: «Oh, no, un'ora a frugare tra questi stracci!» In un mucchio con il cartello «5.000 LIRE» trovo una serie di asciugamani ricamati col monogramma AP.

Sia in California che in Italia ho una montagna di vecchie stoffe damascate, biancheria di lino, corredi di cotone per la casa, alcuni con le cifre, altri no. «Perché vuoi le iniziali di qualcun altro?» mi ha chiesto un'amica a cena, spiegando do il tovagliolo. «Lo trovo leggermente sinistro.»

«Questi sono i tovaglioli della nonna della mia amica Kate, che si chiamava Beck» rispondo, consapevole di non aver spiegato pressoché nulla. Quando Kate dovette svuotare la casa della madre, mi passò una serie di tovaglioli: stirare non le piaceva. Sono enormi, con al centro le iniziali svolazzanti CBC, spesse quanto il mignolo di un bambino. «Ho un debole per la biancheria...» Un eufemismo: sotto sotto c'è molto di più.

Non parliamo poi di mia madre, e del fatto che ho ancora nel baule le sue lenzuola ricamate in cui dormivo da bambina. Ricordo chiaramente il mio letto ben rimboccato, la piacevole sensazione di infilarmi tra lenzuola di cotone fresche e fini, smerlate di rosa, e al centro le cifre della mamma, in calligrafia barocca, FMD, delicate come ossicini d'uccello. Nel suo letto metteva sempre lenzuola azzurre col monogramma azzurro, oppure bianche col monogramma azzurro. Me ne restano alcune, molto lise ma ancora buone; e voglio darle a mia figlia, quando avrà una sua casa. Decine e decine di asciugamani, lenzuola, tovaglioli e federe sono passati in casa mia senza lasciare traccia, ma gli asciugamani con le cifre che mi ha regalato mia madre per il matrimonio sono tuttora in uso, sebbene l'iniziale K non mi appartenga più. Il giorno in cui me li diede, mi colpì l'aggiunta di quella K; la sfiorai col dito: K, la lettera tuttora presente su mai usati portatovaglioli d'argento, tazzine, un vassoio per il pane, un macinapepe.

Nella mia famiglia la mania delle cifre non colpisce la sola biancheria, ma bubboli infantili, tazze d'argento, argenteria da toletta, posate. Questo bisogno di apporre la propria cifra mi è sempre parso un tantino misterioso, ma mai come quando, a dieci anni, trovai il mio corredo da neonata. Adoravo «saccheggiare», per parafrasare mia madre: «Saccheggi e sparpagli! Saccheggi e sparpagli! Non riesco a starti dietro, nel raccogliere le cose...» Il suo linguaggio, peraltro, non era così arcaico. Stavo curiosando nella cassa dove venivano conservate le pagelle del liceo di mio padre, i documenti di proprietà della casa, una borsetta ricoperta di perline con dentro uno specchio d'argento: cimeli degli anni in cui mia madre, ragazza, andava a ballare il charleston e si cingeva il collo d'un boa di piume rosa (ancora appeso nel suo armadio). Cercavo dei segreti. Frugavo tra pezze di stoffa che forse un giorno sarebbero diventate gonne o accappatoi da bagno; o tra i sacchetti di plastica che proteggevano i maglioni di cachemire della mamma, lavati e riposti in una cassapanca di cedro, legno che respinge le tarme. Fu allora che scoprii una pila di vestitini da neonato di batista azzurra, ne spiegai uno e vidi, sul davanti, in corrispondenza del cuore, la cifra MMF.

Un bambino morto precocemente? Un figlio della colpa? Corsi in camera di mia madre e la trovai sul letto a baldacchino, col mento tra le mani, che leggeva una rivista di moda. «Oh, erano per te, se fossi stata un maschio: M per lo zio Mark, e F sta per Franklin, il nome del nonno.» Suo padre era il signore dal volto paffuto che nella foto la tiene sulle ginocchia, imbronciata e vestita di bianchi falpalà; morì quando io avevo tre anni. Avrei dovuto essere un Mark e Franklin, dunque, non una Frances Elisabeth. Inevitabile la deduzione: si aspettavano Mark, non me.

«Perché avete ricamato le cifre prima di sapere se fossi maschio o femmina?»

«Non me lo ricordo. Credevamo che nascesse un maschio» rispose lei, le pinze argentate nei capelli per acconciarli a onde. Me lo figuravo, quel monello, con le orecchie a sventola e le croste sulle ginocchia ossute: mi fissava coi miei stessi occhi azzurri.

Le rotelle cerebrali continuavano a girare: «E dove sono i vestitini con la cifra FEM?»

«Non ci sono.»

Non mi ci volle molto per comprendere che dopo due femmine desideravano ardentemente un maschio, e che il monogramma era un atto scaramantico, un tentativo di influenzare il destino. A distanza di anni, la mamma mi disse che appena nacqui mio padre scomparve e prese una sbornia durata due giorni. Strano, perché era pazzo di me, e quando diceva «Ho tutte figlie femmine» non sentivo rimpianto nella sua voce.

È strano anche che pensi alle cifre su un lenzuolo o su una camicia come una specie di *marchio*.

Mia madre ricamò AMY sul vestito di batista di una delle

mie bambole: un nome che mi era piaciuto in *Piccole donne*, anche se quello che in segreto avrei voluto per me era Renée. Fu l'unica volta in cui vidi la mamma intenta a un lavoro simile: di solito riempivamo una cappelliera con le camicie e i fazzoletti di mio padre, le culotte di mia madre, le federe, e la portavamo ad Alice, che viveva in una casetta all'ombra d'un sapindo. Io mi arrampicavo sull'albero, dove una volta trovai uno sciame di api, o sedevo sul dondolo in veranda, insieme al loro cane Chap, che aveva le orecchie gonfie per le zecche. Qualche volta aspettavo al tavolo di Alice mangiando salatini, e qualche volta guardavo lei, Alice: alta e ossuta, con mani enormi, più adatte a impastare che a tenere finissimi aghi. Aveva le gengive d'un rosa acceso, molto evidenti; era mulatta e viveva in una città di gente di colore. Potevano dirsi amiche, mia madre e lei? Non se lo domandavano neppure. Chiacchieravano bevendo caffè, che Alice preparava in una cuccuma a pois bianchi e blu.

Quando era concentrata in qualcosa, mia madre sporgeva il labbro inferiore. Ritagliavano accuratamente la carta con le iniziali, che poi fissavano con gli spilli sul tessuto: passandoci sopra il ferro da stiro, la cifra viola si imprimeva indelebilmente sul lenzuolo o sul taschino della camicia, e restava un odore di carta bruciacchiata. Infine la mamma lasciava ad Alice il compito di ricamarla: il filo preferito, di seta bianca, era una matassina a forma di otto, tenuta insieme al centro da un'etichetta nera e oro. In capo a poche settimane Alice veniva a piedi fino a casa nostra (che distava dalla sua un paio di chilometri) e mostrava a mia madre il lavoro, dispiegando sul letto i vari capi. Entrambe concordavano sull'ottimo risultato.

In giugno la fiera antiquaria di Arezzo è più vasta e ricca che non in aprile o maggio. Trovo un busto ligneo di santo, una croce dorata e un bellissimo ritratto di giovane donna, databile attorno al 1910: posa seduta sul bordo di una sedia, ed emana una gran calma interiore. Le donne si affollano attorno a un banco di tende e merletti, che la proprietaria deve aver impiegato giorni e giorni a inamidare e stirare. Vedo un mucchio di federe del tipo che prediligo, quadrate, rifinite in merletto e coi bottoni di madreperla. Le ho già usate per i cuscini in tutte le camere, parendomi sostituire degnamente le testiere che non abbiamo; e fanno anche comodo per leggere a letto. Sono fin troppo ricamate, così non c'è spazio per le cifre, ma in una trovo le iniziali RNP in bianchi ghirigori: in California ho una federa di lino leggero con la stessa cifra, appartenuta alla zia della mia amica Josephine, che viveva in una splendida casa a Palm Beach. Josephine mi ha anche dato le lenzuola rosa pallido della zia Regina, con complicati intagli sopra e sotto le iniziali. Le ha tenute per cinquant'anni, sua zia per trenta o quaranta, e sono tuttora in perfetto stato. Per quale motivo gli oggetti con la cifra durano più a lungo degli altri? Ho portato le lenzuola in Italia perché d'estate le lenzuola di lino sono il massimo della frescura, e alla fiera di Arezzo ne ho comprate molte altre. Mi piacciono anche quelle pesanti, col bordo bianco all'uncinetto, e quelle semplici di cotone ruvido, spesse come vele. Quando le lavo e le stendo non hanno neppure bisogno di essere stirate: basta che, ripiegandole, le spiani un poco con la mano.

Mi sento coccolata a dormire nel lino o nel cotone a trama fitta. Di tanto in tanto trovo un copriletto, di cotone bianco, naturalmente, a disegno matelassé e orlato di passamaneria: sono sempre troppo corti, per i letti odierni, ma uno l'ho comprato lo stesso, e lo tengo coi cuscini a vista. Mi addormento fantasticando delle vecchie ville e fattorie sperdute nella campagna, dove queste lenzuola venivano usate per chi nasceva e per chi moriva, per l'amore o per il sonno di piombo dopo una giornata trascorsa nei campi. Saranno state lavate sulla pietra, tese ad asciugare al vento di primavera, e ritirate da mani frettolose nel caso di un acquazzone improvviso. Le cifre DM o SLC certo sono frutto di un paziente lavoro accanto al focolare, per il corredo d'una sposa. Forse alcune, considerate «troppo belle», furono riposte (in attesa di quali occasioni?) nell'*armadio*, profumate con mazzetti di lavanda e foglie di alloro. Alla fiera tutti i banchi di biancheria hanno rotoli di trina, sottovesti, abitini da battesimo, camicette e camicie da notte, ma non mi inducono in tentazione. Una volta in Francia comprai una camicia da notte a maniche lunghe, abbottonata fino al collo per modestia o per stare ben caldi, e con le cifre di mia figlia Ashley ricamate in rosso. Lo so, è un po' bizzarro, indossare la camicia da notte di un'estranea, una francese il cui nome inizia con le stesse lettere del tuo. Ashley mi ringraziò, ma la camicia finì nel baule dei capi fuorimoda: forse con la sua generazione la mania di famiglia è scomparsa, o ha preso una diversa piega. In alcune sue realizzazioni artistiche Ashley ha utilizzato dei tovaglioli di damasco con frasi scritte da lei, o stanze costituite da pannelli appesi e ricoperti di garze, sulle quali col pennello aveva vergato delle poesie.

Mia sorella ha scovato un posto, a Firenze, dove ancora ricamano cifre. Hanno un libro con le varie calligrafie, alcune semplici, altre ornate come un soffitto barocco. E ha portato loro una montagna di tovaglioli di lino per la nuora: tre mesi dopo sono approdati ad Atlanta. Alla fiera di Arezzo ho comprato bellissimi asciugamani di lino con il cerchio vuoto per le cifre tessuto nella trama: per mia figlia, che non possiede neppure un ferro da stiro. Spero che le piacciano.

Riprendo dal filo per stendere i sei asciugamani (l'ultimo acquisto), ancora leggermente umidi ma scaldati dal sole: lo sapevo che sarebbero venuti fuori dalla lavatrice bianchi come la neve. Osservo il monogramma alla luce del sole: AP. Questi asciugamani, noto, hanno un laccetto per essere appesi a un gancio: non mi erano mai capitati così. L'estate scorsa, quando viaggiavo nel sud dell'Italia, ho visto il sepolcro di una certa Assunta Primavera, nel cimitero di Tricarico. Gialli gladioli freschi e fiori di plastica rosa adornavano la lastra tombale, dove campeggiava la sua fotografia di donna di mezza età: invece dell'aspetto etereo di chi stia per essere assunta al cielo in primavera (come il suo nome suggeriva), mi è parsa viva, esuberante. Aveva i capelli tirati indietro in una morbida crocchia e il volto illuminato da un largo sorriso; sembrava il tipo capace di tirare il collo a una gallina senza problemi, o di assistere a un parto difficile. Impossibile, mi dissi, che una donna simile giaccia sottoterra. No, dev'essere altrove, in qualche cucina, col profumo dei suoi *tortellini in brodo* che aleggia nel vano delle scale.

Certo i miei asciugamani non le appartenevano, ma quando ho visto le cifre mi è subito tornato in mente il suo viso dai lineamenti decisi. E lo stesso mi accade con l'altra biancheria. Mi piace sollevare il coperchio della *cassapanca*, tirare fuori una serie di tovaglioli, e immaginare gli eleganti cocktail della zia di Palm Beach, i dischi di musica jazz, lo champagne, e i tovagliolini nelle mani degli ospiti, i vassoi di tartine (ma cosa mangiavano nelle feste degli anni Venti?), l'oceano Atlantico che spumeggia contro il frangiflutti. E mi figuro la casa in pietra di Assunta, il letto di noce a forma di slitta, su cui il giovane marito, nudo, le chiedeva di massaggiargli la schiena, o, molto dopo, da vecchio, russava mentre lei, con gli occhi sbarrati nella notte, attendeva il ritorno del figlio dal fronte russo, o rimuginava se il vitello di latte avrebbe fatto bella figura alla *festa*, o ancora se la gelata aveva colpito il raccolto di fave. AP, ricamato dalla madre: un regalo per il suo onomastico.

Fantastico anche sulle camicie da notte bianche che non ho comprato, ma che guardavo ammirata; grandi come tende, e tutte e tre con cifre di dimensioni adeguate: TCC. Saranno servite a donne dai corpi giganteschi. TCC scivolava giù dal letto, la notte, i piedi rosati sul freddo impiantito, per correre a confortare – bianco messaggero nel buio – i gemelli che piangevano nella stanza accanto.

Il monogramma indica appartenenza: non c'è possibilità di errore, questo è *mio.* Oltre a ciò, rappresenta un richiamo mnemonico: il calice d'argento rimanderà sempre al giorno del battesimo del bimbo; i tovaglioli di lino del corredo nuziale sono presagio di tutti i futuri pranzi per il Giorno del Ringraziamento che fin d'ora attendono di essere apparecchiati.

Su antiche pietre è scritto *Ubi sunt,* abbreviazione per la più inquietante delle domande: *Ubi sunt qui ante nos fuerunt?* Nominare è necessità derivante da un istinto profondo, un opporsi al tempo che tutto ingoia. A diciott'anni, prima di entrare al college, fui rifornita di teli verdi da bagno, asciugamani e strofinacci, tutti con le cifre. Il verde non mi piaceva, ma quel corredo mi accompagnò al college, durò per anni, e tuttora restano due asciugamani che tengo nel bagagliaio dell'auto: a distanza di decine di anni, con quel regalo di zia Emmy ho pulito i sedili posteriori, su cui si era versata della Coca-Cola; le mie dita stringevano il tessuto col monogramma di una matricola di secoli prima, che allora ci si asciugava i capelli. Un tocco fuggevole di chiome bagnate... no, un lago di Coca-Cola.

Carolyn, Assunta, Mary, Flavia, Donatella, Altrude, Frankye, Luisa, Barbara, Kate, Almeda, Dorothea, Anne, Rena, Robin, Nancy, Susan, Giusi, Patrizia... Hanno tutte cenato in casa mia.

In piazza tre ragazzi giocano a pallone contro il muro laterale della cattedrale di Orvieto. Il sole colpisce la facciata d'oro dello stupendo, abbagliante edificio; io mi crogiolo nel riflesso di tanta luce, sorseggiando il cappuccino pomeridiano. Questo mese siamo liberi di bighellonare: Primo ha restaurato il muro franato, aggiungendovi, anzi, due pilastri in pietra per le piante. Con i suoi uomini ha anche rinforzato le pareti della cantina, chiudendo tutte le crepe, ricetto per polvere e topi, e altri restauri sono programmati per il mese di luglio.

Sebbene disti da Cortona un'ora di viaggio soltanto, Orvieto mi pare lontanissima. Qui in Italia la percezione delle distanze che ho in California subisce una curiosa dilatazione: cento o centocinquanta chilometri di solito mi sembrano nulla o quasi, ma in Toscana a ogni chilometro c'è qualcosa da scoprire, studiare, mangiare o bere, ed è una potenziale distrazione dall'obiettivo. La California, con i suoi trecentoventimila chilometri quadrati, è in certo senso più piccola della Toscana, coi suoi diciottomila.

All'interno della cattedrale ho già ammirato il magnifico Giudizio Universale del Signorelli, dove gli scheletri, appena risorti dal mondo dei morti, sono raffigurati dall'artista come saranno, ovvero come sono stati: corpi nel pieno del vigore. Sono felice di vedere ciò che non può essere visto, la messinscena della frase, tante volte udita, *la resurrezione della carne e la vita eterna*. Qualcosa che sai, che speri, o in cui non credi, ma che all'improvviso ti si para dinanzi con piena verosimiglianza.

Guardo in alto finché il collo non mi duole. Visitando il resto della cattedrale, passo accanto a una donna che prega; ai piedi ha la borsa della spesa piena di verdure, si è tolta le scarpe, e ora appoggia i piedi nudi sul pavimento. Vicino, una bambina intreccia i capelli di un'amichetta; sulla panca ci sono anche le loro bambole. Un giovane prete, seduto a un tavolino coperto di pubblicazioni per famiglie cattoliche, sfoglia distrattamente le pagine di una rivista. Respirano questo luogo superbo attraverso i pori, lo conoscono così intimamente, così profondamente da non aver bisogno di un ulteriore processo di apprendimento.

Anch'io ricordo ogni minimo particolare della disadorna Chiesa Centrale Metodista di Fitzgerald, in Georgia. Vedo ancora il consunto tappeto viola, la luce opalescente; mi rammento di come mi affascinava la base di legno dei piccoli calici usati per il succo d'uva Welch, che nella mia bocca si trasformava miracolosamente (idea alquanto sgradevole) nel sangue di Gesù.

Seduta, nel solstizio d'estate, al gran sole mediterraneo, mi viene da dire: «La vita prende un diverso andamento, se cresci giocando a calcio contro il muro della cattedrale di Orvieto». Ma Ed è occupato a decifrare un articolo di «La Repubblica» sull'ultimo imbroglio politico, perciò mi accontento di raccogliere col cucchiaino, dalla tazza, ciò che resta della schiuma. Come sarebbe stata la mia esistenza se avessi avuto l'affresco con la resurrezione della carne nella nostra chiesa, sopra il coro vestito di bianco che cantava «*I come to the garden alone while the dew is still on the roses...*»? Quella visione mi avrebbe accompagnato a sette, a trentasette, a settantasette anni... in ogni momento della vita. Invece, se con gli occhi della mente esploro la chiesa della mia città natale, non vedo nessun'opera d'arte.

Da piccola ricordo, sullo scaffale in salotto, un libro di testo del college di mia madre, il Georgia State College: *Art in everyday life*. Conteneva fotografie a grana grossa di ciotole di frutta su tavoli, dalle quali certo lo studente doveva trarre ispirazione per le proprie nature morte. Avendo sette anni soltanto, non riuscivo a capire che cosa significasse dipingere; credevo che i quadri fossero qualcosa di simile a una tavola ben apparecchiata, dato che vedevo mia madre mettere una cura infinita nello scegliere le tovaglie, nel disporre l'argenteria o i fiori nei vasi.

Arte significava per me la scena di caccia sulla stoffa del sofà, le ballerine rosa nella mia camera da letto, e il mio ritratto a olio, che mi spaventava per la sua vivezza e somiglianza. Posavo nell'odiato vestitino azzurro col colletto smerlato, le labbra leggermente socchiuse a mostrare i denti, gli incisivi appuntiti come quelli di un animale. Ogni mercoledì, nella sua veranda, una signora teneva dei corsi di pittura, nelle ore del doposcuola, e io mi dilettavo a plasmare col gesso pastorelle e clown. La settimana successiva, essendosi induriti (e se i figli o i cani dell'insegnante non mi avevano rotto l'agnello o il nasone del clown), li dipingevo a brillanti colori, che talvolta riuscivano a chiazze, con mio disappunto.

Al college, in Virginia, trovai che la maggior parte delle mie compagne di classe erano, in fatto di conoscenze artistiche, assai più avanti di me: discutevano dottamente di cubismo, espressionismo e della New York School. In breve cominciai a frequentare insieme a loro la National Gallery, con incursioni al Museo d'Arte Moderna; lievitavano i conti dei librai presso cui acquistavo libri d'arte, facendo imbestialire mio nonno, fautore delle biblioteche pubbliche. Lautrec, Dufy, Nolde, Manet...: mi stavo innamorando, letteralmente. Il mio rapporto con l'arte divenne intenso. E tale è rimasto.

Osservando la luce radente sulla facciata di Orvieto, comincio a respirare lentamente, assorbendo in me le grida dei ragazzi, la visione dell'uomo al tavolino accanto intento a finire un cruciverba, e di due monache in lunghe vesti bianche, l'ombra della cattedrale che attraversa di sbieco la *piazza* come lo gnomone di una meridiana. Sento che qualcosa si mette in moto e sposta le zolle tettoniche del mio cervello. In Italia sarebbe strano non avere un legame intimo con l'arte: qui le persone crescono circondate dal bello, e pensare alla bellezza viene loro naturale.

L'arte è sempre stata per me qualcosa di esterno che amavo e apprezzavo, ma qualcosa di non del tutto naturale. In America le città sono spesso prive di opere d'arte, anzi, sono decisamente brutte; a scuola gli studi artistici sono un lusso che si elimina senza troppo pensarci su, se il budget si riduce. Arte, musica, poesia: gioie che sono nostro retaggio natale, ma che vengono in fondo considerate superflue, una piacevole trasgressione. È la silenziosa atmosfera dei musei, dove la maggior parte di noi conosce l'arte, a farcela parere innaturale. In Italia, invece, quante opere d'arte sono nelle chiese! E in chiesa gli italiani sono appena meno espansivi che non in *piazza*. L'arte e la messa non discendono dall'alto, ma si pongono in maniera semplice, familiare.

A Cortona c'è una galleria d'arte che si apre sulla piazza dedicata a Signorelli, il cui busto domina dall'alto: le mostre cambiano ogni settimana, con opere il cui valore va dall'egregio all'insignificante. Ma la galleria è lì, parte integrante dello scenario, accanto al tabaccaio e al negozio di fiori; e l'artista di solito siede in galleria, per incontrare di persona chi si ferma a vedere i suoi quadri. D'estate l'adiacente Bar Signorelli mette fuori i tavolini e, in mancanza di visitatori, il pittore ne approfitta per prendere un *caffè*. In un *palazzo* in fondo alla strada organizzano mostre fotografiche: lo spazio espositivo è sempre aperto per chi, passeggiando, voglia fare una sosta. Anche il Caffè degli Artisti ospita, di quando in quando, opere di giovani autori.

Queste gallerie sono distanti anni luce da quelle chiuse e fredde di Soho, Chelsea e San Francisco, dove anche solo a guardare ti senti un intruso. C'è naturalmente una differenza tra città e campagna, ma nei piccoli centri americani non ho mai visto una galleria d'arte così perfettamente integrata con il principale corso cittadino; e sempre un'atmosfera esclusiva e triste. Si generalizza, certo... ma non è forse vero?

Sulla strada i cartelli indicano Cortona come «città d'arte», e davvero lo è sempre stata: fu una delle dodici città etrusche, e dal XVII secolo ha un interessante museo, il cui pezzo forte – un lampadario in bronzo con un intreccio di figure in sensuali posizioni – è stato rinvenuto in un campo, nel XIX secolo. Qualche anno fa gli archeologi hanno scoperto nuove tombe, e alla collezione museale si è aggiunto un grande bronzo di un animale sdraiato, e una sempre più vasta raccolta di gioielli, sculture e vasi. Lo scorso anno uno scalpellino ha trovato una tavoletta di bronzo con iscrizioni etrusche.

Anch'io possiedo (non perché l'abbia trovato, ma mi è stato regalato) un pezzo d'arte etrusca: un piede di terracotta, il cui calcagno reca evidenti tracce della mano che lo ha plasmato. Noto gli incavi delle unghie, il lungo osso dell'alluce, la noce del malleolo; è rotto a metà polpaccio, ed è cavo, pieno di un'antica polvere indurita: mi fa pensare alla gente che da secoli e secoli cammina sulla terra. Molte persone hanno simili reperti: dai nostri vicini ho visto una lampada votiva romana e un'ampolla etrusca, una testa di marmo e una porta medievale di legno intagliato. Gli italiani tengono in casa oggetti del genere con una certa noncuranza, molti garage sono ex cappelle di famiglia, con affreschi che il proprietario conserva facendo in modo che non si sappia troppo in giro: c'è il pericolo, infatti, che le *Belle Arti* lo costringano a rinunciare al suo prezioso garage, dimora della ben più preziosa automobile.

In Italia persino i custodi dei musei muoiono dalla voglia di chiacchierare. Ripenso al custode di Siracusa, alla sua lezione di storia dell'arte sul *Seppellimento di Santa Lucia* del Caravaggio. D'inverno, negli umidi corridoi sono soliti raccogliersi attorno a misere stufette, ma anche così una domanda di qualche visitatore può scatenare un animato dibattito sui restauri in corso o su un'attribuzione controversa.

Si dice che Cimabue si sia imbattuto in Giotto ragazzo che disegnava una pecora su una roccia, a Vicchio, dove faceva il pastore. Sarà una leggenda, certo, ma comunque evoca un momento particolare della storia, quando i pastori – e gli apprendisti, gli uomini di chiesa, i figli dei nobili di tutta Italia – prendevano il pennello o il cesello. La classe media si stava elevando, il volgare parlato in Toscana cominciava a essere usato nelle opere letterarie. I soggetti dei pittori erano per lo più a carattere religioso, e le chiese erano le principali committenti per gli artisti i quali, pur rispettando il soggetto assegnato (un'Annunciazione, per esempio, o la vita di un santo), portavano nel loro affresco un senso di familiarità, di *campanilismo*, una parola che allude alla comunità raccolta all'ombra e al suono della parrocchia locale e del suo *campanile*, appunto.

Tali novità cominciano ad avvertirsi nel XIII secolo, quando Duccio di Buoninsegna (1278-1318) raffigura, nella *Deposizione del Cristo*, il volto della Vergine pervaso di sofferenza, rompendo così con la tradizione pittorica derivante dai mosaici bizantini, in cui tutto è immobile, ieratico. Probabilmente era possibile seguire lo sviluppo di questa nuova maniera espressiva mese dopo mese: immagino come sarebbe stato bighellonare di bottega in bottega, nel periodo in cui le nuove tecniche passavano di bocca in bocca, di villaggio in villaggio. Oggi è arduo comprendere appieno la sorpresa dei contemporanei di Duccio. Fu Giotto (1267-1337) a rendere per così dire «ufficiale» il nuovo approccio in pittura, insieme agli scultori Nicola Pisano (1258?-1284) e, più tardi, suo figlio Giovanni (1265-1314). E tanti artisti li seguono a ruota: Masaccio (1401-1428?), Fra' Filippo Lippi (1406-1469), il Beato Angelico (14??-1455), Andrea Mantegna (1430-1506), Domenico Ghirlandaio (1449-1494) e tanti altri.

Quando gli storici dell'arte disquisiscono dell'ondata di realismo nell'arte italiana di quel tempo, parlano per lo più in termini di una nuova sensibilità, di un uso inedito della prospettiva; ma ben altro accadde: se nello sfondo di un quadro il pittore raffigura un cagnolino, il suo immaginario scodinzolare fa sì che il dipinto, o la scultura, penetri nell'animo di chi la osserva in maniera più diretta. Nel 1430, allorché Donatello forgiò il suo David col cappello sulle ventitré, la sensualità di quel corpo da adolescente, il cui peso risulta dolcemente appoggiato su una gamba, fu a tutti palese.

Gli artisti ricevevano incarico di dipingere chiese, cappelle, depositi di grano, banche, chiostri, municipi, camere da letto, monumenti funebri e gonfaloni da portare per le vie. I ricchi venivano immortalati in monumenti, le *piazze* adornate di fantasiose fontane. Il popolo cominciava a nutrirsi di arte nella vita di ogni giorno. L'arte nella vita quotidiana. Non si trattava più soltanto di capolavori prodotti da menti geniali; né soltanto di nature morte.

Le Annunciazioni devono essere più di diecimila. In esse l'angelo è messaggero dello Spirito Santo, che in forma di raggio di luce raggiunge una Madonna stupefatta (e chi non lo sarebbe?). Inconfondibili. Ma sovente un personaggio femminile locale, che tiene accanto a sé il cesto con le verdure mentre forse prega per il figlio lontano in guerra contro i Guelfi, guarda il lago nello sfondo, dove il marito pesca, e il profilo delle colline all'orizzonte, che conosce come le proprie tasche.

Un'Annunciazione di Crivelli (1435?-1495) è costruita attorno alla figura della Vergine, che ne rappresenta il punto centrale: il raggio di luce proveniente dal cielo (mi rammenta la scia di un aereo) illumina le sue mani intrecciate e l'ampia fronte. Ma il personaggio esterno alla sacra rappresentazione fissa qualcosa: che c'è oltre la soglia della dimora di Maria? Una mela e una zucca, semplicemente; e su una mensola al di sopra della sua testa sei piatti bianchi, un contenitore per il formaggio, una bottiglia di olio (sicuramente extravergine) e un reggimoccolo. Dalla cornice della finestra, al primo piano, pende una gabbia con un uccellino canoro; un tappeto orientale è gettato su una balaustra in pietra, dove una pianta in vaso è stata posta a prender aria. Di colpo ci sentiamo a casa.

In tutte le chiese d'Italia ho visto donne che, levatesi le scarpe, si rinfrescano i piedi sul pavimento. E accanto, alle pareti, un cavallo scivola in un burrone, un uomo cade da una scala, un muro di pietra frana addosso a un monaco. Gesù Bambino sembra il figlio di una vicina di casa, nato senza padre, un *bambino* cattivo che tiene un uccellino stretto alla gola. Oppure c'è San Gerolamo, il grand'uomo, nel suo studio insieme al fedele compagno, un leone; appeso a un chiodo si vede il suo asciugamano, e un foglietto sulla scrivania, e un gattino. Fa' come se fossi a casa tua.

Un grande *palazzo* di Cortona è stato diviso in tredici appartamenti. Dietro la facciata rinascimentale resta la dimora medievale, e ricavare degli appartamenti sfruttando il dedalo di corridoi, di stanze raggiungibili solo l'una attraverso l'altra, dev'essere stato un incubo per il povero architetto. Stiamo cenando nella cucina di Celia e Vittorio; originariamente era il salotto, e sulle quattro pareti, sotto lo strato di bianco, i nostri amici hanno trovato un *trompe-l'œil* dell'800 raffigurante un giardino dell'epoca e remote colline, oltre una ringhiera di ferro in primo piano. Mangiando il finocchio in pinzimonio (l'olio è quello dei genitori di Vittorio), ammiriamo l'affresco. «Oh, gli appartamenti del palazzo hanno affreschi in ogni camera» ci dice lui «ma molta gente non si è data neppure la pena di scoprirli.» Ci mostra le altre stanze e, dove gli affreschi non sono ancora stati restaurati, vediamo i delicati colori giallino e acquamarina. Com'è possibile che le persone non siano interessate a questo? Io credo che starei sveglia tutta la notte, a passare spugna e grattino sulla tinta a muro che li nasconde. Quando abbiamo scoperto un affresco nel nostro salotto abbiamo quasi gridato al miracolo. Un affresco! Più tardi abbiamo capito che a Cortona accade piuttosto di frequente.

Antonio, che abita in questo stesso *palazzo*, passa a bere un bicchier di vino; poi ci porta nel misterioso appartamento dov'è cresciuto. Entriamo in una grande stanza, in una seconda; alle pareti, i quadri – ritratti, paesaggi – della madre morta. E ancora il suo pianoforte, i suoi mobili, le fotografie sulla mensola del caminetto: c'è una foto di Antonio a quattro anni sulle ginocchia di Santa. Qualcuno, anni addietro, ha grattato un poco la parete, in basso, tanto da rivelare del marrone e del verde: che cosa può essere? Mi sembra di riconoscere il fianco di un cavallo. Questa stanza, naturalmente, non viene utilizzata. Percorriamo un corridoio basso e stretto che immette in una vasta mansarda, con uno splendido panorama della piazza sottostante. Antonio mi conduce quindi in un locale a fianco, pieno dei suoi quadri: c'è un lungo tavolo centrale, coperto di schizzi e tubetti di colori a olio. Due gatti girano un poco per la stan-

223

za e infine si acciambellano insieme in un mastodontico focolare, dove gli abitanti della casa si sono scaldati sin dal '500. Chi, nel corso dei secoli, ha affrescato queste pareti? E chi, in seguito, si è stancato degli affreschi e ha pensato che passarci sopra una mano di bianco fosse meglio? Antonio si siede insieme ai suoi gatti selvatici sotto la cappa del camino in cui sibila il vento, e disegna, sorseggiando un caffè; di tanto in tanto si alza e va alla finestra, per dare un'occhiata alla *piazza*.

Il suo appartamento si compone di altre stanze, che non vediamo perché le tiene chiuse. Sotto il bianco e il nerofumo immagino altre scene agresti, Annunciazioni, amori mitologici, ratti d'Europa, lontani castelli, scene delle vite dei santi. Ma Antonio mi sta mostrando la decorazione che ha disegnato per la casa di una persona (appena restaurata, e adorna di nuovi stucchi): con uno stampino riprodurrà lungo le pareti, in alto, un fregio di foglie di acanto color oro, con il bordo in rosso pompeiano. Fra un centinaio d'anni, forse, una donna si desterà, un bel mattino, vagherà con lo sguardo per la propria camera da letto e dirà: no, voglio dei fiori; e il lavoro di Antonio sarà coperto da un festone di rose.

Chiedo ad Antonio di decorare, insieme alla sua amica Flavia, la stanza da bagno che stiamo rinnovando. Gli dico che mi piace un fregio etrusco, molto stilizzato. Butta giù uno schizzo, e noi scegliamo i colori: azzurro, orlato con due linee rosa albicocca.

Il giorno dopo mi ritrovo nel negozio che vende materiale per artisti, a contemplare la carta da acquerello, i tubetti di colore dai bellissimi nomi, i blocchi per gli schizzi e le scatole di matite colorate. Quando mia figlia era piccola, ci sedevamo insieme nella veranda sul retro della casa e dipingevamo per l'intera mattinata. Aveva un forte senso del colore, e fin da allora pensava in grande: dipingeva, cioè, giganteschi elefanti con le groppe a chiazze di vari colori e principesse dagli svolazzanti abiti rosa. Le sue case squadrate, con il sole circondato di raggi, erano sempre animate da figure umane nel cortile e da gatti alle finestre. Ma cosa c'è lì, da un lato? Una decapottabile gialla. I miei acquerelli, invece, giacevano arrotolati sotto il letto; la natura morta con una ciotola azzurra e le arance era nata morta, appunto. Le delicate campanule rosse contro un muro di pietra non trasmettevano il senso della tridimensionalità. Era un immenso piacere sedere al sole e osservare mia figlia intenta a trasformare, con opportune combinazioni di colore, il rosso carminio in rosa pallido, e poi intingere il pennello a punta fine, creare qualcosa laddove prima non esisteva nulla... Agiva in assoluta libertà. Sotto questo aspetto io non ero abbastanza spontanea.

Nella bottega di colori compro dei gessetti e un pacco di carta fatta a mano. A Orvieto mi era venuta una vaga idea, che adesso sta cominciando a prender corpo: voglio dipingere il piacere delle orchidee selvatiche, rosse, che spuntano ogni giorno, e l'*upupa*, scandalosamente bella, che si posa sul nocciolo ogni mattina, e il profilo dei colli che vedo dal mio studio, l'uno susseguente all'altro come le pieghe di una gonna di velluto verde. Ho respirato a fondo queste immagini, dunque tenterò di dipingere ciò che provo, quando la mattina il canto degli uccelli si leva borioso e sonoro nella luce albale.

Sono sempre stata attratta da quel territorio liminare in cui la natura alimenta il desiderio della creazione artistica. Per me la forma d'arte privilegiata è la scrittura: ma come evocare il profumo delle arance selvatiche che a tratti penetra in casa? Con l'inchiostro d'una penna? Con i tasti del computer? L'ora ancora notturna in cui gli uccelli cominciano a cantare (e le loro melodie sono così intrecciate da non distinguersi l'una dall'altra), si dimostra così difficile da riprodurre con la musica, l'arte, le parole... Un canto che è come una secca, un banco di sabbia giusto sotto il pelo dell'acqua, il riflesso del sole sul mare increspato. Da dove deriva loro quella scienza, e perché cantano? Come spiegare che sebbene ci si giochi tutto, nella creazione artistica, essa è del pari una gioia che ci spetta di diritto? Come raffigurare o descrivere il quotidiano, improvviso levarsi del canto degli uccelli? Il sorgere della luce, il nastro a punta d'argento che si disegna sulle nere colline, e diviene a grado a grado rosa, blu d'opale, mentre si odono le prime armonie?

Sono a letto, nel dormiveglia, e mi chiedo se per caso non sono morta, e mi trovo nel paradiso promesso. Il dolore alle reni per aver liberato le aiuole dalle pietre, ieri, mi rammenta che vivo ancora sulla terra, e che quest'ultima è tornata ai suoi aurei colori, e gli uccelli ai loro canti, che gorgheggiano fieri di ramo in ramo. Ho voglia di lavorare, di creare qualcosa di bello.

Così, nella mia vita quotidiana, l'arte è mutevole presenza.

FOLLIE DI LUGLIO:
L'ORCIO RONZANTE

Trentuno giorni di fila con la casa piena di ospiti. E un altro gruppo, il settimo, minaccia di arrivare. Quando Primo Bianchi si ferma da noi per annunciarci che è pronto a cominciare il lavoro, telefono a questi nostri conoscenti d'oltreoceano, ai quali peraltro avevo già preannunciato che non avremmo potuto accoglierli a causa dei progettati restauri. «Ci piacerebbe vedere come procedono i lavori» dice il mio ex collega. «Non vi daremo fastidio.» A San Francisco non ci incontriamo mai, né rammento di averci chiacchierato alla presentazione del libro di un comune amico, lo stesso che ora gli ha consigliato (a lui e alla sua ragazza) di venirci a trovare.

«Mi spiace, ma credo che sia proprio impossibile. Dobbiamo smantellare due bagni. Starete più comodi in albergo.»

Silenzio all'altro capo del filo. Infine: «Ma non ne avete tre, di bagni?»

«Sì... ma dovreste passare per la nostra camera, per raggiungere il terzo.» Momento di imbarazzo; poi accetta che prenoti loro un hotel.

Negli anni del college sognavo una casa gialla in una strada ombrosa; la città poteva essere indifferentemente Princeton, Gainesville, Palo Alto, Evanston, San Luís Obispo,

Boulder, Chapel Hill... Insomma, una qualsiasi cittadina universitaria dove si va in bicicletta, la gente pianta i pomodori nel proprio giardino e un amico può passare da te senza preavviso. Mi figuravo la mia scrivania davanti a una finestra al primo piano, da cui sorvegliare i bambini che giocavano, e poi correr giù a controllare l'arrosto. Pensavo a stanze degli ospiti con la carta da parati azzurra, la cameretta dei bimbi e un tinello con una parete a vetrate. Desideravo che gli amici potessero stare a casa mia tutto il tempo che volevano, coi loro bambini a giocare insieme ai miei attorno al grande tavolo rotondo. Questa fantasia era intercambiabile con una di opposto genere: quella di vivere da sola in una città mitica come Parigi, San Francisco o Roma, dove vestire con abiti di maglia neri e attillati, sandali e occhiali da sole, e fumare sigari sottili a un tavolino da caffè, vergando poesie su un quaderno dalla copertina di pelle.

Sogni che nel tempo si sono in parte realizzati; ma mai, fino a oggi, ho posseduto più di una camera degli ospiti. Ora che ne ho tre, la mia aspirazione a una mensa liberale, a una porta sempre aperta, è divenuta realtà.

Più che sempre aperta, la mia assomiglia a una porta girevole: spesso i sogni devono essere corretti. Nel periodo in cui abbiamo ospitato sei gruppi di persone, mi ci sarebbe voluto un nastro trasportatore collegato con la città per rifornirci di pane e altri generi alimentari; non facevo in tempo a cambiare le lenzuola, la lavatrice funzionava a pieno ritmo per ore e ore di seguito. Alla fine mi sono attestata su un menu fisso, per pranzo: *caprese*, *focaccia*, vari tipi di salumi, insalata verde, formaggi e frutta. «Di nuovo?» mi chiede Ed.

«Sì! Loro non sanno mica che mangiamo così da quattro giorni... E poi stasera ceniamo fuori, sicuro!»

Studio un itinerario per condurli nei vari negozi di antiquariato di Monte San Savino, o alle tombe etrusche vicino Perugia; ma nella maggioranza dei casi mi sento rispondere: «No, ci basta stare qui. I quattro giorni a Roma sono stati così spossanti...»

Cerco di capire in quale momento sono passata dal «Che piacere vedervi!» a un più prosaico: «Dio mio, per quanto ancora pensate di fermarvi?» Forse intorno al decimo giorno. In quanto a Ed, direi il quinto: per indole, è più solitario di me, ha bisogno di isolarsi per alcune ore, che trascorre a scrivere o a lavorare sulla proprietà, e troppa vita sociale gli fa andare in tilt il cervello, gli viene l'emicrania. Al terzo assalto di visitatori, ci stancavamo ormai delle nostre stesse voci. Al quarto, abbiamo innestato il pilota automatico, limitandoci a indicare, invece di parlare. «L'autobus per Siena è quasi in partenza» ho sussurrato, dietro la loro porta. Bella battuta! Avevamo deciso di muoverci alle otto del mattino, per evitare il caldo, perciò Ed aveva fatto il pieno di benzina in modo da non perdere tempo e partire subito. Alle sette e mezzo noi eravamo pronti, doccia compresa; sul tavolo in cucina c'erano le fette di melone, e la moka fischiava sul fornello: alle nove e mezzo loro dormivano ancora. Uscendo alle dieci saremmo arrivati a Siena giusto per l'ora di chiusura dei negozi, abitudine ormai ovunque superata e che appare infastidire gravemente i nostri ospiti: sembra difficile entrare in sintonia col ritmo della vita quotidiana, in Italia. «Siamo in vacanza, non vogliamo uno spartito: ci piace suonare a orecchio» dice lui. «È così» aggiunge lei, «e poi ci saranno un sacco di posti che tengono aperto all'ora di pranzo...» No, non ce ne sono, penso io; ma non dico nulla.

Quando partono non ho neppure la forza di salutare il gatto grigio del vicino, che ogni tanto viene da noi a bere una ciotola di latte.

«Sono troppi dieci giorni?»

«Gli amici con cui viaggiamo hanno sentito tanto parlare di voi! Vi dispiace se ci fermiamo a pranzo? Siamo in sei...»

«Il compagno di stanza di mio figlio e suo cugino passeranno proprio dalle vostre parti, e abbiamo pensato che magari vi diverte incontrare due ragazzi al loro primo viaggio in Italia...»

Le mie labbra non riescono quasi mai a pronunciare la paroletta «no», ma via via imparo. «Stiamo facendo dei lavori in casa» dico, solo per udire: «Be', non vi preoccupate, non vi daremo fastidio. Mentre voi scrivete noi faremo gite ogni giorno.» E se spiego che purtroppo, nelle date da loro proposte, avrò la casa piena di gente, sovente ribattono: «Allora facci sapere quando vi va bene: programmeremo le vacanze tenendo conto della vostra disponibilità».

Benvenuto, Primo. Non sai quanto, benvenuto. Pensavamo di rifare i bagni sin dal primo momento in cui li abbiamo visti ma, dato che funzionavano, altri lavori più urgenti hanno avuto la precedenza. Perciò, ignorando i lavandini scheggiati e le docce che spargevano l'acqua ovunque, ci siamo limitati ad aggiungere un altro portasciugamani di ottone e vecchi specchi comprati alla fiera di Arezzo, e abbiamo dedicato energie e denaro al riscaldamento centrale e all'impianto elettrico. A differenza dei restauri più impegnativi, cambiare i bagni è quasi un piacere.

Mentre i nostri primi ospiti si spalmavano vicendevolmente sulla schiena olio solare, noi ci siamo dedicati a ordinare sanitari e lumiere. Durante il soggiorno della seconda ondata di visitatori, cerchiamo invece le piastrelle giuste: il tempo di scegliere, e di inoltrare l'ordine. Karen e Michael ci salutano dal balcone al primo piano, dove ho lasciato per loro un vassoio di frutta e una caraffa di tè freddo al cinnamomo, per sostentarli in nostra assenza.

La scelta delle piastrelle, in Italia, sarebbe scoraggiante persino per le mie due sorelle, che sono in grado di trascorrere intere giornate esaminando tessuti o lampade o carta da parati. Gli eleganti show-room delle ditte di materiale da costruzione di solito hanno sul retro polverosi magazzini: e se non trovi ciò che cerchi nei bagni modello con docce da navicella spaziale e vasche da idromassaggio superaccessoriate, puoi girovagare liberamente nel *magazzino*, e scegliere da solo tra portasciugamani, mensole e scatole di piastrelle in sfumature rosa mielato, eleganti mattonelle in pietra serena, e le migliaia di versioni dipinte a mano, con uccelli azzurri e bianchi, fiori, e brillanti colori primari. Infine... che cosa vedo mai? Le farfalle rosa e blu delle quali stiamo per liberarci. Capisco subito che mi piacciono di più le ceramiche su cui è palese la mano dell'artigiano, le superfici ruvide e i disegni tradizionali. Ma ecco che quelle di marmo e di pietra naturale mi fanno esitare; per la prima volta in vita mia penso di non poter scegliere. Quando abbiamo costruito il primo bagno, sapevo ciò che volevo – grandi mattonelle di marmo – e per fortuna non abbiamo cercato altro.

Alla fine restringiamo la scelta e decidiamo di tornare di lì a qualche giorno. A Bramasole ci attendono Karen e Michael, tirati a lucido e perfetti, nei loro abiti bianchi di lino acquistati per il viaggio in Italia. Ed e io siamo sporchi per le varie visite nei depositi di materiale edile, e la mia allergia alla polvere comincia a farsi sentire, ma bisogna che il pranzo sia pronto a breve! E nel pomeriggio non manchiamo la visita al Museo Etrusco, alle chiese nella parte alta di Cortona, al convento che ancora conserva il lettuccio di San Francesco.

«La dolce vita» ci dicono loro, sorseggiando *grappa*, sprofondati in poltrona nelle lunghe serate, mentre io occhieggio in cucina l'alta pila di stoviglie. «Mmm, credo che andremo di sopra, è così rilassante, qui. Siete così fortunati... Star qui tutto il giorno a non far nulla, e a godervi tanta bellezza.» Gli amabili ospiti salgono al primo piano, dimenticando di notare che Ed e io ci stiamo arrotolando le maniche per uno scontro con unto e sapone. E mentre laviamo e scrostiamo, ci accompagna, sopra le teste, il battere ritmico del letto contro il muro.

Il giorno in cui partono, non siamo più della stessa idea, sulla questione delle piastrelle, ma almeno siamo liberi di passarne in rassegna quante vogliamo, per una mattinata intera, senza dover correre a casa a rimpinzare ospiti voraci. Per il bagno più vecchio di Bramasole, soprannominato da mia figlia «*il brutto*», scegliamo una pietra rosa naturale, e un bordo avorio, della stessa pietra. Per il bagno delle farfalle, il mio incubo, ci orientiamo su ceramiche siciliane fatte a mano, bianche con un motivo giallo e blu.

La mia vecchia fantasia della casa gialla si dimostra ancora valida: amo avere ospiti, qui, amici o intere famiglie. In un paese che non è il nostro ci incontriamo in una maniera inedita, senz'altro utile ad arricchire e migliorare il nostro rapporto di amicizia. I veri amici capitano a Bramasole, magari comprano le fragole al mercato, tornano con qualche idea per cena, e ci divertiamo insieme a friggere i fiori di zucca e a preparare il *sorbetto* di anguria. Hanno voglia di scoprire insieme a noi una strada romana di cui ci hanno parlato, di metter su il caffè, o persino di strappare le erbacce dal posto degli asparagi. I pessimi ospiti possono andare ovunque, ma quelli buoni sanno che ogni luogo è unico in sé, e volentieri se ne lasciano penetrare abbandonandosi alla nuova passione.

Ora Toni e Shotsy arrivano da San Francisco con una lista di posti da visitare: alcuni non li conosciamo neppure noi. La prima sera restano estasiati dall'infinità di lucciole nel viale. Con loro anche una passeggiata in città è foriera di nuove avventure: passiamo accanto a San Francesco, una chiesa sempre serrata, per restauri. Shotsy vede un prete sulla porta laterale e gli chiede se possiamo dare un'occhiata all'interno, lui si mostra felice del nostro interesse.

Una voglia di vino gli copre mezza faccia, ha uno sguardo franco, e camminando muove la testa da una parte e dall'altra, mentre la tonaca nera cattura bioccoli di polvere. Ci tratteniamo per circa un'ora nella chiesa in penombra, dal soffitto a volta, dove alla sobria architettura originale è stata sovrapposta una decorazione barocca. Quindi il prete ci conduce in una stanza occupata da alcuni grandi armadi: vuole che vediamo qualcosa di davvero particolare, ma prima ci mostra molti teschi di martiri romani, bambini di undici o dodici anni; i ripiani sono pieni di matasse di capelli e pezzi di ossa. Poi tira fuori con rispetto un brandello di stoffa: «È una reliquia rara e preziosa, un frammento dell'ultima fusciacca usata da Santa Margherita». Segue il lembo d'un saio di San Francesco. La chiesa, intitolata appunto al santo, fu edificata dal suo compagno, frate Elia, del quale poco si sa, tranne che viveva da romito in un luogo imprecisato tra le colline sopra casa nostra. Il prete ci stringe la mano dicendo: «Probabilmente io andrò all'inferno, ma voi certo in paradiso».

Vicino a piazza San Cristoforo un uomo sta cogliendo ciliegie dall'albero. «*Buongiorno*» ci saluta, e ce ne lancia alcune perché le assaggiamo. Abbiamo già fatto un sacco di cose, e non sono ancora le dieci; i nostri amici stanno fuori fino a sera, tornano con storie da raccontare, e quando partono ci dispiace.

La scorsa estate sono venute a trovarmi le mie due sorelle, per un paio di settimane, mentre Ed finiva il quadrimestre primaverile all'università. Poiché nostra madre è stata in una casa di cura per molti anni, durante i nostri incontri si finiva sempre col parlare di lei, le sue malattie, le situazioni di emergenza, o le visite, penose, che regolarmente le facevamo. Per la prima volta da tanto, troppo tempo, parliamo di tutto fuorché della mamma. Viaggiamo per la Toscana, cuciniamo la pasta e lavoriamo in giardino.

Di recente è morta la zia Hazel, lasciandoci una piccola

eredità, che abbiamo deciso di sperperare: in fondo una simile manna ci è piovuta sul capo inaspettata; da me sicuramente. Mi rammento che da piccola, se mi comportavo in maniera egoista, mi dicevano: «Non vorrai mica diventare come la zia Hazel?» Quando morì la nonna, Hazel affermò di essere troppo sconvolta per venire al funerale; e tornando a casa dei nonni, dopo, la scoprimmo che si era caricata in macchina tutte le cose di valore della nonna. Ci fu anche un altro brutto episodio, di cui non voglio parlare; sta di fatto che non ebbi più rapporti con Hazel sin dagli anni del college.

Con le mie sorelle abbiamo mangiato nei migliori ristoranti, terminando immancabilmente ogni pranzo o cena con un «Grazie, Hazel, davvero squisito»: cominciavamo a sentire nei suoi confronti una sorta di affetto. Comprando scarpe, vassoi, foulard, dicevamo sempre, all'uscita del negozio: «Grazie, Hazel, molto gentile da parte tua». Per quanto non l'amassi, mi sono resa conto che il suo estremo gesto nei miei confronti ha riacceso un sentimento molto forte, nella mia famiglia, dopotutto il sangue non è acqua. E a poco a poco sono riuscita, sia pure a posteriori, a perdonarla.

Un giorno, a Firenze, siamo capitate in certi locali un po' nascosti, all'interno di un palazzo medievale, dove ci hanno proposto borse e gioielli firmati. Le mie sorelle, eccitatissime – soprattutto vedendo i prezzi – hanno cominciato a scegliere: braccialetti d'oro, portafogli, pochette estive. Di colpo ho capito che si trattava di merce rubata, ma non ho potuto dir nulla perché la *signora* che ci aveva portate là dal suo negozio non era del tutto digiuna d'inglese: ho sperato che finissero prima dell'irruzione dei *carabinieri*. Siamo uscite con Gucci e Chanel, le marche che le mie sorelle conoscono. «Per fortuna non ci hanno arrestate» dico loro, nel taxi. Strano, comunque: hanno pagato con assegni che nessuno ha mai riscosso. Una frase soltanto ci riporta al clima familiare: a colazione, nel giardino dell'albergo, accanto a un'esuberante fontana, ci servono del melone. E una di noi dice: «Sarebbe piaciuto alla mamma?» Provo un senso di profondo sollievo, ora che sono mutati i presupposti per il nostro stare insieme. Da allora, ogni volta che ci mandiamo dei regali inattesi, alleghiamo un biglietto: «Con affetto, Hazel».

I Romani adoravano i bagni. Le loro piscine, coi mosaici neri e bianchi di delfini e creature marine stilizzate, non hanno eguali. Peccato che il loro gusto non abbia minimamente influenzato chi ha progettato i bagni di Bramasole... Fin dall'inizio di questa nostra nuova avventura, abbiamo compreso che non soltanto erano brutti, ma che la fossa biologica – un grande serbatoio di cemento – non bastava quando avevamo parecchi ospiti; odori nauseabondi e scorpioni salivano dalle tubature. Ci siamo messi a leggere libri su come risparmiare l'acqua per uso domestico, sul problema dello smaltimento delle acque nere, fotocopiando schemi per la costruzione delle fosse biologiche. Dopo avere scavato per qualche ora dietro casa, Primo ha scoperto che l'acqua della doccia andava a finire direttamente nel pozzo nero: pessima congiuntura, da un punto di vista ecologico. Scavando ancora è emerso che dalle tre docce e dai lavandini decine e decine di litri di acque chiare si riversavano sempre lì, con un eccesso tale che le acque scure, per converso, tracimavano prima di completare il processo di purificazione: insomma, stavamo inquinando la nostra stessa proprietà, o così abbiamo pensato, forti delle recenti letture. «Il sistema di drenaggio va bene così» ci hanno assicurato gli idraulici, senza convincerci. Abbiamo insistito con Primo per mettere in opera un sistema migliore: vogliamo che dalle docce e dai lavandini l'acqua non vada nel pozzo nero; e vogliamo installare una lunga tubatura in uscita dalla fossa biologica, con una serie di cavità piene di sassi per un ulteriore filtraggio.

Quando arrivano Primo e i suoi uomini, discutiamo a lungo con loro su come operare. Ed e io abbiamo passato insieme dieci ore al giorno a fregare il pavimento, o a scartavetrare le porte, ma aprire una fossa biologica insieme all'amore della tua vita è davvero una prova ardua. Primo vuole mostrarci i vari settori, spiegarci dove le acque nere si purificano e da dove escono. «Il pozzo nero è perfetto» insiste. «Devo solo ricavare un'ulteriore sezione all'interno. Vedete: qui entrano le *acque nere*» e indica un tubo che viene dal bagno. Libera il coperchio dalla terra e lo alza facendo leva. Balzo indietro: questo è troppo; vorrei essere ovunque ma non qui. Imperturbabile, Primo indica un altro punto: «E da qui escono le *acque chiare*». A me sembrano tutte *nere*; anche Ed è indietreggiato, la mano sul naso e la bocca. Primo si dà da fare con l'agilità di un gatto su una tavola imbandita. «Qui, qui e poi fuori: e l'acqua è pulita.» Mentre fa riscivolare il coperchio al suo posto, emette una risatina strozzata e salta di lato. Cominciamo a ridere e a correre.

La casa è troppo in pendio perché un camion possa portarci un grosso serbatoio, occorre una gru che lo alzi al di sopra del muro. Perciò Primo suggerisce due serbatoi per le acque scure: quello vecchio resterebbe dietro la casa, e il nuovo verrebbe sistemato nel Lime Tree Bower. Scuote la testa, stringendosi nelle spalle: «Ne prendiamo uno grande, da condominio; o da ospedale. Chiamate il camion degli spurghi oggi stesso, e ditegli di venire domani».

Va a comprare il materiale che gli occorre, mentre gli altri salgono al piano di sopra. In quattro e quattr'otto smantellano il primo bagno. Franco ed Emilio – ma come fanno a lavorare entrambi in questo piccolo spazio? – portano via secchi e secchi di piastrelle. Non so come l'Ape di Primo possa sostenerne il peso, ma la vedo procedere a passo d'uomo per il viale di bosso e attraversare lo spiazzo davanti casa carica di un gigantesco serbatoio di cemento, che dovrà essere interrato. Poi mettono sull'Ape il vecchio water. Zeno, un polacco, comincia a scavare una fossa e Ed toglie via via le pietre: col mucchio che abbiamo potremmo ormai costruirci una casetta.

Il camion degli spurghi suona il clacson dalla strada: mi affaccio alla finestra e vedo un uomo che fa cenno con la mano e un trattore che trascina un serbatoio arrugginito. Ed corre fuori, l'autista gli getta una corda e lui solleva il tubo di gomma. Arriva anche Secondo, lasciando il trattore sulla strada, col motore acceso; ha i capelli cotonati e un passo molto deciso, saluta Ed come un vecchio amico. Dopo quella breve occhiata nelle viscere – per così dire – del sistema, non voglio saperne di assistere alle operazioni. Sento risucchi e sciaguattio, e dopo poco mi giunge il suono della risata di Ed, dalla doccia. «Che c'è di divertente?» gli domando.

«È incredibile! Non avrei mai immaginato di fare una cosa così... insomma, aiutare a ripulire degli escrementi un pozzo nero! Adesso è vuoto. Secondo mi piace molto: vuole vedere gli olivi, e ha detto che manderà il figlio a coltrare sui terrazzamenti.»

Mi riesce difficile scrivere, studiare l'italiano o leggere se abbiamo ospiti, mentre non ho problemi nei periodi in cui facciamo dei lavori in casa. Gli uomini di Primo lavorano sodo; e così noi, Ed e io. Ed scrive per due ore prima dell'arrivo degli operai, dato che preferisce farlo quando la luce non è ancora troppo intensa: nella raccolta che sta completando, ogni poesia comincia e finisce con una parola italiana, spesso una parola che ha un significato anche in inglese, come *ago* (che in inglese corrisponde alla locuzione «or sono») o *dove* («colomba» in inglese). Uno dei suoi piaceri nell'imparare l'italiano è stato il fatto che la nuova lingua ha preso piede nella sua scrittura. Passa ore a studiare attentamente le etimologie.

Io comincio ogni giorno con una passeggiata in città. Il rito comprende il cappuccino in un bar con il televisore acceso, da cui «Wonder Woman» strepita in un italiano doppiato. È allegra, e un perfetto accompagnamento per il notiziario; ieri uno dei titoli era: «Lucertola trovata in una confezione di spinaci congelati». Un uomo di bassa statura, con la testa simile a quella di un cane schnauzer, viene al bar ogni mattina: prende sempre un *caffè macchiato*, e dice «*Macchiamelo, Maria*». La donna esegue.

Alle otto arrivano gli operai, e Ed sta ancora scrivendo. Emerge in pantaloncini e stivali, fa per dirigersi verso il terrazzamento in alto, che ha bisogno di essere ripulito dai rovi, ma poi cambia idea e va nell'orto a estirpare le erbacce. All'improvviso siamo rientrati in possesso del nostro *orto*: Anselmo, infatti, è all'ospedale per una polmonite, cosa strana, essendo luglio. Ci chiama col *telefonino* dicendoci di innaffiare la mattina, di cavare le patate e di tenerle per due giorni in un luogo asciutto, ben allargate, e poi di stiparle al buio.

Andiamo a fargli visita, portandogli dei fiori: lo troviamo in vestaglia, seduto sul letto di ferro, in una deprimente corsia con altri sette uomini. Di solito scherzoso, un vulcano di idee, ci appare ora fragile e vulnerabile, con l'ombelico in mostra sotto la cintura di stoffa. Ci domanda notizie dell'*orto*: quanti meloni ci sono? Abbiamo raccolto le zucchine tutti i giorni? Sappiamo cosa pensa: che non innaffiamo né tagliamo la lattuga nella maniera giusta. Lasciamo accanto al letto la begonia gialla che gli abbiamo portato, e uscendo lo sentiamo parlare al telefono: «Ascolta, quell'appartamento sulla strada per Dogana... Te lo posso far vedere la prossima settimana...»

Ci sorprendiamo che i *muratori* di Primo stiano mettendo le tubature: credevamo fosse compito degli idraulici. In quanto all'impianto elettrico, arrivano Mario ed Ettore, che sono idraulici ed elettricisti. Lavorano in modo rapido ed efficiente: un istante li vedi, quello dopo sono scomparsi chissà dove. Mario parla a gran voce, Ettore è silenzioso; corrono a destra e a manca, sono abili, davvero *bravissimi*.

«*Squilla il telefono*» mi grida Mario dalla finestra. Ha la voce più potente dell'universo. *Squillare*: un verbo che mal si attaglia al suono del telefono, in realtà uno stridio piuttosto irritante. Paolo ha brutte notizie per noi: «Le ceramiche siciliane... davvero belle, anche il rappresentante è stato contento che qualcuno si sia dimostrato così raffinato da sceglierle... Insomma, il camion che le trasportava purtroppo ha avuto un incidente, è finito in mare. L'autista si è salvato, ma il carico...»

Per un istante non afferro il concetto. Poi: «Mi sta dicendo che le mie piastrelle sono in fondo al mare?»

«*Sì, è così, mi spiace.*» È talmente incredibile che scoppiamo a ridere. I pesciolini saranno lì a curiosare negli scatoloni? E il camion rovesciato, semisepolto nella sabbia... «Dobbiamo ricominciare da capo, e tra poco ci sarà la chiusura estiva, i ceramisti sospenderanno il lavoro...»

Arrivano degli amici molto cari: non è il momento più opportuno, ma sono egualmente benaccetti; speriamo che non badino alla confusione. Corriamo da Paolo e aspettiamo mentre lui urla nel telefono: sembra stia parlando con Marte; alla fine sbatte la cornetta: «Non possono prometterlo, ma cercheranno di consegnarle in tempo».

«Se non le abbiamo entro due settimane, non potremo finire il lavoro.»

«*Boh*» sospira Paolo, con uno di quei gesti che più o meno significano: che cosa possiamo fare? «Sono siciliani...»

Per fortuna gli operai non hanno ancora cominciato a smantellare il bagno con le farfalle. A mo' di compensazione, Paolo ci mostra il furgone pieno delle attrezzature sanitarie che abbiamo ordinato per entrambi i bagni, e le scatole di rubinetti. Usciamo a comprare da mangiare: per Sheila e Rob, i nostri amici di Washington, vogliamo preparare dei ravioli di petto d'oca in salsa di olive.

Tornando li troviamo ad attenderci, con sei bottiglie di Brunello allineate sul muro come benvenuto per noi. Proprio davanti a casa, invece, troneggiano due water closet, due lavandini, una vasca da bagno, un piano doccia e una pila di scatole alta un metro e mezzo. La vasca tutta rovinata del *brutto* è stata portata all'esterno, e qualcuno ci ha messo dentro una grande tartaruga: la quale tenta continuamente di arrampicarsi per poi riscivolare sul fondo, i suoi unghioli raspano disperatamente sulla porcellana. Credo di sapere come si sente. Da dietro l'angolo, nel Lime Tree Bower, udiamo il rumore inconfondibile delle zappe che colpiscono la roccia, e le voci di Franco ed Emilio che cominciano la loro litania di bestemmie contro la Madonna. Si ha l'impressione che stiano scavando la tomba per un animale enorme, ormai son dentro fino alla vita; il fossato di Zeno deve proseguire ancora per molto. Ed depone la tartaruga in un'aiuola di fragole, Sheila e io sgusciamo i piselli, Rob mette su un CD dei Righteous Brothers e ascoltiamo *Unchained Melody* a tutto volume. Gli operai accendono il fornellino da campo per scaldarsi la pasta che si sono portati da casa; con il tubo per innaffiare, Zeno si lava le gambe sporche di fango. Sono perfettamente felice: ci sediamo sul muro di pietra, al sole. Il nostro vicino, Placido, ci grida dalla strada: «Edward, Frances, ho trovato un nuovo nome per la vostra casa: potreste chiamarla Villa delle Farfalle, perché ce ne sono tantissime sopra la lavanda. Sembrano coriandoli... come se deste ogni giorno una grande festa!» Le vespe si sono installate nel vecchio orcio di terracotta accanto a me: ne manca un'ansa, che è rimasta cementata nel muro in cui in passato l'orcio era incassato perché il vento non lo rovesciasse. Le vespe operose escono da una piccola apertura come elicotteri che virano alzandosi dalla pista. Rob stappa una bottiglia di Brunello. Sento l'orcio ronzare. Rob versa il vino, raccontandoci di come ha girato attorno a Roma due volte, sul raccordo anulare. Ed, il poeta, mi sussurra all'orecchio: «Non ti piace? Quest'orcio è come casa nostra». Mi fa posare le mani sull'orcio, e avverto il ronzio.

Cynthia, un'amica inglese che vive in Toscana da quarant'anni, ci ha invitati a cena la sera della partenza di Sheila e Rob, i nostri ultimi ospiti, almeno per quest'anno. La prossima settimana arriverà un mio ex collega, ma alloggerà in albergo. Oggi la nostra casa è talmente piena di polvere, per via dei lavori, che ce la ritroviamo tra le dita dei piedi e sulle palpebre. Nessun segno dell'arrivo delle piastrelle, ma per il resto i lavori proseguono senza intoppi.

A cena da Cynthia conosciamo altri *stranieri*, alcuni suoi amici inglesi. Quando Ed dice che ultimamente non abbiamo invitato nessuno, avendo sempre gente in casa, tutti esplodono: «Gli ospiti sono di due tipi: meravigliosi o terribili. Ma il tipo più in voga è il secondo. Sapete che il modo di dire: "l'ospite è come il pesce, dopo tre giorni puzza" esiste in ogni lingua del mondo, dalle remote isole del Pacifico alla Siberia?» Max ha sempre ospiti.

Cynthia ci presenta appunto un grande pesce ricoperto di olive a pezzetti, per simulare le squame. «Sapete, il mio fratellastro è arrivato qui con i due bambini col raffreddore; inoltre aveva avuto un problema alla macchina. Ha buttato la valigia lurida sul copriletto bianco, e poi, da una parte, ha fatto un mucchio della biancheria sporca dei bimbi. Pensate che non lo vedevo da quindici anni. È rimasto dieci giorni, senza portare mai a casa un fiore, una bottiglia di vino o un pezzo di formaggio; né in seguito mi ha mai spedito una cartolina con scritto "grazie". Ha lasciato in frigo una banconota da centomila *lire* e un biglietto: "per il cibo". Non vi pare assurdo? Nessuno potrà mai raggiungere simili livelli.» Ha uno sguardo di brace. «All'inizio temevo di averlo mal giudicato in tutti quegli anni...» Taglia la testa del pesce e la mette da parte.

Il suo amico Quinton, uno scrittore di gialli, versa il vino. «Non ho mai avuto ospiti: ti scombussola troppo.»

«Sentite questa» fa Peter. «Degli amici devono arrivare in treno, e io vado a prenderli alla stazione di Firenze, all'una. Non li vedo, aspetto fino alle due e un quarto, poi me ne vado. Finalmente, circa alle quattro, mi chiamano dalla stazione. Piuttosto seccante.»

«Una ha raccattato nei vari alberghi, durante il viaggio, i barattolini di marmellata, le cuffie da doccia e le spugnette lucidascarpe: me li offre come regalo. Alcuni vasetti di marmellata sono già stati aperti e ci sono tracce di burro sul coperchio» racconto io.

«Gentile da parte sua» ironizza Cynthia.

«Gentaglia!» ride Quinton. «Non si comporterebbero mai così, negli Stati Uniti.»

«Ma i saponi profumati li ha tenuti per sé» rincaro.

«È come se partendo per un paese straniero la gente si liberasse» commenta Ed. «Basta la semplice frase: "Andiamo in Italia..." per farli sentire diversi. E ritrovandoci insieme, quasi per miracolo, in questo luogo sconosciuto, sentiamo immediatamente qualcosa che ci lega gli uni agli altri.»

Quinton annuisce: «Noi prepariamo il bivacco e loro si sentono i girovaghi che approdano in un luogo sicuro».

«Il fatto che abbiamo gli operai in casa non conta niente, per loro. Se sei in Italia, significa che sei in vacanza, punto e basta.» Peter dà un'occhiata all'orologio: «Veramente domani arriva un vecchio amico».

Placido viene a chiederci se vogliamo collegarci all'acquedotto comunale di Torrione, dividendo la spesa necessaria per portare le tubazioni da lì: siamo a metà estate, e la sua riserva idrica è già piuttosto scarsa; inoltre ha seminato un nuovo prato e non intende perderlo. All'epoca dell'acquisto della casa ci eravamo informati sulla faccenda, ma il prezzo era davvero altissimo, così Anselmo ci ha costruito un nuovo pozzo, profondo dieci metri, in modo da non restare mai senz'acqua. Ma Placido ha un amico, perciò la spesa verrebbe ora divisa per quattro. Ci sembra un gesto di buon vicinato, e potremo fronteggiare anche eventuali periodi di grave siccità. Perché no? Basta avere le condutture, che terremo chiuse fino al momento del bisogno, e per fortuna stiamo già facendo uno scavo.

Così, accanto ai nostri restauri casalinghi, si svolge un altro megaprogetto: un'enorme ruspa gialla sta scavando un lungo fossato che parte da Torrione, a circa un chilometro, per raggiungere Bramasole. Tutto il giorno scava e ammucchia la terra al lato della strada; uomini a torso nudo dispongono le condutture sul fondo, se ne odono le grida sin da qui. La calura ci investe come il fiato di un cane che ha corso a lungo per giungere a casa. I nostri operai trasportano detriti, scavano, scalpellano la roccia. Un ricordo mi attraversa improvviso la mente: quando, due anni fa, i muratori hanno tolto due strati di pietre dal pavimento del salotto; ma qui hanno a che fare con la solida roccia della montagna. La buca per il nuovo serbatoio è grande abbastanza da contenere una Cinquecento. Con delle corde lo avvicinano alla buca e, in quattro, ve lo calano lentamente; infine collegano rapidamente i tubi e raggiungono tutti Zeno per aiutarlo a scavare il fossato: sono sudati fradici. Le condutture delle acque chiare e di quelle scure sono posizionate, gli elettricisti vi sistemano accanto anche le canaline per i fili elettrici, nel caso volessimo portare la luce più lontano in giardino. Altre con-

243

dutture si collegano al gas di città, così possiamo liberare la *limonaia* dell'enorme bombolone verde e avere più spazio per i vasi di limoni.

Il terzo giorno la ruspa ci raggiunge, seguita lo scavo su per la collina, e infine anche le condutture dell'acqua vengono messe nel nostro fossato. Restiamo a guardare sbigottiti le operazioni: avremmo mai immaginato di dover scavare una trincea lunga un chilometro?

È il primo giorno che Anselmo si fa vedere da noi, dopo la degenza in ospedale. Appare pallido, sotto il berretto rosso, e sale con passo cauto verso l'orto. Non abbiamo badato a come si allungavano i tralci dei meloni, e adesso sono tutti ingarbugliati; non abbiamo tolto i rametti laterali delle piante di pomodoro; e la crescita delle carote è stata inibita dal fatto che non le abbiamo innaffiate abbastanza, visto che la terra è una crosta durissima. Io sono una buona allieva, che annuisce e fa domande: da tempo abbiamo capito che ha sempre ragione lui. Leva le erbacce attorno alle piante di carciofo e mozza le punte spinose di quelli che sono appassiti. Si dichiara d'accordo con Primo: che idea strampalata, la messa in opera di un secondo pozzo nero! E naturalmente le tubature avrebbero dovuto passare da tutt'altra parte.

Attualmente abbiamo in casa nove operai. La nostra insegnante di italiano, Amalia, viene a farci lezione qui, perché noi non possiamo allontanarci e raggiungerla a Cortona: proviamo una certa soddisfazione quando, sporgendosi dalla terrazza al primo piano per ascoltare le voci degli operai, commenta: «Non so come facciate: non capisco neppure la metà di ciò che dicono. Parlano almeno quattro dialetti diversi». Intanto lo stucco nel bagno piccolo si sta seccando; i faretti a incasso e la vasca sono già a posto; il piastrellista di Primo arriva domani.

In luglio il giardino è davvero una meraviglia, ogni pianta è giunta all'apice della sua bellezza. Vita Sackville-West descrive il suo giardino come «esuberante»: anche questo è esuberante, straboccchevole. Solo le dalie languono, hanno le foglie chiazzate d'una muffa bianca e i fiori marciscono prima di aprirsi; il resto cresce e sboccia in maniera sfacciata. Mi affaccio alle finestre del primo piano, e penso che Humphrey Repton avrebbe approvato il nostro giardino all'italiana, sposato, però, a un disegno fondamentalmente inglese. Persino i vasi di gerani sui muretti, con la loro cascata di fiori, mostrano un tocco alla Humphrey: ho piantato in ciascuno, in un angolino, un seme di ipomea, e i rami scendono lungo il muro, si attorcigliano attorno ai lampioni esterni o strisciano lungo le pietre; aprono al sole del mattino i volti di un puro rosa. Ho anche trovato una vecchia statua di una donna con un fascio di spighe, e l'ho messa tra i vasi di ortensie, da dove ammicca alla tradizione italiana degli ornamenti da giardino. Egisto, il *fabbro* di Ossaia, non ha solo aggiustato il cancello originale di Bramasole, ma ci sta facendo degli archetti di ferro per un pergolato di uva che vogliamo mettere all'inizio del Lake Walk. Sui giochi d'acqua siamo tuttora incerti: un laghetto? una fontana? Da un robivecchi, in Umbria, ho adocchiato una panchina arrugginita in ferro battuto, appoggiata a una rete di recinzione insieme a cancelli egualmente arrugginiti e letti in ferro. Quando abbiamo chiesto il prezzo, il proprietario è parso stupito: non si sarebbe mai aspettato di vendere una simile ferraglia. Torniamo a casa per le serpeggianti strade collinari con la panchina legata sul portapacchi, e io, il braccio fuori del finestrino, la tengo per una zampa: almeno se la perdiamo me ne accorgo.

I vasi di limoni di Anselmo, in giardino, sono un tocco perfettamente italiano. Ne ha disposto i rami con l'aiuto di tutori di canna. «Coglieteli, coglieteli» insiste; ma a me piace vedere i gialli frutti pendere tra il fogliame. Dopo il loro exploit iniziale, le due rose Mermaid sembrano essersi placate, ed esibiscono poche rose giallo chiaro, piatte. Ogni rosa Sally Holmes che abbiamo piantato tra la lavanda ci regala – da primadonna qual è – una gran quantità di rose bianche multipetale. Hanno soffocato la decadente rosa color lilla, una sorella più debole di loro. Ed ritrova una foto del giardino allo stato selvaggio di quando abbiamo comprato la casa, e un'altra di due estati dopo: un semplice pezzo di nuda terra delimitato dalla siepe di bosso. Se allora avessi potuto vedere il risultato odierno, avrei trascorso meno nottate in bianco, oppressa dall'ansia. Mi piace mutare volto al giardino, così come amo restaurare la casa: la verde striscia fiorita rappresenta il punto in cui la dimora degli uomini s'incontra con la natura. Più lontano, gli olivi, le viti, i cipressi e la lavanda creano un più sottile legame con la natura, prima degli arbusti selvatici, delle ginestre, degli asparagi e delle roselline di campo. Amo lo spazio in cui avvengono questi intrecci, i punti di raccordo tra la casa e il mondo naturale.

«Ogni olivo ha la sua storia da raccontare» ci dice Anselmo.

«Anche le rose. Mi parlano sempre...» scherzo io.

Ma a lui le rose importano poco: «*Mah...*» sospira, tornando al suo *orto*.

Le piastrelle in pietra di quindici centimetri per quindici sembrano fatte apposta per *il brutto*. Il tetro pavimento nero è sparito; là dove c'era il vecchio lavandino – installato a un'altezza che denunciava la statura del precedente proprietario: persino io, col mio metro e sessantadue, ero costretta a chinarmi leggermente per potermi guardare allo specchio – Primo ricava una nicchia più grande, e ad arco, di dimensioni perfette per il vecchio specchio dal vetro brunito che ho acquistato: una piccola modifica che però basta a togliere quel senso di soffocamento. Ecco Antonio con la sua compagna, Flavia; nella loro bottega creano di preferenza cornici, ma sono felici anche di disegnare elementi decorativi: hanno copiato il fregio etrusco azzurro, a onde, che correrà per le quattro pareti. Ci sediamo fuori a bere del tè, cercando tra le tinte la giusta sfumatura di azzurro, il colore rosato per la fascia in alto. Qualcuno dovrebbe fare il ritratto a Flavia, coi suoi vivaci occhi castani e la pelle ambrata: usa raccogliersi i capelli in una fascia, il che la rende somigliante alla Madonna in procinto di salire sull'asino e di partire per il suo lungo viaggio; una ciocca le sfugge e va a finire nella tinta blu. Antonio però non ha nulla di Giuseppe; troppo allegro, ironico. Dopo un'accalorata discussione sulle dimensioni, approntano una mascherina di plastica col motivo dell'onda. Procedono spediti: tracciano con la matita i bordi della fascia e poi vi ripassano il pennello. Abbiamo conservato la finestra in legno dal largo davanzale, dove a giugno si schiudono le uova dei tordi; e anche lo stesso tipo di vasca (quella in cui si può stare solo seduti), sebbene l'originale debba essere sostituito. «Ma a chi volete che interessi?» mi risponde Paolo, con aria sdegnosa, quando gli chiedo se è possibile trovarne ancora una del genere. «A me» rispondo. «Mi pare si addica bene alla casa.»

Antonio viene a cercarmi ogni pochi minuti: «Le piace così? È sicura che le piaccia?» Accende una sigaretta e Flavia e io allontaniamo il fumo con gesti plateali, tanto da forzarlo a spengerla in un barattolo di pittura.

«Sì, e vorrei che lavoraste alle decorazioni in tutte le stanze.»

Vado su e apro la porta per dare un'occhiata; quindi scrivo a mia figlia: «Cara Ashley, *il brutto* è diventato *il carino*. È il bagno più piccolo del mondo, ma ci ho messo i sali da bagno alla mimosa, gli asciugamani americani di tessuto pesante, il sapone alla tuberosa. Sul davanzale c'è un nido vuoto. Quando vieni a fare il bagno qui?» È così magra da entrare in una vasca larga la metà della mia, che pure è stretta.

Mentre Antonio è qui disegno uno schizzo di una mensola per la cucina, da far correre lungo l'intera stanza sopra l'aggetto in mattoni su cui ho disposto tutti i piatti da portata acquistati via via nel tempo. La mensola mi serve per un'altra serie; e poi così sono a portata di mano quando ne ho bisogno. Antonio prende le misure, e giriamo per la casa finché non trovo l'esatta colorazione che voglio. «*Ecco fatto*» dice lui.

Ciò che non è fatto – e il mese di luglio sta ormai per terminare – è il bagno delle farfalle. L'esecuzione delle piastrelle è in corso, ma non ci verranno consegnate prima di agosto – quando, cioè, Primo sarà in vacanza. E visto che la nostra partenza è prevista per fine agosto, riponiamo le attrezzature da bagno nella *limonaia*, facendo spazio anche per le scatole di piastrelle. «*Pazienza, signora*» mi dice Primo. «Il prossimo anno ci attenderanno nuovi problemi.» Zeno ricopre lo scavo; caricano sull'Ape gli arnesi, ripuliti; il mio collega decide di non venire più, e mi spiega al telefono che lo farà quando potrà stare da noi; Anselmo appende in cantina trecce di agli e cipolle; Antonio colloca la bellissima mensola... Insomma, alcune cose avvengono come per magia. Trascino nella nuova vasca da bagno le stanche membra, autobattezzandomi con l'acqua fredda che scorre nelle tubature tra rocce e sabbia, e infine raggiunge benefica la terra.

NEI MEANDRI
D'UNA LINGUA NUOVA

Nei primissimi giorni di vita l'embrione umano reca, presso la gola, tracce di branchie, effimero ricordo del nostro stato originario, quando eravamo pesci guizzanti nei torrenti e nei mari. Allo stesso modo, talvolta, sento dentro di me una remota traccia: essere rinchiusa in un solo linguaggio. Gli amici poliglotti mi assicurano che nel momento in cui s'impara una lingua nuova si acquisisce anche una nuova personalità. Ecco qualcosa su cui riflettere: mi piacerebbe una personalità affine a quella di chi, conversando, si tira indietro una ciocca di capelli durante una pausa a effetto; o di chi usa occhiali fumè, tipicamente italiani, che fanno tanto sexy e intellettuale... Vorrei parlare in maniera fluente e, perdendo il mio naturale riserbo, modulare le frasi e gesticolare come un italiano. Intanto so dire: «Ti sei lavato bene?» o «Signore, lei mi ha insultato! Chiedo soddisfazione!»; «Prima o poi mi verrà un esaurimento nervoso»; «Catherine, hai visto per caso se il barometro è sceso?»; «Nel nostro paese non si fanno feste quando la gente muore» e molte altre frasi utili imparate sui manuali. Frasi che però non costituiscono risposte pertinenti se Primo Bianchi ci spiega quanto è complicata una *fossa biologica*.

Due volte la settimana, per due ore, entro in una stanza bianca d'un *palazzo* di Cortona. Mi avvicino con speranza e trepidazione; per via passo accanto a Caruso, il merlo che vive in una gabbia davanti a una bottega di antiquariato. «*Ciao*» mi saluta, e io sento l'esatta inflessione un po' strascicata del *ciao* locale: persino l'uccello ha un orecchio migliore del mio. Amalia mi sta aspettando; sul tavolo ha un pacco di fotocopie con gli esercizi che devo fare. Questa lezione verte sulla differenza tra il passato prossimo, l'imperfetto e il passato remoto. Capisco che dev'essere così: ho fatto la spesa; ho fatto la spesa e continuo a farla; ho fatto la spesa fino a stramazzare. Le tre grandi vetrate della stanza danno sui tetti di Cortona, ci sediamo a un lungo tavolo, di fronte alla lavagna, e nulla ci distrae dall'intenso studio dell'italiano. Cominciamo con la conversazione: Amalia parla – piuttosto lentamente e scandendo bene – di un film di Benigni, di alcuni nuovi personaggi della politica, di un'abitudine locale. Chiacchieriamo di dove siamo state, di ciò che abbiamo fatto dall'ultima lezione.

Esito nel parlare, e spesso mi corregge, ma non avverto differenza tra come lei dice *oggi* e come lo dico io; a causa del soffitto, altissimo, tutto ciò che diciamo rimbomba leggermente, e anche le differenze ne risultano amplificate. In quanto ai verbi, compio errori grossolani ma me ne accorgo subito. Strano: qualche volta capisco quasi per intero i suoi discorsi. Discutiamo della pena di morte, dei ravioli o della mafia; se le pongo una domanda intelligente mi congratulo con me stessa: almeno non penserà che sono così stupida come sembro. Certi giorni, invece, mi sento il cervello simile a uno *gnocco* di patate o a una *mozzarella di bufala*, e non capisco neppure la metà delle frasi; peggio: mi sintonizzo su una frequenza sbagliata, potrebbe parlare anche olandese. Allora mi viene da piangere, vorrei fuggire via.

Comunque è molto piacevole imparare una lingua nuova. Mentre aspetto che concludano un'operazione di banca, o che mi lavino la macchina dal benzinaio, tiro fuori la lista dei participi passati. Talvolta, durante le ore della siesta, chiudo le persiane e ascolto dei nastri con conversazioni in italiano: i miei riguardano ricette di cucina, e nell'afa estiva, con le cicale che friniscono, mi distendo sulla schiena e ascolto punto per punto le istruzioni su come fare le frittelle di riso e lo sciroppo di ciliegie. Ascoltare così mi entusiasma, perché comincio a pensare che forse, in un'altra vita, parlavo italiano; dentro di me sento di conoscere questa lingua. Nel suo bel romanzo sulla Seconda Guerra Mondiale, *The Gallery*, John Horne Burns aveva ragione quando scriveva: «L'italiano si capisce subito perché i suoni delle parole coincidono col loro significato. È una lingua naturale come il respiro... Procede come per una spinta innata... È pieno di effervescenza, eppure sa anche essere forte, duro. I suoi sostantivi sbozzano una personalità con la stessa precisione d'un motto di spirito. In esso la voce sale a qualsiasi altezza. Fai di tutto tranne che cantare, e nel discorso appassionato fondamentale importanza hanno le mani».

Uno di questi termini evocativi ci affascina: la parola *galleggiante*. Ci piace il suono: un misto tra «galante», «gigante» ed «elegante». Ed mi dice: «Sembri così... come dire? così *galleggiante* stasera». Oppure io: «Adoro Parma. È *galleggiante*». Ammiriamo la vecchia panchina in ferro battuto che abbiamo comprato: davvero *galleggiante*, in giardino. Il vero significato di *galleggiante*, però, è entrato nel nostro vocabolario in maniera assai più prosaica: il giorno in cui l'acqua nella tazza del water continuava a scorrere; Ed, montato su una scala, ha dato un'occhiata allo sciacquone, e alzando la palla a filo d'acqua ha visto che quest'ultima cessava di defluire. Cosa cercare sul dizionario? «Palla a fior d'acqua nello sciacquone»? Impossibile. Allora è andato al negozio di materiale edile per comprare un nuovo aggeggio e ha cominciato una pantomima accompagnata da schizzi. «Ah» fa il commesso «volete un *galleggiante*.» Già, proprio quello.

Poiché l'italiano lo imparo solo quando sono qui, la mia istruzione avviene in pubblico. Una volta, in un bar, ho chiesto una *granata* invece di una *granita*. Ho detto «Che bel *pesce*!» dinanzi a un cesto di succose *pesche* mature; o, indicando un *cavolo nero*, ho chiesto un *cavallo nero*. Sottili ma fondamentali differenze. Il peggio è stato a un funerale, quando ho definito il defunto *sbaglio* invece di *scapolo*.

Ciò accadeva all'inizio: ora che sono più addentro alla lingua, ho maggiori occasioni per rendermi ridicola. Il mio vocabolario è più ricco, e mi sento magari pronta a lanciarmi nella descrizione di una gita presso un produttore di aceto balsamico, dimenticando ancora una volta che potrei trovarmi a dover rispondere a complicate domande, e a spremermi dal cervello tempi verbali che non ho ancora studiato. E se lo facessi passare come un nuovo genere di dialetto? Oggi racconto a Matteo, del negozio di *frutta e verdura*, che durante la notte, nell'orto, un animale mi ha mangiato i meloni e il granturco. Forse un cinghiale o un porcospino (li conosco entrambi), e alla fine, ecco, ci sono: voglio spiegare che ha «*gnawed the stalk to topple the corn*».[3]

Gnawed è diverso da «ha mangiato». E poi la traduzione italiana di *stalk*? Neppure un barlume. E *topple*? Di male in peggio. Il verbo più affine che mi riesce di trovare è «tagliare», ma non va bene, e tutti i sinonimi che mi vengono alla mente sono inadatti a rendere l'idea. Penso per un istante di mimare la scena, con un gambo di sedano a rappresentare il mais ed io come porcospino: ma un estremo senso di decenza per fortuna mi salva.

Però è un fatto positivo, conoscere abbastanza a fondo una lingua da avvertire la necessità di espressioni più precise. Infine mi soccorrono altre tre persone che si uniscono alla nostra conversazione, ciascuna con la propria opinione riguardo all'identità del colpevole. Vengono tirati in ballo ricci e

[3] Ossia ha «rosicchiato il gambo per far cadere la pannocchia» *(N.d.T.).*

nutrie, ma sul porcospino concordano tutti tranne uno, che continua a sostenere trattarsi di un cinghiale, visto che non ha toccato i pomodori. Se fosse stato un porcospino – insiste – ovvio che avrebbe fatto scempio anche di quelli. Compro le pesche, senza più confonderle con il pesce, ed esco, riflettendo sul fatto che ho capito tutto, nonostante non disponessi, per esprimermi, di un vocabolario adeguato.

A volta mi capita di non tradurre: *arancia* è *arancia*, e mi evoca l'immagine del frutto, non della corrispondente parola in inglese. Mi appaiono misteriosi quei momenti in cui l'inglese si frappone tra l'italiano e il significato. Passeggio in città, scambiando qualche parola con i negozianti. Un turista italiano mi chiede informazioni – ha scelto proprio me! – e io gli rispondo sicura: tanto, anche se gli ho indicato la chiesa sbagliata, so che gli piacerà egualmente.

Le persone colte del Vecchio Mondo e i milioni di emigranti del secolo scorso si ritrovano, sia pure in maniere opposte, nella medesima situazione: vivono, cioè, in un crogiuolo di lingue, mentre la maggior parte di noi, culturalmente isolata nel grande continente nordamericano, parla solo l'inglese. Siamo già una minoranza: lasciamo passare qualche generazione e i nostri pronipoti diranno ai loro figli: «Una volta qui c'era un popolo che parlava una lingua soltanto», e i figli se ne stupiranno. Ma io sono ben determinata a sopravvivere come meglio posso.

Facendo moltissimi errori grossolani e tornando a casa inferocita, mi sono presa tutto il tempo per analizzare i miei problemi, e ho capito perché imparare l'italiano mi risulta più difficile di quanto dovrebbe: forse perché tutte le altre lingue che ho studiato sono meno precise.

Ho l'abitudine di «inglesizzare» le frasi e, sebbene le due lingue condividano le stesse strutture (di fondo, tutte le lingue hanno le stesse parti del discorso), non c'è modo di procedere razionalmente quando, come in italiano, mancano i pronomi personali, il verbo deve sempre essere messo in posizione di maggior risalto e i sostantivi hanno due generi. Le espressioni idiomatiche, egualmente irrazionali, le capisco al volo, perché si basano su metafore. Mi piace l'immagine evocata dalle espressioni *acqua in bocca*, o *a quattr'occhi*; o ancora *sentirsi sotto una cappa di piombo*, come a dire oppresso. La parola stessa, *piombo*, mi pare abbia un suono greve, come note di basso. L'espressione inglese *rolling in money* in italiano è *nuotare nell'oro*.

Sovente il suono trasmette un significato stravolto: lo *stinco*, per esempio (un taglio di carne e, in Toscana, un tipo di pane) non comunica nulla di stuzzicante, soprattutto se sai che per *stinco* s'intende la tibia. E come suona strano, al mio orecchio, il modo di dire: «*non è uno stinco di santo*»! La parola *bar* evoca solitarie figure chine su bevande alcoliche, o scene ancora più manierate, e non la versione italiana, di luogo in cui si entra per un caffè veloce o un panino. Sicuramente bar non sarebbe traducibile con «pub».

Per un anglofono è difficile pronunciare la comunissima paroletta *più* senza pensare a un cattivo odore. Così aggruppo le labbra e dico che ieri sera abbiamo mangiato da Amico Più, una *trattoria* verso valle dove, con mia intima soddisfazione, l'odore dei maiali delle vicine fattorie ci giungeva a zaffate nello spiazzo erboso in cui cenavamo.

«Il tuo amico sarà anche bello, ma è così crudele col suo cane!» mi ha detto la mia amica Deb, alludendo a Silvano, un uomo dalla bellezza mozzafiato. «Non fa che dirgli di morire.» Silvano voleva chiacchierare con lei, ma il suo *pastore tedesco*, desideroso di giocare, lo infastidiva perché il padrone gli gettasse continuamente un bastoncino da riportargli. E Silvano accompagnava il lancio con un «*Dài, Ugo, dài!*»: e *dài* ha appunto il suono del verbo inglese «die», morire.

So bene, perché l'ho già imparato col francese, che l'inglese *essere* affamato/assetato, in italiano diviene *avere* fame/sete, una regola che mi si è stampata nella mente all'epoca del mio primo viaggio in Francia. Andai in un ristorante, da sola, e mi fecero sedere accanto alla porta dalla quale, di tanto in tanto, penetrava un soffio d'aria gelida che mi colpiva in pieno viso. Allora chiesi al cameriere di assegnarmi un altro tavolo, spiegandogli che avevo freddo. Tornata in albergo, mi resi conto di non avergli detto «*J'ai froid*» («Ho freddo»), ma piuttosto «*Je suis fraise*» («Sono fragola»). Il cameriere, assai gentile, mi fece spostare a un tavolino accanto al caminetto.

Strano anche che in inglese esista un verbo specifico per le fusa del gatto – si dice infatti «*the cat purrs*» – mentre in italiano il gatto *fa* le fusa. Adesso la frase «*Hai sonno?*», invece dell'inglese «*Sei* assonnato?», mi viene naturale; ma per altre particolarità linguistiche non accadrà mai. Se mi distraggo e mi limito a tradurre letteralmente dall'italiano, alcune forme risultano incomprensibili, come «ora devo andar*mene*», oppure «*me ne* sono dimenticata».

Mark Twain, che chiaramente aveva un ottimo orecchio per le lingue, si divertì a tradurre letteralmente un suo discorso tenuto al Circolo della Stampa di Vienna:

> *Sono invero il più fedele amico della lingua tedesca, e non solo adesso, ma già da... sì, vent'anni. ... Vorrei soltanto alcuni cambiamenti fare. Soltanto il metodo della lingua: la sontuosa, elaborata costruzione ridurre, gli eterni incisi sopprimere, sbarazzarmene, annullare; l'introduzione di più di tredici soggetti in una sola frase vietare; il verbo, di solito così remoto dall'inizio di frase, avvicinare, così da poterlo anche senza telescopio scoprire. In una parola, miei signori, vorrei la vostra diletta lingua semplificare, cosicché, miei signori, quando per pregare bisogno ne avete, da lassù compresa sia...*
> *Potrei lietamente anche il vostro verbo composto un poco riformare. A nessuno permetterei ciò che Schiller fece: l'intera storia della Guerra dei Trent'Anni tra le*

*due parti di un verbo composto inserì. A ciò persino la
Germania si ribellò, a Schiller vietando la storia della
Guerra dei Cent'Anni di comporre: Dio sia ringraziato! Dopo che tutte queste riforme introdotte saranno, la
lingua tedesca la più nobile e bella del mondo sarà.*

Tardi ho compreso che l'inglese è una lingua parlata, mentre l'italiano è cantato. A Spoleto un'insegnante di lirica
mi ha raccontato di aver fatto in classe il seguente esperimento: una persona di lingua italiana parlava davanti ai
suoi studenti americani, e loro dovevano disegnare un grafico che riproducesse l'andamento delle sue frasi. Quindi
ha chiesto di ripetere lo stesso esercizio con una persona
che parlava inglese: il grafico sonoro dell'inglese era una
sequela di dolci impennate e relative discese, mentre nel
caso dell'italiano la punta zigzagava come impazzita. Di
questo ho una conoscenza intuitiva: quando un gruppo di
persone mi viene incontro, molto prima di udirne le parole so se parlano inglese, tedesco o italiano; sento bene la
differenza tra il mio piatto «buongiorno» e l'esuberante risposta degli italiani, con parecchi innalzamenti e calate di
suono. Capisco più facilmente l'italiano parlato da un ma-
drelingua inglese, poiché l'andamento resta inglese, anche
se la grammatica è perfetta. Afferrare il giusto ritmo, ecco
la parte più ardua: i pochi fortunati che hanno un senso in-
nato del ritmo possono essere compresi dagli italiani pur
compiendo errori di grammatica.

Peccato che non si possa imparare una lingua semplicemente con una serie di iniezioni, usando fiale etichettate:
«pronomi indiretti», «la pronuncia di *glielo*» e «terminolo-
gia del piastrellista». Ma, mi conforto, *Roma non fu fatta in
un giorno*. Dante, figlio di madre americana e padre italiano, a cinque anni passa agevolmente da una lingua all'altra, e non lo imbroglio, al telefono, quando gli dico, in ita-

liano: «*Posso parlare con la tua mamma?*» Subito mi risponde: «*Sure, she is right here*».[4]

Di recente, in un articolo sul giornale, spiegavano che per le lingue apprese in tenera età si attiva sempre la stessa area cerebrale, un punto piccolo come un ditale; chi invece impara una lingua nuova da adulto deve collocarla in una regione del tutto diversa, e questa nuova area deve somigliare a una specie di tundra gelata. Studiando l'italiano mi sembra di percepire un simile viaggio: le parole ronzano nel punto preposto al lavoro di traduzione – in centro in alto – poi si spostano nella regione nuova, situata nell'angolo posteriore a destra. Durante il percorso, però, molte parole sprofondano in baratri e crepacci. Alcune riescono ad arrivare fino a quella nuova cava, e diventano naturali. *Gioia* non è più *joy*, ma un allegro scoppio di *gioia*, e centinaia di altre parole si sono consolidate nel loro autentico significato. Prendo un romanzo di Pavese e mi immergo nel terzo capitolo. «*Piano*» mi dico, «*piano*: non devi mica sostenere un esame.» Invece, come avessi appunto da affrontare una prova finale, mi concentro ossessivamente su ciò che non capisco. Faccio una lista di tutti i casi in cui viene usato l'imperfetto, trascorro ore a scrivere esempi per ogni caso che non comprendo, e trascuro invece di perfezionare ciò che già so.

A parte il lusso – e la necessità – di saper parlare senza intoppi, sono anche ansiosa di appropriarmi di una nuova letteratura. In Italia ho perso l'abitudine di aggirarmi tra gli scaffali delle librerie, uscendone con una sporta di libri: per lo più sono diventata una grande estimatrice di copertine.

Viaggiando o vivendo qui da straniera, ho esperienza diretta della vitalità degli italiani in ogni loro manifestazione,

---

[4] «Sì, è qui» *(N.d.T.)*.

nelle strade, nei caffè, nelle case. Se passeggiando passo davanti a una finestra aperta, mi colpisce il profumo del *ragù*, o il vivacissimo incrociarsi di voci. Così assisto alla vita esteriore degli italiani, ben sapendo che la via più diretta per giungere a quella intima è sempre la letteratura. Romanzi, racconti, trattati filosofici, poesia: qui potrò trovare il significato più nascosto di un luogo nuovo, quale non mi appare nei miei brevi soggiorni nel *bel paese*, né può emergere semplicemente entrando in contatto con le persone.

Gradatamente nelle mie letture estive sono entrati a far parte libri di scrittori italiani: Eugenio Montale, Umberto Eco, Italo Calvino, Natalia Ginzburg, Primo Levi... Insomma, i pezzi da novanta le cui opere esistono in traduzione inglese. Ho comprato anche qualche libro difficile in italiano, così come alle volte capita di comprare una gonna di taglia inferiore alla propria, nella speranza di perdere quei quattro chili di troppo prima dell'estate.

In primo luogo, le guide: tutti i libri pubblicati dall'editore Slow Food Arcigola, in particolare le guide annuali dei «Vini d'Italia», hanno subito convinto Ed che l'approccio italiano al cibo e al vino coincide col suo. Le guide del Gambero Rosso ai ristoranti e agli hotel ci fanno conoscere posticini realmente autentici, frequentati da poca gente. È facile trovarli: basta individuare, sulla pagina, i simboli che indicano «ottimo» o «eccellente».

Poi abbiamo cominciato a dedicarci alla poesia, solo per il piacere di leggere i versi a voce alta, anche se magari sbagliavamo a pronunciare il nome dell'autore (ci è accaduto a lungo con Quasimodo). Cesare Pavese ci ha fatto scoprire la cupa malinconia di una regione che non ho ancora visitato, presa com'ero dall'ebbrezza di seguire le tracce di Piero della Francesca o del Perugino. I racconti di Leonardo Sciascia mi hanno consegnato il cuore della Sicilia, a cui mi avvicinavo, invece, con paure e preconcetti. Sciascia narra, per esempio, che nelle vecchie dimore siciliane esisteva una stanza particolare, detta «stanza dello *scirocco*». Era priva di finestre, o di altri passaggi che la mettessero in comunicazione con l'esterno, tranne una porticina che dava su un corridoio interno. Lì la famiglia si rifugiava nelle giornate ventose. Ecco, sotto questo aspetto voglio conoscere la Sicilia: una terra in cui gli eventi meteorologici, la condizione di isolamento geografico si rispecchiano nel microcosmo familiare. Grazie, Leonardo: non ho più pensato alla mafia, quando ero lì, ma al vento che soffia tra le fronde di migliaia di palme.

La predilezione italiana per il design coinvolge anche i libri, alla stessa stregua delle automobili o delle scarpe. E trovo meravigliosi i libri d'arte, dai colori vivaci, brillanti, sia che si tratti di quelli a poco prezzo, dedicati ciascuno a un artista, sia i grandi tomi sulla Galleria degli Uffizi o i Musei Vaticani. I romanzi in edizione economica mi attraggono molto: li prendo in mano uno per uno, osservando le copertine blu cobalto, con al centro la piccola riproduzione di un dipinto. Tutti questi libri hanno rappresentato per me un viaggio approfondito nella lingua: sedere la mattina al caffè con un cappuccino, un libro e un dizionario mi sembra un buon modo di trascorrere un'ora o due. Naturalmente ho comprato Dante: come fai a non comprare Dante, in Italia? Inoltre – devo confessare un triste segreto – fino ad allora non avevo mai letto Dante, se non a frammenti. E tradurne qualche terzina mi compensa del noiosissimo manuale, i cui esercizi contemplano frasi del tipo: «La marea descresce», «Aveva il terrore dei ragni e dei serpenti», «I soldati sono in licenza», «La fiera è stata sospesa a causa della pioggia», «Il loro comportamento migliorerà», «Aveva un'aria molto timida» e «Ho sbagliato sin dall'inizio». Già, proprio così!

Visto che ormai ho trascorso in Italia parecchie estati, gli amici credono che parli italiano alla perfezione. «Oh, l'italiano si impara facilmente» sono pronti a dire. «È così simile allo spagnolo.» Be', intanto non ho mai appreso facilmente lo spagnolo: di un'estate passata a San Miguel de Allende ricordo soltanto le gite in taxi per la campagna col mio insegnante, appassionato di ceramica chichimeca: rispondeva più ai miei interessi culturali, che al bisogno di tradurre la storia del porcospino. Dopo aver rovistato tra quelle montagne di ceramiche rotte, di colore nero, tornavo a casa con più cocci che parole.

Ma i miei amici hanno ragione, viaggiando in Italia qualche frase la impari, e gli italiani sono così gentili ed espansivi che ti vien fatto di pensare: sarà una bazzecola. Conosco da tempo le frasi utili nei ristoranti, nei negozi, o quando viaggi o restauri una casa, ma non ho mai memorizzato il congiuntivo imperfetto o il passato remoto, e non comprendo i vari dialetti parlati in Toscana, per non citare il resto d'Italia. Ho letto in «Italian Cultural Studies» che il dialetto è usato dal sessanta percento degli italiani e il quattordici percento parla solo il dialetto: cercando di imparare la lingua il più in fretta possibile, il nostro inventario di parole è un assurdo miscuglio di dialetto e italiano. Nel dialetto locale il suono «ah» diviene piuttosto «eh», più duro: non sempre avvertiamo la differenza. Possediamo un ampio bagaglio di bestemmie, molto frequenti quando gli operai stanno qui a spostar pietre o a scavar fossati: *Madonna cane* e *Madonna diavola* sono tra le più forti. La derivazione di certe espressioni idiomatiche ancora ci sfugge: *Non m'importa una sega*, per esempio, forse ha a che fare con la masturbazione.

Alcuni aspetti di questa lingua stupefacente mi lasciano perplessa. Di recente ho dovuto convenire con me stessa che mi è impossibile apprendere l'uso corretto della misteriosa particella pronominale *ne*; e se mai parlerò bene l'italiano, lo farò evitando la proteiforme paroletta. Però non l'ho detto ad Amalia.

Alcuni amici americani affermano con modestia: «In Spagna me la cavo», oppure: «Straordinario come torna tutto». Torna tutto da dove? Ho viaggiato con alcuni dei succitati amici, e li ho visti puntare il dito alle varie voci del menu; o tendere mitemente il palmo aperto al negoziante affinché prenda la giusta cifra, confusi com'erano nell'udirgli pronunciare le parole *duemilaquattrocentosettanta lire*. Uno appartiene alla scuola del «parla forte e chiaro e ti capiranno»; un altro, che è venuto a trovarmi in Italia, si seccava che i proprietari delle locali botteghe non «si sforzassero di imparare quel poco di inglese che li aiuterebbe negli affari», senza badare al fatto che siamo nel loro paese, e per giunta non in una grande città.

Sebbene abbia preso lezioni di francese per anni, al liceo e all'università, il francese non ha mai «preso» me: non ho mai conosciuto un francese, e la mia professoressa del liceo credeva in un metodo consistente nel farci declinare centinaia di verbi, anche se non avevamo la minima idea del loro significato, riempiendo diligentemente l'apposito spazio con tutti i *passés composés*. Nell'ultima mezz'ora di lezione metteva su dei dischi graffiati con i rumori delle strade di Parigi, e restava lì a torcersi le mani, guardando fuori della finestra. Uscivamo dall'aula alla musica di *Under the bridges of Paris*, mentre Carl Twiggs dava una manata sul sedere inguainato di Mary Keith Duffy, apostrofandola in francese maccheronico.

Al college, nelle ore di laboratorio linguistico, ci davano delle registrazioni in un francese artificioso, che dovevo ascoltare alle sette del mattino in un box in palestra: così le storie di un remoto mulino in Francia mi giungevano insieme al rumore del pallone da basket che rimbalzava sul pavimento e il profumo di pino del detergente. Quando il professore mi chiamò a declamare in classe un brano del nostro interminabile testo di lettura, *Les Misérables*, commentò con un sorrisetto ironico: «Miss Mayes parla francese con un accento del Sud». Chiusi il libro con violenza e mi sedetti. Non è che il suo accento del Midwest fosse poi *magnifique*...

Poi seguii i corsi di spagnolo e tedesco; ma quanto finti mi parevano gli insegnanti! Gente che probabilmente tornava a casa, la sera, e parlava inglese. Un'amica che ebbe esperienze simili mi disse una volta di volere, incisa sulla sua lapide, la frase: «Ho studiato lingue». Ho resistito alle lezioni di tedesco nonostante l'incontenibile flatulenza del mio professore. «*Pflaumenkuchen*: plumcake» spiegava, e continuava con *Es war einmal ein junger Bauer*: c'era una volta un giovane contadino. Abbandonai il tedesco il giorno in cui m'imbattei nella parola «capezzolo», *Brustwarze*, che tradussi con *breast wart*, ossia «verruca sul seno».

Molte persone di qui parlano varie lingue. Isabella, una nostra vicina, ne parla otto; suo figlio, che fa il giornalista, ne parla otto anche lui, ma non le stesse otto. Lei ha superato i settant'anni: «Un paio d'anni fa ho cercato di imparare il greco» mi dice, «ma ho avuto difficoltà. Ho sempre impiegato tre settimane ad apprendere una lingua: se sai il russo, il polacco ti riesce facile; l'inglese e il francese li conosco sin da piccola...» Dopo questa conversazione, me ne torno a casa piuttosto di malumore: io ho ancora problemi a usare in modo corretto la particella *ci*, un'altra parola camaleontica che muta significato senza vergogna, e Isabella, invece, ha imparato il francese come nulla fosse. Una sera arriva da noi a cena e subito squadra gli altri ospiti: «Che lingua parliamo stasera?» mi chiede allegramente; e a una festa lei e i suoi amici danesi, olandesi e ungheresi si sono messi a recitare poesie in francese, a memoria. Quindi sono passati alle liriche in latino.

In un sogno mi vedo seduta accanto a una finestra, e scrivo su una carta azzurrina. Leggo ciò che ho scritto (l'inchiostro è ancora fresco) e mi accorgo che si tratta di una poesia in italiano. Ma forse non sono io, quella persona; o sì? L'inchiostro blu scuro forma parole, frasi, versi; persino la mia calligrafia è migliorata, nel sogno. La donna indossa un maglione di lana, un vestito nero. Ha i capelli raccolti, come Maria, Anna, Isabella, tutte le donne anziane che conosco qui, e tutte a loro agio in mondi più vasti del mio. È un poema da cantare, mi dico, l'inchiostro luccica, il vento solleva un angolo del foglio, e la mia mano si muove rapida... Sì, la mia mano.

Bergson dice che il presente non esiste, scompare mentre il passato rosicchia il futuro, *the past gnaws at the future*, sia nella mia lingua, sia, ora, in italiano, la frase assume connotati di profonda verità: la cosa che voglio dire svanisce mentre la dico, lasciandomi con la voglia di precisarla ulteriormente. *Gnaw*, ecco di nuovo questa parola. «*To gnaw the stalk to topple the corn*». *To gnaw*: rosicchiare.

Da quando la lingua costituisce il mio maggior cruccio, sono lieta di scoprire che si possono stringere nuove amicizie pur conoscendola pochissimo: mia madre ha sempre pensato che l'attrazione si basi sugli odori, flussi di energia che si stabiliscono tra le persone senza bisogno di scambi verbali. Nel negozio di *frutta e verdura* Rita mi accoglie con un abbraccio prim'ancora che la saluti. Allo stesso modo il nostro vicino ci invita a cena; immaginando tre ore di parole stentate e imbarazzati silenzi, rispondiamo: «*Grazie, mille grazie, ma non parliamo bene l'italiano. Magari fra un po', quando saremo più ferrati...*»

L'amico ci guarda, incredulo, alza le sopracciglia: «Ma mangiate, no?»

ANSELMO
E LA SUA IDEA DEI POMODORI

«Avete i fagioli di Sant'Anna?»

«No, c'erano la scorsa settimana. Non è più stagione» Matteo ci indica i *cannellini* freschi. «Ora potete trovare questi: da tutt'Italia, da Roma, da Milano, vengono a comprarli in Toscana.» Li conosco bene, i *cannellini*: conditi con olio, sale, salvia e pepe ti tirano su più di qualsiasi altro tipo di fagioli. Ho visto Ed mangiarli a colazione.

Uscendo dalla bottega ripenso con stupore alle parole di Matteo: come, la scorsa settimana? Li ho mangiati una volta soltanto, quei fagiolini sottili sottili... e adesso dovrò attendere un anno intero. Ormai, disponendo del rigoglioso orto di Anselmo, nei negozi compro poco. L'espressione che ricorre nei libri di cucina, «di stagione», qui acquista un significato che mai avrei creduto possibile. Nel tardo pomeriggio Ed e io andiamo nell'orto coi cesti e ci procacciamo la cena. Anselmo ha seminato file di lattughe l'intera estate, così abbiamo sempre l'insalatina tenera. Ma non ce la facciamo a mangiarla tutta in tempo, così quando appassisce Beppe dà mano al falcetto e ne raccoglie un fascio per i suoi conigli. Le *bietole*, invece, a tagliarle ricrescono (bella parola italiana, *ricrescere*: trasmette proprio l'idea dei gambi che si fanno strada nel terreno): ne regaliamo sacchetti e sacchetti. Per fortuna Anselmo ha piantato moltissimi meloni e angurie, e nonostante le incursioni degli animali, che danno un morso a ogni melone, ne abbiamo in sovrabbondanza. Vorrei regalarli a Giusi, ma anche lei ha il suo orto. Quando un raccolto è terminato, Anselmo spianta ciò che resta – gambi e foglie – e lo lascia a marcire sul terreno. Solo col sedano Anselmo ha fallito: i gambi non sono mai cresciuti.

In primavera abbiamo pensato che stesse esagerando, nel piantar roba, e avevamo ragione; comunque è straordinario: non abbiamo mai mangiato così bene in vita nostra, né in maniera così genuina. Giunto il periodo dei pomodori, mi rendo conto che su di essi Anselmo e io condividiamo le stesse idee; in pantaloncini, sono felice di vagare tra i filari di pomodori: ogni giorno riempio un cesto di pomodori rossi, bellissimi, e li guardo con maggior piacere di quanto non facessi lo scorso anno con la macchina nuova. Non un'ammaccatura né un difetto, sono perfetti. Anselmo ne ha piantati di tre tipi: quelli tondi – i pomodori *locali* – che mangi a morsi mentre li cogli, tanto sono freschi, dolci e succosi; il tipo detto San Marzano, squisito per la salsa, che ha più polpa e meno succo; e, per le insalate, i pomodori ciliegini, un'esplosione di sapore.

Tanto tempo fa in Italia non conoscevano i pomodori; e immagino i poveri etruschi e Romani, e gli altri popoli vissuti prima della scoperta del Nuovo Mondo: con cosa accompagnavano l'aglio e il basilico? E adesso tanta gente cresce pensando che le pallide sfere presenti sui banchi dei supermercati tutto l'anno siano pomodori: dovrebbero avere un altro nome, o forse un numero. Ho sperato di affiancare, nell'orto, i pomodori italiani al mais dolce americano, ma dopo che gli animali hanno scoperto questa inattesa fonte di sostentamento, dei due sacchetti di semi germogliati mi restano soltanto tre misere pannocchie. Anselmo, comunque, non approva il fatto che abbia piantato il mais: «Cibo per maiali» sentenzia.

I grandi girasoli che ho piantato lungo il bordo di vari terrazzamenti sono in fiore, e ne taglio un fascio, prima che chinino il capo per la troppa calura. D'un tratto, da dentro lo spazio circolare delimitato dai girasoli, emerge una donna minuta, che, dalle descrizioni di Ed, riconosco immediatamente come la raccoglitrice di narcisi e asparagi. «*Buongiorno, signora*» faccio io, e mi presento. Persino in piena estate indossa un cardigan scuro.

«*Venga*» mi dice. Ha il cesto pieno dei fiori gialli del finocchio selvatico, e mi conduce a un terrazzamento in alto, in un punto dietro alcune ginestre, dove vedo decine di alte piante di finocchio, intatte. È venuta attrezzata con un paio di cesoie, e taglia via via i fiori, spiegandomi che devo prima metterli a seccare al sole, poi strofinarli fra le mani perché si stacchino dal gambo. Trae di tasca un sacchetto di plastica e comincia a raccoglierli per me. Indica la fila di robinie e querce: «In autunno ci troverà i *porcini*, lì».

«E i tartufi?»

«No, ma ci saranno anche altri tipi di funghi. Dopo le prime piogge le farò vedere.»

«Purtroppo saremo già partiti.»

«*Peccato*. Tornate in Svizzera?»

«No, negli Stati Uniti. Viviamo in California.» Ricordo che non voleva credere a Ed, quando lui le ha detto di non essere un professore svizzero.

Scuote la testa: «*Arrivederla, signora*. Il finocchio lo può usare con tutte le carni, col coniglio e anche sulle patate arrosto». Si avvia giù per il sentiero, poi si volta: «Mi piace la casa com'è ora».

Sono tornata a un vecchio amore: mangio pomodori fritti a colazione, a pranzo e a cena. E sono talmente buoni insieme alla panna da cucina, un ingrediente ormai quasi proibito, che rischio un'impennata del colesterolo. Eresia, per una cuoca del Sud, preferisco friggere i pomodori rossi piuttosto che quelli verdi. Li taglio in fette di circa un centimetro e mezzo e li infarino appena, poi li friggo in olio di arachidi o di girasole. Infine – come mi ha insegnato mia madre, e la sua a lei – abbasso la fiamma e verso la panna nella padella. Scuoto per mescolare bene il tutto, aggiungendo sui pomodori molto pepe nero, sale e origano o timo. Qualche volta Willie Bell li passava nella farina gialla e li friggeva in olio caldissimo, in modo da farli venire croccanti. Con davanti un piatto di pomodori fritti provo una gran nostalgia anche per il pollo fritto di Willie Bell, per il suo purè di patate alla besciamella e per il mais alla panna. Come mai non siamo diventate enormi, con i quintali di panna che mettevano in quasi tutti i piatti? Willie Bell sgranava le pannocchie e stufava i chicchi insieme a cipolle e peperoni in pezzi; in ultimo aggiungeva la panna. E presa da simili ricordi, mi torna in mente anche la zucca gialla in tegame, e Willie Bell e mia madre che trascorrevano l'intera mattinata a sgusciare i piselli finissimi, un tipo che non ho mai visto altrove che in Georgia. Il mio cuore è diviso tra quei piatti estivi del Sud e i cibi italiani.

Quando Ed cucina pietanze alla griglia, alla fine ci getta sopra delle sottili fette di pomodoro, giusto per dar loro un sapore appena appena affumicato. Un semplice sandwich al pomodoro può essere il massimo se la *focaccia* è sublime come la fanno qui a Cortona, con la salvia e molto salata: insieme a essa il pomodoro raggiunge vette gastronomiche insuperate. Ci stancheremo mai dei pomodori freschi? E che cosa può esserci di meglio dei semplici pomodori ripieni? Una cosa soltanto: l'aggiunta di pezzetti di nocciola, e Anselmo ci avverte che le nostre sono pronte per esser colte; ne sgusciamo una tazza e le tostiamo, quindi, unite a mollica di pane sminuzzata in egual misura e prezzemolo, le mettiamo in quattro grossi pomodori. Sopra a tutto, un ricciolo di burro e un pezzetto di formaggio del genere del *taleggio*, che in forno si fonde bene. La nostra cena può essere questo piatto e una *frittata* di zucchine; un tocco del Sud è rappresentato da una caraffa di tè freddo con un poco di succo di pesca.

Un martedì, dopo la siesta, quando la calura del giorno accenna a diminuire, decido di fare una gita a Deruta, il *paradiso* delle maioliche. Una guida inglese dell'Umbria liquida Deruta con poche frasi: «Inutile soffermarsi a Deruta, il centro dell'industria della maiolica, sulle cui strade di accesso si susseguono negozi che vendono ogni genere di orribili ceramiche». Ma è folle, questo tizio? La mia nuova mensola, in cucina, è destinata ad accogliere i molti piatti da portata che non ho potuto fare a meno di comprare là. Alcune maioliche di Deruta sono orrende, è vero, ma perlopiù si tratta di disegni della tradizione regionale, davvero belli. Mi chiedo come sia il servizio da colazione dell'inglese che ha scritto la guida; il mio, di Deruta, appunto, è dipinto a mano, con disegni di frutta e il bordo giallo: sicuramente rallegrerebbe i malinconici risvegli inglesi.

L'abitudine di servire su piatti da portata l'ho acquisita in Italia. Quando ceniamo all'aperto, a un tavolo sotto gli alberi, li allineo sul muro di pietra, uno per le verdure grigliate, uno per i formaggi, uno per il pane, un altro per il secondo, e in questo periodo ne abbiamo sempre uno colmo di pomodori a fette. Sono comodi sia passandoli di mano in mano, a tavola, sia se gli ospiti si alzano e vanno a servirsi da sé. E poi ci sono le caraffe, di vino, di acqua, di tè freddo. Le maioliche dipinte a mano sono in perfetta sintonia col desinare toscano, abbondante e informale: ne apprezzo i colori brillanti o le tinte tenui, quasi da affresco. Con esse il tavolo giallo qui a Bramasole, o quello tondo che ho a San Francisco, divengono subito allegri e vivaci. Sia vero o no, ci si aspetta sempre un magnifico pranzo.

A Natale ho comprato delle tazze da cappuccino a fiori rosa, e spero adesso di trovare i piattini da abbinare. A Deruta ci sono almeno un centinaio di negozi che vendono maioliche dipinte a mano, con motivi tradizionali.

«Che negozio era?» mi domanda Ed. «Come fai a ricordartene? Ce ne sono così tanti...» Il suo entusiasmo per Deruta è relativo.

«Quello all'angolo, alla fine della strada.»

Deruta è davvero una città diversa da qualsiasi altra: chiese, fontane, facciate di palazzi sono decorati con maioliche. Per secoli è stata il cuore dell'antica arte della ceramica.

«*Ah, sì, signora*» mi dice il negoziante, e chiama un amico perché gli porti dal laboratorio i vassoi che desidero. Nell'attesa gironzoliamo per altre tre botteghe sul corso principale, e in una troviamo un lume per la scrivania di Ed. Probabilmente a Deruta esistono anche i negozi di ferramenta, o di scarpe, o le drogherie, ma chissà perché non li ho mai notati. Ci fermiamo a guardare una donna che dipinge piattini a motivi geometrici. Al bar un signore anziano, con grandi bretelle che gli tengono i pantaloni praticamente a livello ascellare, ci domanda di dove siamo: il nome di San Francisco lo manda in visibilio, dice di esserci venuto, in nave, nel 1950. Si ricorda la *strada del mercato*, Market Street; insiste nel volerci offrire il caffè e prosegue sul filo dei ricordi: sì, il mare era proprio là, in fondo alla strada. E ai suoi amici, ora sopraggiunti, ci presenta come fossimo parenti in visita: San Francisco, città amata dagli italiani, crea istantaneamente un legame.

Molte botteghe di ceramica sono appena fuori del centro, su Via Tiberina. Mia sorella e io abbiamo spedito negli Stati Uniti, via mare, interi servizi di piatti, per noi e per mia figlia, Ashley. Si è rotta solo una tazza: in Italia non usano la carta da imballaggio con le bolle d'aria, ma la paglia umida. Spedire via mare costa abbastanza, ma sempre meno di quanto costerebbe acquistare ceramiche italiane negli Stati Uniti, pur ammettendo di trovarvi la scelta che hai qui, talmente ampia da non saperti decidere. Il motivo più comune è giallo e blu, da un disegno di Raffaello, con un drago stilizzato al centro di ogni pezzo: ma non mi piace vedere un drago quando mangio, anche se è un drago benigno come quello di Raffaello.

Divise come sono dalla catena degli Appennini, le varie regioni italiane hanno ciascuna i propri disegni caratteristici, così come il dialetto e le abitudini. A Deruta fanno il galletto di Orvieto, l'uccello azzurro di Amalfi, il tipico motivo nero di Siena preso dai mosaici pavimentali della cattedrale. Inoltre c'è anche una certa tendenza a usare disegni più attuali. Alcuni sono vistosi, altri allegri e di grande effetto, belli da appendere alle pareti o da tenere su un tavolinetto di vetro. Puoi anche portare un tuo disegno, il monogramma o dei fiori che ti piacciono. Mia sorella ha scelto dei piatti col bordo blu e giallo, e Ashley si è innamorata dei suoi, bianchi con un grappolo d'uva sul bordo, in rilievo. Quando ho scelto i miei, con una melagrana, delle ciliegie o dei mirtilli al centro di ciascun piatto, ho domandato al commesso: «Che nome ha, questo motivo?»

Si è stretto nelle spalle e: «*Frutta*» mi ha risposto. Grazie tante. Tre mesi dopo – durante i quali hanno cotto e dipinto la ceramica appositamente per me – i piatti sono arrivati a San Francisco. E stanno benissimo nella mia cucina americana.

Oggi cerco un regalo per il matrimonio del figlio di un amico. Tazzine da caffè? Una teiera? Una magnifica insalatiera? Ed, ormai stralunato dopo tre o quattro ore di perlustrazioni dai ceramisti, «Prendigli una teiera» insiste. «È un oggetto che piace a tutti.»

«Quale ti piace?» Mi piace quella coi fiorellini e le foglie verdi. Ma anche quella bianca con fronde e fiori.

Afferra la bianca: «Andiamo!»

Tornando verso l'autostrada guardo con struggimento alcuni negozi dove amo comprare; ma Ed tiene ben saldo il piede sul pedale dell'acceleratore. «Se vuoi possiamo fare una corsa a Gubbio, o a Gualdo Tadino, uno di questi giorni, per scegliere altre ceramiche. Ce la caveremmo in una giornata...» Lo dice per cortesia?

Sulla via di casa ci fermiamo ad Assisi, nonostante l'invasione dei turisti. Il mio cartolaio preferito è sulla *piazza* principale, di fronte a quella misteriosa chiesa costruita sulle fondamenta di un tempio di Minerva. Ho bisogno di una nuova scorta di quaderni rilegati in carta fatta a mano, blocchi per appunti, e libri bianchi da portarmi a San Francisco, dove non ho mai il tempo di uscire a fare acquisti. Invece simili scorrerie per me sono un vero piacere. Ed vuole comprare qualche bottiglia di Sagrantino, il vino umbro che preferisce, di solito introvabile a Cortona.

Superiamo la chiesa di Santa Chiara, di un rosa pallido, e case di pietra dai colori ambrati, o madreperlacei, con le imposte azzurro sbiadito. Come di consueto, due cani dormono sulla soglia del negozio, uno per lato. Dopo essermi rifornita, facciamo come sempre una visita nella chiesa di San Ruffino, in direzione opposta a quella seguita dal flusso dei turisti, imbrancati per vedere i famosi affreschi di Giotto (o di scuola giottesca, secondo alcuni) a San Francesco. Di San Ruffino amiamo la facciata quasi protoromanica, con i doccioni zoomorfi e altri animali fantastici. Dà su una *piazza* fortunatamente deserta, con una fontana al centro. Per quanti turisti vi siano, non possono distruggere completamente l'atmosfera incantata di Assisi. Ci soffermiamo qui fino alle sette e mezza, per poi magari cenare in un ristorante che ci è caro, il cui coniglio arrosto è straordinario.

Mi dimentico sempre che caldo può fare nel mese di agosto. Finito di rassettare una stanza, socchiudo finestre e persiane, in modo da lasciar entrare un po' d'aria ma non il sole. Indosso l'abito di lino più fresco che ho, una sorta di camicia da notte che mi pende larga dalle spalle; Emily Dickinson vestiva solo di bianco, e posso capire il perché. Se il caldo è eccessivo lo porto sbottonato sul davanti, e se proprio sto per stramazzare, nel tardo pomeriggio, me lo tolgo e resto con la semplice biancheria intima, orientando il ventilatore dritto verso di me.

Il giorno in cui abbiamo preparato la conserva di pomodoro dev'essere stato il più caldo dell'anno: dopo parecchi viaggi nell'*orto*, abbiamo riempito di pomodori maturi il lavandino e il cesto della biancheria. Ed li taglia e io tolgo i semi, non li peliamo perché la buccia è sottile, non come quella dei pomodori che si comprano, che sembra di gomma. Subito mi sporco la camicetta di pomodoro, e me la levo, ficcandola in lavatrice; Ed lavora già soltanto in calzoncini. In breve il succo cola dal tagliere sul pavimento. Tagliamo teste d'aglio, un'intera treccia di cipolle, stacchiamo le foglie dai rametti di timo, prepariamo il basilico e gettiamo nel pentolone un pugno di sale. La cucina trasuda odore di cipolle cotte, noi trasudiamo odore di cipolle cotte. Da ultimo i nostri pomodori finiscono nel pentolone, poi Ed ci versa un litro di vino rosso. Tutto ciò che usiamo è locale: per un anno intero, in California, sentiremo in ogni cucchiaiata il sole di luglio. Mettiamo il pentolone sul fornello, a fuoco lento, e comincio a passare lo straccio in cucina.

«Sento in bocca un sapore meraviglioso.»

«Di che cosa? Forse senti l'odore della salsa di pomodoro?» No, non sento alcun odore. Ci siamo messi a leggere all'ombra, nel Lime Tree Bower, cercando un alito di vento.

«È un sapore che non riesco a descrivere. Come una

canzone che non ti torna in mente. Sono due giorni che lo sento.»

«Ma a cosa assomiglia? A menta, o miele, o ferro, o sale?»

Scuote la testa. Sta osservando una formica intenta a trasportare un petalo di rosa, copriletto per la compagna operaia. Avanza a fatica, arranca. «Credo sia il sapore della felicità.»

Saliamo per due terrazzamenti, fino all'albero carico di mele dette «deliziose». No, deliziose non possono dirsi davvero, a parte il bel colore. «Il prossimo anno voglio piantare altri meli.» Butto via la mia mela nei cespugli. «Comunque ci si potrebbe fare un discreto burro di mele.» Dopo la sfacchinata per preparare la conserva di pomodoro, non credo proprio che mi dedicherò al burro di mele. «Già la vedo, qui, una fila di meli, a far compagnia a questo povero albero stentato.»

«Non è stentato, è nano.» Ed si tira la maglietta davanti, e la usa come contenitore per i frutti che coglie. «Giusto per un poco di burro di mele...» Le mele sono la sua passione; per lui il ricordo più forte è di un lavoro stagionale, in autunno, quando andò a raccoglierle nell'Iowa. «Ho letto di un tizio, a Rimini, che ha piantato la *limoncella*, una mela piccola dall'aroma di limone, e un'altra che si chiama *pum sunaja*, nel dialetto di là: dentro i semi non sono incastonati nella polpa, e a scuoterla risuona come maracas. Ha trecento diversi tipi di meli, anche qualità altrove scomparse.» Dal suo tono comprendo che faremo un viaggio per conoscere quella persona così affascinante.

Il mio desiderio di vivere in Italia deriva anche dal fatto che l'ho sempre considerata una terra inesauribile: per arte, paesaggi, cibo, lingua, storia. Comprando e restaurando questa casa abbandonata, vivendo parte dell'anno in un paese straniero, ho impresso alla mia vita un ritmo così diverso che potrebbe sembrare un'azione molto arrischiata, se non una pazzia vera e propria. All'inizio volevo realizzare qualcosa senza saper bene come fare. Credevo, e ora so con certezza che gli italiani esigono più tempo per se stessi, e dopo un lungo matrimonio e un orribile divorzio, ho pensato che l'Italia fosse un compenso adeguato per la perdita di un uomo. Volevo un cambiamento radicale.

Non avevo idea di quanto il mio istinto avesse colpito nel segno. In California ho spesso la sensazione che il tempo sia come un hula-hoop, e noi quelli all'interno del cerchio, in perpetuo movimento ma bloccati sul posto. Qui bacio la terra, perché non mi sento costretta nel breve lasso in cui il passato rosicchia il futuro, ma vivo nell'assoluta libertà di lunghi giorni, in cui me ne vado a cogliere un cesto di susine sotto la grande sfera del sole mediterraneo. Alla fine del millennio, continuiamo a scoprire cose nuove: sono già otto estati che trascorriamo qui, e ci sentiamo ancora dei principianti. Che fortuna!

Riempio due sporte di patate, cipolle, bietole, meloni, pomodori e le porto a Donatella, giù a valle: all'inizio dell'estate, infatti, i cinghiali le hanno devastato l'orto, lanciandosi in una grandiosa orgia di cibo. Non è in casa, allora le lascio le borse sotto l'arbusto di Virginia, sul limitare di un curatissimo oliveto. Nell'attraversare la valle alzo gli occhi e scorgo Bramasole; fermo la macchina e resto affascinata a guardare come l'edificio color pesca si staglia contro la collina, sotto le mura etrusche e medicee. Da una maggior distanza la vedo isolata, con i suoi terrazzamenti e i suoi alberi, sovrastata soltanto dalle nuvole in cielo. Non rimanda traccia alcuna della nostra presenza. Mentre continuo la strada, uno sperone di roccia me la nasconde alla vista.

FREDDO

Una mattina di ottobre, a San Francisco, Ed abbandona un fascio di compiti dei suoi studenti e mette il naso in una guida dell'Italia. Io sono nel mio studio, occupata, occupatissima: undici tesi di laurea da seguire, promemoria, lettere di raccomandazione, e un mucchio di corrispondenza da evadere. Domani mi attendono riunioni piuttosto pesanti e appuntamenti in tre diversi punti della città. Trascorro settimane pazzesche, che mi sembrano interminabili e fugaci al contempo. Senza smettere di leggere, Ed accende la macchina dell'espresso. Il mio studio è lungo il corridoio che porta in cucina, ed ecco perché riesco a fare sempre meno di quanto potrei: chiunque stia cucinando, o vada in cucina per uno spuntino, fa una capatina da me. Le cucine possiedono un naturale magnetismo che attira uomini e animali tra le loro pareti, teoria comprovata dall'atteggiamento della gatta Sister, la quale non si smuove dal centro del pavimento bianco e nero della cucina, appunto.

«Non credi che sarebbe un regalo magnifico, tornare a Venezia per Natale?» Da parecchi anni, ormai, da quando cioè abbiamo acquistato Bramasole, affrontiamo il viaggio di ventiquattr'ore dalla California per passare un breve periodo invernale a Bramasole; cogliamo le olive, festeggiamo con gli amici, e sfuggiamo alla solita frenesia delle vacanze natalizie.

«Uhm, sì, va bene» rispondo. Dopo un istante lo sento comporre un numero internazionale e fissare una camera con vista sul Canal Grande per il 23, 24 e 25 dicembre. Le mie pile di scartoffie cominciano a sembrarmi molto meno minacciose.

Siamo arrivati a Cortona stamattina presto, da Roma, con l'intenzione di trascorrere qui una settimana, per dedicarci alle nostre attività preferite e quindi ripartire in macchina per Venezia. Com'è bello e facile arrivare a Bramasole, adesso! Tutto funziona a meraviglia (per ora): riscaldamento, acqua calda... che lussi! Abbiamo persino una catasta di legna da ardere: uno dei vantaggi della potatura degli olivi.

Mentre disfaccio le valigie, Ed attacca subito a raccogliere le olive, tenendo il cestino di vimini legato in vita, sul maglione rosso di lana. Alle quattro circa, quando il sole tramonta dietro la collina e si alza un vento gelido, trascina in *cantina* un sacco di olive e poi mette le mani intirizzite sotto il rubinetto dell'acqua calda, a lungo. «Ci vogliono ancora due giorni» dice, «se lavoriamo entrambi. Le olive sono davvero tantissime.» Prepariamo rapidamente un piatto di *tagliatelle ai funghi porcini*, Ed accende il fuoco e ci sediamo coi vassoi davanti al caminetto. Domani abbiamo intenzione di raccogliere olive per l'intera giornata, quindi di cenare in collina, in una *trattoria* che serve una squisita pasta al ragù di cinghiale. Il giorno in cui porteremo le olive al frantoio festeggeremo con gli amici l'olio nuovo. Ci sentiamo anche in dovere di visitare Assisi, dopo il violento terremoto, per renderci conto di quanto esso abbia mutato quel luogo di pace. E così sarà giunto il giorno di partire per Venezia, dove certo troveremo un clima più rigido. Abbiamo portato cappotti, stivali, guanti; inoltre ho comprato una deliziosa sciarpa di velluto verde scuro, verde come la laguna di Venezia. Spero di vedere piazza San Marco sotto la neve. Ed porterà un vino speciale, io saponi al mughetto e candele profumate di lillà da accendere nella nostra stanza. Ci siamo detti di regalarci vicendevolmente una cosa soltanto, perché il regalo più bello sarà appunto il soggiorno a Venezia: ho comprato a Ed un magnifico golf giallo di cachemire, che ho confezionato insieme a una raccolta di poesie di W.S. Merwin, nascosta sotto la manica. Ho intravisto in valigia il suo regalo per me: un pacchetto le cui dimensioni ridotte mi fanno bene sperare.

Alle undici circa suona il telefono; è da quando abbiamo acquistato questa casa che odio lo squillo del telefono: mi ricorda gli operai che mi informano della ritardata consegna d'una pompa, o il sabbiatore che mi dice di voler prolungare le vacanze al mare. Sono a letto, tra confortevoli lenzuola di flanella, ancora sotto l'effetto del *jet lag*, e sto finendo di leggere il romanzo cominciato in aereo. Sento Ed rispondere: «Ciao, come stai?» in un tono allegro, che però muta dopo un istante. «Quando? No, no... Per quanto ne ha ancora?»

Si siede in fondo al letto, ripiegato su di sé, incupito: hanno portato sua madre all'ospedale, è in gravi condizioni. «Non ci posso credere: solo due settimane fa infornava il pane. È una donna forte. Mia sorella ha detto il nome di una malattia... mio... non ho capito bene. Comunque qualcosa che riguarda la circolazione. Ho preso il numero del dottore.»

La mattina dopo rifacciamo i bagagli e riprendiamo il treno per Roma. Abbiamo incaricato Beppe e Francesco di cogliere le olive e di portarle al frantoio. Il dottore è stato più esplicito della sorella di Ed: «Venga subito» ha detto al telefono, «può succedere da un momento all'altro: oggi, tra una settimana, tra un mese». Salire nuovamente in aereo, compiere a ritroso il viaggio appena fatto sembra surreale. Talvolta il clima riflette gli stati d'animo. Se i miei studenti scrivono poesie in cui calcano troppo la mano sul cielo come metafora degli affetti, immancabilmente annoto: «Attenzione all'eccessivo patetismo: suona falso! Ed è espressione di debolezza». Ma qui si tratta di varcare l'Atlantico in mezzo alle perturbazioni atmosferiche; il segnale che indica l'obbligo della cintura di sicurezza lampeggia. A Philadelphia la tempesta ci impedisce il decollo: tutti i voli per il Minnesota sono stati cancellati. Carichiamo i bagagli su un carrello e vaghiamo attraverso le gallerie di negozi dell'aeroporto alla ricerca di un hotel, dove trascorriamo la notte in compagnia dei notiziari meteorologici televisivi che mostrano un tempo in continuo peggioramento. Perché le persone muoiono a Natale? È forse uno strano modo di riunire la famiglia nel luogo d'origine? Mio padre morì un 23 dicembre, avevo allora quattordici anni: ricordo il vestito rosa che avrei dovuto indossare al ballo, quella sera, e che invece restò appeso nell'armadio finché non perse l'appretto. L'albero di Natale fu spogliato delle sue decorazioni.

Durante una tregua del fortunale, prendiamo un volo per Minneapolis, dove ci accoglie la temperatura più bassa mai registrata in questo giorno dell'anno. Al banco dell'agenzia di autonoleggio incontriamo la sorella di Ed, Sharon, col marito e la figlia, appena arrivati dal sud della California. Stanno andando direttamente all'ospedale; il fratello, Robert, e le altre due sorelle, Anne e Mary Jo, sono già là. Usciamo dall'aeroporto sulla neve indurita, nell'aria tagliente, e per di più sferzati da un vento gelido; i miei stivali leggeri sembrano piuttosto dei calzini. Ed libera l'auto, rompendo il blocco di ghiaccio che la imprigiona, e prendiamo in direzione Winona, a due ore di viaggio verso sud; il passaggio dei veicoli ha lasciato profondi solchi sulle strade ghiacciate. Attraversiamo distese innevate che mi danno un'impressione di totale assenza. Non conosco bene la madre di Ed, l'ho vista solo una volta e perlopiù chiacchieravamo al telefono la domenica; ma so che ha cresciuto Ed, rendendolo la persona che è, perciò non posso non esserle immensamente grata.

La madre di Ed si è ripresa un poco, vedendo tutti i suoi figli stringerlesi attorno. Mary Jo le ha messo il rossetto e adesso siede in poltrona: non ha un brutto aspetto, non si direbbe in pericolo di vita; ma si stanca presto e deve tornare a letto, dove appare emaciata, il respiro che è quasi un rantolo. I figli l'assistono a turno, così da non lasciarla mai sola. In casa della madre si sono sistemate le sorelle di Ed; noi alloggiamo in un motel. A tratti Ed fantastica su Venezia: quanto abbiamo atteso il momento di leggere ad alta voce versi di Shelley o brani di Mann, sprofondati nel grande letto sulle acque immortali! Mentre ora la sua amatissima madre sta per lasciarlo.

Le giornate scorrono lentamente, tra andirivieni dall'ospedale, persone che le si accostano in punta di piedi, tubicini delle flebo, visite autorevoli dei medici, piccole commissioni. Le sorelle si occupano delle faccende di casa, fanno una cernita degli oggetti da regalare, decidono la destinazione dei mobili e del resto, in modo da non lasciare un eccessivo onere a Mary Jo e a Robert, che vivono lì. Non che ci siano molte cose: aprendo armadi e cassetti capisco che la madre non intendeva la vita come una continua acquisizione. Si chiama Altrude, un nome che non ho mai sentito. Di lei si può ben parlare come di una persona altruista, dedita ai suoi cinque figli. Di pomeriggio percorriamo in auto lunghi tratti. Ed è perfettamente a suo agio in questo clima: è cresciuto qui, si divertiva nei campeggi invernali, o a fare sci di fondo, o a usare le racchette da neve... in tutte le attività, insomma, tipiche delle regioni fredde. E io, che con questo mondo non ho familiarità alcuna, continuo a domandargli: «Come si può scegliere di vivere qui? Ci si sta male».

«No, si tratta solo di abituarsi. Sai, se la temperatura sale appena sopra lo zero, gli abitanti del Minnesota si sentono obbligati a indossare maglietta e pantaloncini, sostenendo che fa caldo.»

Sta guidando; ha regolato il riscaldamento circa a metà. Guardo fuori del finestrino, pensando: «Ecco, a Venezia il profumo dei calamari fritti si effonde da una finestra, una spruzzata di neve copre i leoni di San Marco, e una cioccolata calda fuma sul tavolino del Florian, dove suonano una musica sdolcinata». Siamo qui, invece, nella purezza di un paesaggio desolato. Un granaio rosso ruggine si staglia contro il cielo slavato, una foresta di betulle dai rami ghiacciati luccica come una visione fantastica, un cervo attraversa la superficie gelata di un lago, i suoi zoccoli alzano la neve nella corsa. Passiamo accanto a piccoli centri urbani, alle fattorie dove sono cresciuti i genitori di Ed, i luoghi d'origine della sua famiglia, dove è avvenuta la sua formazione, dove vedeva i pesci guizzare nell'acqua limpida: la sua vita prima di sapere come sarebbe diventato. Un luogo di inverni soverchianti, una morsa di morte che poi si allenta, lasciando sbocciare una viva, intensa primavera.

«Che fate per Natale?» ci chiede sua madre. «Siete tutti insieme.» Non dice «forse per l'ultima volta», ma tutti noi lo pensiamo. Mary Jo, che è stata suora per trent'anni, le dà la comunione ogni giorno, tutti parlano senza mezzi termini dell'ora del trapasso. Vedere Ed al suo capezzale mi rende ancor più evidente la dolcezza del suo carattere. È lì, accanto a lei, l'aiuta a mangiare, le lava la faccia, le parla della sua famosa torta di cracker integrali, di quando metteva ad asciugare le barbabietole da zucchero, del brutto garage dei vicini; e del padre – suo marito – morto due anni prima.

Dall'armadio nella vecchia stanza di Ed le sorelle tirano fuori uno scatolone di libri, e Anne mi mostra una copia polverosa di *Morte a Venezia* di Thomas Mann. «Com'è?» domanda. Per l'Italia provano un grande interesse, ormai, per osmosi; e dai libri in cui descrivo come viviamo a Bramasole hanno appreso di noi cose che non sapevano. Loro cinque, infatti, sono cresciuti in luoghi lontani l'uno dall'altro, e vivono vite diversissime, dopo un'infanzia trascorsa invece a stretto contatto in questa piccola cittadina. Adesso la casa d'origine rivive, rinascono legami, ciascuno racconta di sé: Mary Jo di come, abbandonato l'abito monacale, intende ricrearsi un'esistenza; Sharon della sua complicata famiglia; Anne del trasferimento a Stillwater e del suo giostrarsi tra il lavoro e la cura di due figli che vestono *grunge* e vivono con gli auricolari perpetuamente nelle orecchie; Robert descrive la sua vita eccentrica, basata sul rifiuto di lavorare per «il padrone». Odo bisbigliare frasi del tipo: «È stata reginetta al ballo degli studenti», «Ha messo in bagno le piastrelle avanzate, di tutti i colori», «Lei vorrebbe un divano ma lui non le permette di comprarlo», «Guarda com'è fiera la mamma nell'abito da sposa», «A Natale abbiamo ricevuto un regalo soltanto», «Come hai potuto sposare un simile verme?», «Non me ne ricordo affatto».

Ed va all'ospedale ogni mattina alle sei e mezzo, perché ama trascorrere insieme alla madre qualche ora tranquilla. «Che farete per Natale?» si preoccupa lei. In ogni caso cucineremo. La vigilia di Natale Ed e io saccheggiamo le varie botteghe di Winona, acquistando olio d'oliva e vino, aglio e tutto il resto: riempiamo un carrello che spingiamo a fatica sul terreno gelato del parcheggio, verso la nostra macchina. Sua madre oggi è lontana, raccolta nella sua lenta morte. Passiamo dall'avvocato: la famiglia ha messo in vendita la casa. Andiamo dal fioraio, dove il caldo umido e il profumo delle rose e dei gigli quasi ci stordisce, e compriamo candele e fiori per la sua camera: possiamo tanto poco, per lei! La temperatura scende: fin dove arriverà? Un nuovo record, forse. Camminiamo per due isolati, e temo che prima di rientrare mi caschino le dita dei piedi e delle mani.

L'unico lusso, nel nostro motel, è la vasca da bagno Jacuzzi. Dopo un'ultima visita all'ospedale, torniamo in camera e svuotiamo nell'acqua le boccette omaggio di bagnoschiuma, accendiamo una candela e ci immergiamo al caldo, tra getti e mulinelli.

La mattina di Natale la madre di Ed si sente abbastanza bene, così la portano nell'atrio sulla sedia a rotelle, a vedere i minuscoli uccellini gialli nella voliera. Mi chiedo che cosa significhi per lei vedere radunati al suo capezzale i cinque figli che ha allevato, ormai tutti tra i quaranta e i cinquant'anni e in ottima salute.

Fa troppo freddo per muoversi, e la maggior parte di noi resta a casa tutto il pomeriggio. Frugando nei cassetti in cucina salta fuori la ricetta della torta di cracker, e le tre sorelle (che si dichiarano inesperte ai fornelli) si cimentano nella preparazione, consultandosi l'un l'altra sulla giusta consistenza della crema e su quando le chiare d'uovo possono dirsi montate. Intanto Ed e io cuciniamo delle crêpe salate con formaggio e spinaci, stufato di manzo al vino rosso, con carote e patate; broccoli (una delle poche verdure fresche reperibili), purè e – in onore dell'Italia – *bruschetta* con olio e aglio.

La sera portiamo su un vassoio la cena alla madre di Ed, che mangia quasi tutta la fetta di torta, dichiarando di apprezzarla molto; ma noi sappiamo che la crema avrebbe dovuto essere un po' più soda. Sulla via del motel ricomincia a scendere la neve, recando con sé il suo abbagliante silenzio.

A cena Ed ci fa ascoltare un nastro con arie pucciniane. Siamo tutti raccolti attorno al tavolo di Altrude. Guardo fuori della finestra, ai riquadri di luce dorata che la casa proietta sulla neve: una visione identica in ogni angolo della città coperta di bianco. Versiamo il vino: «*Salute!*» «Alla mamma!» In assenza dei genitori, la casa sta per inabissarsi nell'oceano delle memorie. La cena è pronta e, affamati come siamo, non facciamo troppi complimenti.

TORTA AI CRACKER INTEGRALI

Questo dolce, molto apprezzato nella famiglia di Ed, è un classico degli anni Cinquanta. Nella mia famiglia esiste la stessa tradizione, solo che alla torta viene aggiunto un aroma di limone.

Sbriciola finemente, con l'aiuto di un mattarello, 12 cracker integrali. Unisci 1 cucchiaio di farina, 1 cucchiaio di cannella e 1/3 di tazza di zucchero. Fondi 1/3 di tazza di burro e amalgama con i cracker sbriciolati. Metti il tutto in una tortiera da forno.

Per la crema, amalgama 1/2 tazza di zucchero e 2 cucchiai di maizena. A parte monta 3 rossi d'uovo insieme a 2 tazze di latte. Aggiungi lo zucchero e cuoci a fuoco moderato, mescolando di continuo, finché la crema non diventa soda. Infine aggiungi 2 cucchiai di vaniglia.

Monta 3 chiare d'uovo con 1 cucchiaio di zucchero. Versa la crema sull'impasto predisposto nella tortiera, e sopra ancora le chiare montate a neve. In forno a 200° finché lo strato superiore non diviene una meringa dorata.

RITMO

In pieno inverno, proprio nel periodo in cui San Francisco è colpita dall'uragano El Niño, abbiamo deciso di traslocare. Leggendo il giornale, una domenica mattina, ho visto l'immagine di una casa tipicamente mediterranea, con due balconi e una palma davanti. «Guarda: non ti ricorda Bramasole?»

E Ed, interessato: «Mi piace. Dov'è?»

«Non lo dicono. Bello il balcone, vero? Si può riempire di quelle orchidee gialle che sembra spuntino ovunque, a San Francisco.» Ed ha chiamato l'agenzia, scoprendo che purtroppo la casa era già stata venduta.

Dai nostri soggiorni a Bramasole ci deriva la voglia di immettere, nel nostro modo di vivere in America, più elementi italiani possibile. Inoltre la morte della madre di Ed, a gennaio, ha acuito la nostra già forte propensione al *carpe diem*. Il nostro appartamento, che avevo comprato quando il mio primo matrimonio stava lentamente finendo, è al terzo piano di un grande edificio vittoriano. Mi piacevano i soffitti a volta, gli stucchi e la luce che piove dai lucernari e dalle trenta finestre. La sala da pranzo dà sugli alberi e su uno scorcio di città, e in lontananza s'intravede un po' di azzurro della baia. Dopo parecchi anni trascorsi lì, ogni stanza rifletteva il nostro quotidiano. La cucina è stata rinnovata lo stesso anno in cui abbiamo comprato Bramasole: pavimento a piastrelle bianche e nere, specchio tra le credenze dagli sportelli di vetro, banchi di lavoro e cucina da ristorante, a sei fuochi, con un forno in cui potevano comodamente entrare due oche e un tacchino. Ma a poco a poco abbiamo cominciato a sentire il bisogno anche di uno spazio all'aperto: star fuori come si fosse in casa, e viceversa; d'un tratto mi sono mancati i cespugli di erbe aromatiche e un tavolo sotto gli alberi. E poi traslocare fa bene, ho gettato via tutte le cianfrusaglie accumulate nel tempo: vasetti, scartoffie, scarpe che tenevo in fondo all'armadio, carta da forno annerita, asciugamani lisi. Ripensando a ogni trasloco fatto, mi rendo conto che con esso è sempre cominciato un nuovo periodo della mia vita. L'istinto irrazionale a traslocare ora (l'appartamento è grande e bello, e in un posto meraviglioso) è forse anche un preannuncio di cambiamento, o significa che sono pronta per qualcosa di nuovo?

Abbiamo cominciato a segnare, sui giornali, gli annunci di case in vendita che ci interessavano; e a trascorrere le domeniche pomeriggio girando in auto per visitare le proprietà, a perlustrare i dintorni che conoscevamo appena; anche se il quartiere adiacente al nostro, Pacific Heights, non era assolutamente abbordabile, considerato ciò che volevamo. Il mercato immobiliare viveva un momento di follia: chiedevi il prezzo di una casa e immediatamente si creava una base d'asta su cui gli agenti operavano al rialzo; si vendevano case per cifre superiori di centomila dollari e più al prezzo equo. Insomma, un gran caos, a detta anche del nostro agente, John; e non trovavamo niente che ci piacesse in particolar modo, volevo provare la stessa sensazione del giorno in cui vidi Bramasole per la prima volta, quando mi dissi: «Ecco, è questa».

Per un paio di settimane ci siamo dati pace, poi una telefonata di John ci ha spedito a un certo indirizzo, a vedere una casa tipo ranch che secondo lui avrebbe potuto piacerci, con un grande giardino alberato e una serra. Un giorno, mentre andavamo verso la penisola per vedere un *cottage*, abbiamo seguito un cartello con la scritta «CASA IN VENDITA» e abbiamo svoltato in una zona boscosa di San Francisco, originariamente disegnata dalla ditta Olmstead, la stessa che ha progettato Central Park: le case sono immerse nel verde. Quella in vendita era in stile Tudor e «perfettamente conservata», cioè occorreva fare attenzione a ogni assicella e pannello di vetro. Abbiamo cominciato a parlare con l'agente, dicendogli che stavamo per interrompere le ricerche, magari per un anno, in attesa che si calmassero le acque. «Ho una casa che forse vi piacerà. Vediamoci alle quattro e ve la mostrerò.» Ci siamo dunque recati in auto al *cottage* definito «incantevole», per il quale, appena apparso l'annuncio, erano già pervenute una serie di offerte.

Giunti all'indirizzo indicato dall'agente, ho riconosciuto la casa che avevo visto sul giornale, e che aveva fatto nascere in me il primo pensiero di un trasloco. «Avevamo già telefonato, per questa, ma ci hanno detto che era stata venduta.»

«Lo era, infatti, ma l'affare è andato a monte. E non l'abbiamo ancora rimessa in vendita.» Una scala ricurva porta nella veranda dal pavimento in ceramica, e da qui si accede alla sala da pranzo attraverso un grande ingresso ad arco. Al primo piano ci sono tre balconi, e un solarium con undici finestre: bene, credo proprio che faccia al caso mio. E Sister sarà perfettamente a suo agio, in questa casa piena di luce: già la vedo cercare il calduccio inseguendo gli angoli più assolati.

L'abbiamo comprata. E anche se il nostro appartamento non era ancora stato messo in vendita, avevamo una certa fretta: io ho cominciato a fare una cernita di lettere e maglioni. Intanto mia figlia si è fidanzata, abbiamo conosciuto Stuart, il suo promesso sposo, e insieme ci siamo messe a progettare il matrimonio: i giri da fotografi e fiorai si alternavano a quelli nei negozi di ferramenta per trovare ganci e maniglie. Ashley stava studiando per l'esame di ammissione al dottorato, uno scritto a cui sarebbe seguito l'orale, e aveva una gran paura: molte delle sue compagne di classe erano state respinte, l'anno precedente. Il nostro appartamento è stato venduto tre giorni dopo aver messo l'annuncio; firmato il contratto di acquisto della nuova casa, abbiamo tolto chilometri di moquette bianca cosparsa di macchie: sotto, il parquet vecchio di settantacinque anni era intatto. Sporco ma intatto. Una scala di mattoni appariva verniciata, e l'abbiamo riportata alle primitive condizioni. A poco a poco abbiamo sistemato i pavimenti, installato un nuovo impianto elettrico e il sistema di allarme, dipinto gli interni. Dovevamo anche sostituire la copertura a tegole del tetto, e in mia assenza hanno dipinto di giallo la stanza sbagliata. Nel frattempo con Ashley cercavamo l'abito da sposa (ha deciso subito per il genere ampio e vaporoso), i cartoncini di invito e gli abiti per le damigelle d'onore. Abbiamo vagliato diverse ditte di catering. Durante le vacanze di primavera Ed è andato in Italia per potare le piante. Io non facevo che correre tra il vecchio appartamento e la nuova casa, alle prese con operai che non spiccicavano una parola d'inglese: in realtà avevamo ingaggiato una ditta americana, ma all'inizio dei lavori ci hanno mandato persone provenienti da Cambogia, Malesia, Corea e varie nazioni del Sud America, e spesso non s'intendevano neppure tra loro. Quanto è stato più facile restaurare Bramasole! Un imbianchino onduregno ha messo la levetta della porta di una camera da letto in posizione di chiusura, e poi se l'è tirata dietro al momento di uscire: quando gli ho fatto notare che la porta non si apriva, mi ha guardato coi suoi grandi occhi castani e tristi e ha pronunciato le due sole parole d'inglese a lui note: «*Fuck shit*».[5] L'ho fissato per un istante prima di capacitarmi del suo disinvolto turpiloquio.

Un po' avventatamente, ho detto che mi piace traslocare:

[5] «Fottuta merda» (*N.d.T.*).

quando il camion ha scaricato mobili e scatoloni per un giorno intero, mi sono chiesta se mai ce l'avremmo fatta a mettere tutto in ordine. Nel tragitto dall'appartamento dove ha sempre vissuto fino alla nuova casa, Sister non ha cessato un secondo di miagolare lamentosamente. Le scaffalature che avevamo comprato – e alle quali avevamo dato ben tre mani di vernice – si sono dimostrate insufficienti rispetto al numero dei nostri libri, perciò abbiamo dovuto riporre in cantina sessanta scatoloni. Nel grande soggiorno, divani e poltrone del precedente appartamento sembravano mobili d'una casa di bambole. Gli uomini hanno cominciato ad aprire i pacchi, ma non avevo la più pallida idea di dove mettere i vasi, i vassoi, i quadri. Perciò hanno ammonticchiato gli oggetti qua e là sul magnifico pavimento rimesso a nuovo. Comunque sia, ci sentivamo felici di aver acquistato la casa. La nostra camera da letto ha il caminetto e finestre alte fino al soffitto che danno sul balcone, la vegetazione tropicale e, in fondo, l'oceano Pacifico. Ho dipinto le pareti di una tinta che si chiama «Sicilia», un color pesca chiaro. Disponiamo di uno studio ciascuno; abbiamo inoltre una vasta dispensa, un giardinetto recintato, e una bougainville che certo risale all'epoca della costruzione della casa. Insomma, eravamo troppo entusiasti per sentire la fatica di giornate lunghissime, impegnate dall'alba al tramonto. Ed è tornato da due settimane di lavoro piuttosto intenso a Bramasole, e il rientro è stato duro: si è rotta una tubatura e l'acqua ha cominciato ad allagare lo scantinato. Ho visto Ed con l'acqua alle caviglie, il telefono in una mano, una scatola di libri sotto l'altro braccio. Dopo un lavoro di undici ore da parte di due idraulici, finalmente la perdita è stata individuata. Io sono andata tre volte nel sud della California per tenere delle conferenze; e qui in zona ho partecipato a varie manifestazioni culturali. Abbiamo fatto fare una finestra nuova per il pianerottolo, con vetri normali che sostituissero quelli piombati con due gufi che ci fissavano da un ramo. Un giardiniere è venuto a ripulire il giardino dall'edera, e ci sono tornati in mente i giorni dell'acquisto di Bramasole. Abbiamo cambiato la porta del garage. Intanto io continuavo a insegnare a tempo pieno; avevo dieci tesi, e lezioni, e incontri.

Abbiamo deciso di sposarci, senza dirlo a nessuno, e ho ripensato alla mia idea che l'impulso a traslocare significhi esser pronti a un mutamento. Ho ordinato due torte da Dominique, la mia pasticceria preferita, e abbiamo spedito a trenta amici molto cari l'invito per una festa di inaugurazione della nuova casa. Poi l'ho detto ad Ashley e a due amici. Ci siamo precipitati negli uffici competenti per ottenere la licenza, che ci hanno concesso con una facilità sorprendente: «Dodici dollari, firmi qui».

Dopo il divorzio, ho sempre evitato l'argomento matrimonio. A un certo punto Ed e io abbiamo capito che saremmo rimasti sempre insieme, eppure mi dicevo: «Perché preoccuparsene?»; oppure: «Siamo adulti, ormai, e non c'è più, a spingerci, la necessità di allevare figli». Le parole di una mia amica, «il matrimonio è il primo passo verso il divorzio», mi terrorizzavano; tra me e me pensavo: «Non rischierò di bruciarmi una seconda volta». E poi non volevo mai più dipendere economicamente da qualcuno: i primi anni di matrimonio, quando io scrivevo poesie e mio marito lavorava, li ho pagati a caro prezzo. Così ho capito che non avrei mai più compiuto un simile passo senza potermi mantenere da sola. Miracolosamente, e grazie alla scrittura, ciò è avvenuto.

Una montagna di fiori, un grande tagliere pieno di formaggi, fragole, dolci, *gelato*: mai festa di matrimonio è stata più facile. I nostri amici ci hanno regalato saponi, piante, ciotole e libri per dare calore all'ambiente nuovo. La carissima amica Josephine, ministro della Chiesa, ci ha radunato tutti in salotto per la benedizione della casa. Stavamo accanto a lei davanti al caminetto, insieme ad Ashley e

Stuart; e quando Josephine ha cominciato: «Cari amici, siamo qui riuniti...» tutti hanno applaudito. Ha parlato della felicità; Ed e io ci siamo letti vicendevolmente delle poesie: ecco tutto.

Il giorno successivo siamo tornati ad aprire pacchi, a cambiare serrature e a stipulare contratti di assicurazione. Ma accoglievamo il postino con larghi sorrisi, e di tanto in tanto ci capitava di ballare nel corridoio.

Il matrimonio di Ashley era già fissato per agosto, e l'organizzazione poteva dirsi completata. Lei ha superato entrambi gli esami, e i professori hanno acconsentito che tenesse una conferenza sulla sua materia. Stuart ha cessato il rapporto con l'azienda per cui lavorava e ha cominciato una nuova attività, ha spostato l'ufficio e ha assunto del personale. In auto, andando insieme al ristorante, parlava sempre al telefono. Chi mai aveva il tempo di cucinare? Ma eravamo in un bailamme così totale che alla fine non ci preoccupavamo nemmeno più. Ashley e Stuart ci hanno regalato una griglia, e una sera siamo riusciti a bruciare carne e verdure. Quanti cambiamenti! La casa ha assunto un aspetto spartano ma ordinato. Per le prime due settimane in cui ci abbiamo abitato, non ho capito dove fossero le forchette e come funzionasse la lavatrice. In sei settimane abbiamo portato a termine lavori di restauro per i quali ci sarebbero voluti sei mesi: e questo grazie al nostro allenamento italiano. Sister ci guardava con fare recriminatorio, rifiutando di muoversi dalla valigia di Ed. A un certo punto non ritrovavamo più i documenti con cui avevamo chiesto una dilazione delle imposte. A fine anno accademico, abbiamo preparato le pagelle degli studenti e riordinato l'ufficio. Col mese di giugno è arrivata la persona a cui abbiamo dato l'incarico di badare alla nostra casa; e noi siamo partiti per l'Italia.

In Italia mi alzo col sole, e non al suono della sveglia. Scombussolata per il gran lavorio di primavera, guardo inebetita fuori della finestra; Ed si è alzato ancora a buio, ma solo per cascare addormentato sul divano. Siamo tornati a Bramasole per trascorrervi l'estate, e vorrei restare a fissare gli alberi senza dover parlare con nessuno per almeno una settimana. Vorrei una governante sempre pronta, immobile nella sua divisa candida, che mi porta fette di melone su piatti di porcellana, che mi rinfresca la fronte con la mano. La prima settimana di giugno il giardino è in piena fioritura, anche i gigli gialli si sono schiusi. I tigli che Ed e Beppe hanno potato in marzo hanno adesso una fitta chioma di foglioline nuove; qualche rosaio si spoglia già della prima fioritura.

Arriva Beppe e Ed esce a salutarlo a piedi e torso nudi. Beppe gli porge un sacchetto: «*Un coniglio per la signora, genuino*». Nei suoi settanta giorni di vita, il coniglio ha mangiato soltanto erba, insalata e pane. Guardo nel sacchetto e vedo la testa. «La usi per il ragù» mi consiglia. «La carne del muso è...» e fa il gesto di avvitarsi qualcosa alla guancia con il dito indice, a significare una prelibatezza. Ci dice che in primavera ha piovuto ogni giorno, e che perciò tutte le piante sono in anticipo di due settimane. L'aria è carica di umidità, e mi sembra di vedere la valle, luccicante di umori, come attraverso una lente verde. Ci dice anche di aver curato lui l'*orto*, perché Anselmo è di nuovo malato. Gli telefoniamo, dopo, e ci risponde con una voce stanca, ma ci rassicura che tra un paio di settimane starà di nuovo bene. Ed fa il caffè e ci sediamo al sole, certi che al suo calore recupereremo presto le forze. Discutiamo dei sintomi da stress post traumatico, e del fatto che ci sia capitato o meno di restarne vittime.

Primo Bianchi si presenta con la sua solita Ape scassata. Andandogli incontro notiamo che zoppica vistosamente; indossa pantaloni grigi stirati e mocassini, invece dei suoi tipici abiti da lavoro. Subito si siede sul muro e si toglie le scarpe: anche coi calzini si vede che ha le caviglie gonfie. Fa una smorfia ogni volta che si muove o poggia i piedi in terra. «Forse è gotta» spiega. «Non ho potuto lavorare per un mese. E le pillole che mi hanno dato mi fanno male al fegato.»

Siamo pronti a terminare i lavori del bagno, iniziati la scorsa estate, e che il mancato arrivo delle ceramiche dalla Sicilia, finite in mare, aveva bloccato. Pensiamo anche di ricavare uno spiazzo in pietra con il grill, davanti alla *limonaia*, e di costruire una pergola per l'uva, seguito del grande progetto di trasformazione del giardino. Primo ci racconta di aver trascorso l'intera piovosa primavera a ricostruire la scala interna di un *palazzo*: e stando sempre in ginocchio sui mattoni umidi, o a preparare il cemento e a trasportarlo, c'è da stupirsi che i suoi piedi si siano ribellati? Forse dovremmo trovare qualcun altro, ci consiglia. «No, no, aspetteremo finché non si sentirà» gli dice Ed. «Ci piace come lavorate, lei e i suoi operai.» In verità, siamo pazzi di lui: sa fare tutto; se sorge un problema, riflette un poco muovendo la testa da una parte e dall'altra, ci guarda e, con un sorriso, ci espone la possibile soluzione. Durante il lavoro accenna a vecchie melodie della tradizione rurale toscana e umbra, che si limitano alla ripetizione monotona di tre o quattro note modulate a bocca chiusa. Nel fondo dei suoi occhi azzurri leggo una tristezza che contrasta con l'immediatezza del sorriso. Si alza e promette di telefonarci, non appena crede di poter cominciare.

Pur dispiacendoci per i suoi piedi, una simile proroga ci manda in visibilio: abbiamo dunque innanzi a noi qualche settimana di *dolce far niente*, la cosa che amiamo di più. Sembra che il destino ci conduca sempre alla realizzazione di enormi progetti. Questo inizio d'estate è d'un'intensa dolcezza, e il ritmo accelerato dei mesi passati gradatamente si allenta, cedendo il luogo alle lunghissime giornate che la

Toscana ci dona. Persino la frenesia della scorsa primavera (un cataclisma, sia pure con intenti positivi) aveva quale origine il desiderio di portare a San Francisco un po' del nostro modo di vivere qui.

Ripensando ai lavori della passata primavera, ci domandiamo che cosa avremmo potuto fare in maniera diversa; e che cosa, invece, possiamo portare con noi nella nuova casa. Quale spiegazione dare al profondo mutamento che qui subisce la nostra mente, il nostro corpo? E in California non siamo forse quasi sempre scombussolati? Nei periodi in cui gli impegni mi sommergono, sento svanire la mia capacità di concentrazione: ma basta qualche giorno qui, e mi riprendo da una simile schizofrenia esistenziale. Felicità è anche assenza di ansie. Chiaramente va tenuto in conto il principale aspetto, e cioè che qui non lavoriamo. Ma a noi piace insegnare e continueremo a farlo, perciò, che altro?

Qui i mass media ci raggiungono poco o nulla. E noto subito l'enorme differenza; capisco che l'abitudine di ascoltare il notiziario radiofonico, andando in auto al lavoro, equivale a distruggere il ritmo naturale della giornata, in maniera surrettizia, in quanto l'accendere la radio sembra un gesto automatico, e privo di conseguenze. Ma nella mezz'ora di viaggio tra casa e università, vengo informata di signori della droga assassinati, bambini violentati da chi dovrebbe proteggerli, esplosioni di autobombe, case trascinate via dalle inondazioni: appena desta, la mia psiche assorbe tutto questo dolore del mondo. Il bombardamento di immagini spaventose, sconvolgenti vanifica qualsiasi beneficio di un buon sonno. Con la TV probabilmente sarebbe peggio: i telegiornali li guardo di rado, tranne in caso di terremoti o altre catastrofi. Così, quando arrivo all'università sono già in tensione e non so perché. Il flusso costante di orrore trasmesso via etere o dai giornali diventa un fatto normale, fino al giorno in cui viene meno. Esistono studi sul livello di stress rispetto alla quantità di notizie incamerate? Qui leggo il giornale due o tre volte alla settimana, più che sufficienti per essere al corrente degli eventi di maggiore importanza. «Comincerò la giornata senza quel ronzio di sottofondo» dico a Ed. «Come voglio io.»

«A me piacciono i notiziari del traffico. Un fiume di parole: assomiglia a una poesia di Dylan Thomas. Invece delle notizie, senti le suite per violoncello di Bach.» Di solito lui non ha tanti impegni quanto me; nella mia università le ore di insegnamento sono il doppio di quelle previste nella sua. «La cosa fondamentale è avere più tempo per sé.»

«Nella nuova casa dobbiamo alzarci presto e passeggiare, proprio come facciamo qui: un altro modo di cominciare la giornata come ci piace. Possiamo passeggiare sul mare!»

«Se solo riuscissi a portarmi dietro l'abitudine della siesta... qualche ora libera a metà giornata.»

«Non ti piacerebbe telefonare a un amico chiedendogli: "Come stai?", e non sentirti rispondere: "Ho tanto da fare"?»

«Be', "ho tanto da fare" può avere diversi significati... Vuol dire anche "quanto sono importante!". Ma forse la vita è così importante che non dovremmo mai essere occupati. Ovvero non troppo.» Ed dice ai suoi studenti di calcolare quanti finesettimana restano loro considerata una vita media, se la fortuna li assiste. E anche il più giovane rimane colpito all'idea che ne ha soltanto duemilaottocento: poca roba. Eh sì, *carpe diem...*

Assumiamo un atteggiamento edonistico al massimo grado: dopo due giorni trascorsi a rifornirci dell'essenziale, a piantare le poche cose che ancora troviamo nei vivai, e a riprendere la vita di qui, che conosciamo bene, cominciamo a fare lunghe passeggiate. Certo mai, in tutto il secolo, devono esserci stati tanti fiori di campo: le incessanti piogge primaverili hanno ben nutrito ogni seme, e dai sentieri tra un appezzamento e l'altro vediamo distese di prati coperti di fiori alti al ginocchio, e colline gialle di *ginestre*, il cui profumo si diffonde sulle ali del vento. Raccogliamo fragole grosse quanto un rubino di due carati, e ci sediamo sull'erba a mangiarle. Giriamo per l'Umbria, nelle botteghe di antiquariato, sperando di trovare una scrivania. Un antiquario ci dice: «Posso procurarvi qualsiasi oggetto desiderate: ditemi solo che cosa cercate». E mi fa tornare in mente le grandiose promesse di mio padre, quando ero piccola: «Di tutto ciò che esiste al mondo, dimmi solo cosa vuoi, e l'avrai». Non riuscivo a pensare ad altro che a una piscina, al che lui ribatteva: «Non è questo che vuoi davvero: pensi di volerlo».

A San Casciano dei Bagni, dove i Romani avevano costruito delle terme, mangiamo ravioli al piccione in un ristorante sulla via principale; poi raggiungiamo Sarteano e Cetona, per strade serpeggianti attraverso l'incantevole campagna.

Ormai riposati dalle grandi fatiche, andiamo a Firenze e ci passiamo la notte. Devo trovare un vestito da mettere al matrimonio di Ashley, ad agosto. A Firenze, in altre occasioni, ho comprato soltanto scarpe e borse; ora nelle vetrine ci sono già i colori dell'autunno, i marroni, i prugna, i grigi. Ed entra nello spirito autunnale, e acquista due giacche sportive; soprattutto in compagnia di Jess (il primo fidanzato di Ashley, e ora nostro amico), Ed si diverte a trascorrere un'intera giornata nei negozi per uomo: si spronano l'un l'altro e io assisto. Adesso Ed mi segue negozio per negozio. Mi sono abituata al modo in cui gli italiani fanno shopping: chiedi un articolo e i commessi te lo mostrano; è sbagliato cercare da sé, tra i capi esposti, perché molti negozi tengono in vista una taglia soltanto; e i commessi sono lì a tua disposizione, il self-service comune negli Stati Uniti qui non si usa. Insomma, appena dico che cerco un abito per il matrimonio di mia figlia, saltano fuori tutti i capi presenti in negozio: i commessi capiscono che si tratta di un'occasione *molto importante*. Ma la maggior parte delle madri delle spose, penso, non vuole un vestito da «madre della sposa», appunto; e credo che i vestiti trinati color lavanda o di crêpe beige restino invenduti. Infine, in un negozietto che cuce su misura, scelgo un tailleur arancione. Non ho mai posseduto un vestito arancione in vita mia. È di seta, e per consegnarlo hanno bisogno di provarmelo due volte. Mia sorella mi presterà la sua collana di perle e corallo. Trovo anche delle bellissime scarpe d'oro brunito con tacchi molto alti. Il matrimonio sarà meraviglioso: l'unico intoppo sta nel fatto che dovrò incontrare il mio ex marito, per la prima volta dopo anni.

Vittorio ci telefona per invitarci a un pranzo su una barca. Il consorzio vinicolo del lago Trasimeno ha organizzato quello che noi chiamiamo un *progressive dinner*, cioè un pranzo consistente in quattro portate, da degustare in quattro diverse località sul lago: l'appuntamento è a Castiglione del Lago, a mezzogiorno. Quando arriviamo servono già bicchieri di *prosecco* e *bruschetta* con pomodoro e basilico: ci danno un bicchiere di vino e una sorta di marsupio da appenderci al collo, dove tenere il bicchiere nei momenti in cui non beviamo. C'è molta più gente di quanta ci aspettassimo; troviamo Vittorio e Celia, i loro figli, e parecchi amici loro. Forse duecento persone stanno salendo sulla barca, che ha un bar proprio nel punto di accesso; e mentre gira ancora il *prosecco*, ci stacchiamo dal molo. Mi piacciono molto barche e isole, e come l'imbarcazione segue docile il movimento delle acque. Scendiamo all'Isola Maggiore, e il personale dell'albergo ci serve pasta alle uova di carpa e dell'ottimo pane: i dipendenti del consorzio vinicolo offrono generosamente tutti i tipi di bianco. Al piatto di pasta segue una passeggiata sulla spiaggia, sotto il sole cocente, poi, tornati sul traghetto, ci muoviamo alla volta dell'Isola Polvese.

Stappano i vini rossi, servono *crostini* vari. L'acqua permeata di sole rimanda bagliori argentati. I bambini cominciano ad annoiarsi, ma ecco che un'orchestrina inizia a suonare e qualcuno balla. Per me andrebbe bene tornarmene a casa, ma credo sia impossibile. Sono già trascorse quattro ore. L'Isola Polvese, regno di uccelli e piccoli animali allo stato libero, ha spiagge che nelle domeniche assolate si riempiono di gente: un uomo disteso su un asciugamano ha la pelle talmente arrossata da sembrare un *écorché*, uno scorticato. Sull'isola raggiungiamo in massa un lungo tavolo allestito all'aperto, dove ci servono carpa cucinata come fosse *porchetta*, ovvero arrosto con sale ed erbe aromatiche, e in più avvolta nella pancetta. È squisita.

Di nuovo sulla barca, capisco che gli italiani sono abituati a giornate interminabili sul genere di questa: si allenano alle *feste* di comunione, ai battesimi, ai matrimoni. Per l'intero pomeriggio ci versano vino, i volti sono lucidi di sudore, al bar stappano una bottiglia dopo l'altra. L'orchestrina accende l'impianto stereo e la cantante in abito attillato attacca con *Hey, Jude*, seguitando nei ritmi più veloci di un rock italiano. D'un tratto tutti ballano, la barca beccheggia: ci capovolgeremo? Un tizio ritardato balla con la madre, le nonne si dondolano sul posto, un uomo volteggia tenendo tra le braccia la figlia di tre anni. Comunicano al microfono l'avvenuto goal da parte di una squadra di calcio, e tutti si mettono a gridare e a saltare con tale energia che davvero mi figuro la barca colare a picco. Scendiamo di nuovo a Passignano, per il dolce; i bambini ricominciano a fare capricci. Rimesso piede sulla barca, il vino continua a scorrere, servono crêpe di spinaci e formaggio: sono otto ore che si mangia e si beve.

Finalmente puntiamo la prua verso Castiglione del Lago. A bordo vediamo una coppia di americani, lui sembra inebetito, e lei sul punto di piangere. Il sole è ormai basso all'orizzonte e i colori vividi del cielo si riflettono sull'acqua;

ci sporgiamo dal parapetto a osservare la scia, mentre gli italiani si uniscono all'orchestrina cantando in inglese «*Like a bridge over troubled waterrrr, I will lay me down...*» e poi altre canzoni italiane famose. Mentre prendiamo crema solare e macchina fotografica, udiamo per caso alcuni gruppi che parlano dei vari ristoranti in cui andranno a cena: sì, gli italiani hanno un misterioso gene che a noi manca.

I *fagiolini* di Beppe, il tipo che in California chiamiamo Blue Lake, sono da cogliere; teneri e sottili, non se ne dovrebbero neppure togliere le estremità, ma io lo faccio egualmente. Cotti a vapore al punto giusto, serbano tutta la loro fragranza; altrimenti, se sono troppo crudi, stridono sotto i denti e hanno un sapore amaro. Li mangiamo come piatto unico, con l'aggiunta di olio, sale e pepe. Una manciata di nocciole tostate, a pezzetti, ci sta bene, oppure un po' di cipolla soffritta, o ancora (il mio accostamento preferito) finocchio e olive nere. A mia madre piacevano col dragoncello, olio, aceto e pancetta a dadini: mi ricordo che la consideravamo una squisitezza, visto che i fagiolini di solito erano cucinati a pezzi, solo con il lardo. In onore di quella sublime ricetta, prendo dei rametti dalla mia pianta di dragoncello, che è ormai diventata un cespo gigante, e cerco nei miei libri un modo di usarli che non sia semplicemente tuffarli nell'aceto. Nel Medioevo, i pellegrini in viaggio per la Terra Santa se ne mettevano dei rametti nelle scarpe, affinché i piedi ne traessero energia. Voglio provare, una volta.

I fagiolini sono l'unica verdura che Anselmo non ha piantato, lo scorso anno, quando ha cominciato l'orto; ora cresce rigoglioso, e Beppe ha un po' ridimensionato le grandi ambizioni di Anselmo. Abbiamo cipolle, patate, fagiolini, lattuga, aglio, zucchine e pomodori; appena arrivati gustiamo i carciofi di Anselmo e gli asparagi. Beppe prevede di piantare i finocchi, e di riseminare le lattughe ogni poche settimane. Ci manca Anselmo, la sua ironia, il suo tirannico controllo dell'orto, e il suo spirito d'iniziativa, che ci trascina sempre in nuove avventure: quando lo cerchiamo al telefono, ci dicono che l'hanno portato all'ospedale.

Prendiamo un ramo di lavanda e lo leghiamo a un vasetto di miele. Che strano, questo ritorno all'ospedale; è un uomo forte, pieno di idee, di allegria: lo troveremo di certo seduto sul letto a gridare «*Senta, senta*» nel *telefonino*. Ed ferma la macchina e si dirige al parchimetro, per pagare e ritirare la ricevuta; io mi avvio a piedi verso l'ingresso dell'ospedale, rallento, lo aspetto.

Un'occhiata ai *manifesti funebri* attaccati al muro mi rivela il nome di Anselmo. Lo rileggo, incredula. Mi sforzo di concentrarmi: «Ieri, con i conforti religiosi... il funerale domani... non fiori ma opere di bene... Anselmo Pietro Martini Pisciacani...» A differenza degli altri avvisi, questo reca un'immagine slavata di Cristo coronato di spine, gli occhi al cielo, circondato da un serto di rose. No, non è da lui: dev'esserci un errore, non è lui il defunto. Ma il nome è innegabilmente il suo. Si avvicina Ed, e gli faccio un cenno con la testa. «Oh, no!» esclama. «Non è possibile!»

Entriamo nell'ospedale; al banco dell'accoglienza, Ed domanda: «Un nostro amico è stato ricoverato qui. Temiamo che sia morto. Si chiama Anselmo Martini».

L'impiegato non trova nessuna documentazione: forse ci sbagliamo. Ma poi rammento, sull'avviso mortuario, il cognome Pisciacani, che lui odiava e che aveva abbandonato dopo la morte della madre. «Pisciacani» dico.

«Ah, sì, mi dispiace: è giù nella cappella. Il corpo di chi muore in ospedale è trattenuto qui per ventiquattr'ore.» Ci accompagna al piano inferiore; Ed mi aspetta alla porta e io entro. Anselmo giace su un tavolo di marmo, vestito con il completo marrone, i piedi divaricati e le scarpe un po' polverose; attorno a lui, quattro donne in nero pregano. Depongo sulla soglia il vasetto di miele e fuggo via.

A casa la presenza di Anselmo è ovunque, sul terreno. Ha ricostruito quel muro di pietra, ha ripulito due terrazzamenti per trasformarli in *orto*, ha seminato l'erba nel Lime Tree Bower. I limoni in vaso, le tre rose color sangue rappreso, il torchio: cose che ci ha donato con poche parole, ma certo con immenso piacere. Sul terzo terrazzamento ha piantato tre albicocchi, e vicino alla strada due peri. Per anni e anni avremo qui i frutti del suo lavoro, e ne godremo. Nella *limonaia* è rimasto il suo berretto rosso, appeso a un chiodo.

Ci sembra di aver perduto un caro zio; Ed è ancora scosso dalla morte di sua madre, così la perdita di Anselmo ci giunge come un doppio dolore. È davvero difficile accettare un simile evento, il fatto che la persona che ami semplicemente è stata cancellata dalla faccia della terra. Non sono mai riuscita a comprendere ciò che sta dietro alla nascita e alla morte, l'affiorare al tumulto della vita dall'abisso prenatale, solo per sprofondare in un altro vuoto... spero di scoprire che esiste un oltre, il giorno che esalerò l'estremo respiro. Non posso sopportare la non vita. Per decenni, ogni giovedì Anselmo si ritrovava al mercato con cinquanta o sessanta amici, e chiacchierava del tempo, degli affari, facendosi tintinnare le monetine nella tasca. Quando entravamo nel suo ufficio in via Sacco e Vanzetti, smetteva qualsiasi occupazione; lo interrogavo sulle case coloniche in vendita le cui foto vedevo appese al muro, e se una mi piaceva particolarmente diceva: «Andiamo a vederla» e afferrava il cappello. Aveva davanti tutto il tempo che desiderava. E adesso neppure un minuto. «Nessuno può garantirti una vita di cento anni, ragazza. E non esiste il soddisfatti o rimborsati» diceva mio nonno.

Per la messa funebre la chiesa si riempie di gente. Noi restiamo sulla porta. Fuori, nel portico, una trentina di uomini fumano e chiacchierano, come se fossero al mercato: molti li conosco, i loro volti abbronzati denunciano il quotidiano lavoro nei campi. I più vecchi sono bassi, indossano abiti troppo pesanti per il caldo sole di luglio; i giovani, invece, sono più alti – i benefici dell'alimentazione postbellica... – con camicie a maniche corte, ben stirate. Nella navata, afa e nuvole di incenso. Qualcuno avrà uno svenimento? I familiari si sorreggono l'un l'altro mentre si avvicinano all'altare, e alla bara, per comunicarsi. È difficile credere che Anselmo giaccia in quella bara. I lamentosi inni cattolici vanno avanti un bel pezzo; poi caricano la bara sul carro funebre. Abbiamo già assistito a processioni come questa. Seguiamo anche noi il feretro per la strada verso il cimitero. Spero che non lo mettano in uno di quei loculi che sembrano cassetti in un muro. No, c'è già pronta la fossa: era un uomo della terra, così è giusto che la terra lo riceva. Nessuna cerimonia: si limitano a calare la bara con l'aiuto di corde. Non uno scossone, non un tonfo. Quando hanno seppellito mio padre, il terreno era così saturo d'acqua che la bara galleggiò per un momento, prima di affondare. «Non è affatto vero» mi dice mia sorella. «Quando hanno calato la bara eravamo già andate via.» Ma si sbaglia: vedo chiaramente il drappo rosso tirato via dai becchini e la bara di bronzo che comincia a sprofondare. «Te lo sei immaginato» insiste. I familiari avanzano e ciascuno getta un pugno di terra. Parliamo con loro. Tutti se ne vanno in fretta; niente cena o visita ai parenti. Domani è lunedì, si torna al lavoro.

A casa Beppe sta legando i tralci delle viti. Gli diciamo di Anselmo, di come se ne sia andato in un baleno. Si drizza lentamente, in silenzio, si leva il cappello e gli occhi gli si riempiono di lacrime. Scuote la testa e torna alle sue viti.

Passata l'agitazione che segue a una morte, subentra il contraccolpo e l'incredulità: sentiamo forte il peso dell'assenza. Il rito del funerale serve a placare il terremoto emotivo, perché non lascia più adito a dubbi. È tutto finito... I sacramenti sono un modo di interiorizzare bruscamente gli eventi fondamentali della vita. Ora cominciamo a pensare: «Ecco, trascorre la sua prima notte sottoterra; il giorno di mercato gli uomini occupano uno spazio che fu anche suo; guarda, i peri di Anselmo». L'ultimo lavoro della sua vita è stato sulla nostra proprietà. Aveva la sapienza antica del tempo e del luogo in cui le piante prosperano. Lo abbiamo ringraziato abbastanza per averci trovato Bramasole?

«*Hearse*[6] è un strana parola» dice Ed, mentre torniamo a casa dalla città, sulla strada romana. «Nel Medioevo era *herse*: lo so perché l'ho usato in una poesia che ho scritto per la morte di mio padre. *Herse* deriva dal latino *hirpex*, che significa erpice. Sai che gli erpici hanno tutti quei denti... in Italia li chiamano i *quaranta denti*. Insomma, *hirpex* viene a sua volta dall'osco *hircus*, cioè lupo, qualcosa che ha a che fare coi denti. Mi è parso strano seguire quel carro-*hearse*.»

«Leggimi la poesia.»

SCORPIONI

Una calura greve, madida, al cento per cento, *oggi*
                                [esplode,
come esplodesse improvvisamente un'automobile,
o la grande damigiana si schiantasse in mille pezzi sul
                                [pavimento,
quando la urto trasportando una bracciata di libri
da una libreria in una stanza a un'altra libreria
in un'altra stanza: l'alito ardente mi penetra nei
                                [polmoni,
i piedi nudi sono accerchiati da frammenti di vetro.
                                [Ripenso
alla parola «booklungs» (con cui s'intendono i neri cavi
                                [polmoni

---

[6] «Carro funebre», in inglese (*N.d.T.*).

degli scorpioni), all'interno dei loro corpi come libri
[privi di testo.
Per tutta la settimana uno scorpione nero lungo quattro
[centimetri
è stato nella doccia, non per via del caldo, ma perché
ha divorato uno scorpione più piccolo, che c'era venuto
[prima,
forse in cerca di acqua. Il secondo ha divorato
[interamente l'altro,
lasciando sulla porcellana solo tre delle sue otto zampe.
Ricordo di aver udito la donna al ristorante,
che con denti bianchi e grandi ha divorato un vassoio
di chitinosi gamberetti. Anche lo scorpione porta il suo
[carapace.
E prova che può divorare la preda anche attraverso la
[corazza,
dando un taglio netto alla sua contesa con l'altro, il cui
[oggetto, certo,
non vale il sacrificio della vita. Il primo reca l'altro
completamente in sé, sta vivendo due vite.
Mi rammento Crono che divora i suoi figli, polmoni e
[tutto,
che affonda i denti nei crani, nei cervelli, e poi Zeus
[con l'inganno
glieli fa vomitare tutti, e ancora vivi. Ma la prova è
nel mangiare – meglio mangiare che non mangiare. Il
[che mi fa pensare
a mio padre, che ha mangiato per l'ultima volta
[l'8 agosto, e ha sentito i suoi polmoni,
sacche di povero tessuto, esalare tutta l'aria. Ora la bara
[è il suo nuovo
carapace, di lucido acciaio... In esso vediamo riflessi
[i nostri volti deformati.
Qui, a fine agosto, sento le pere cadere, aculei di vespe
e iridescenti insetti corazzati bucano le carni, e

*c'è una dolcezza greve sotto l'albero, quando raccolgo
i frutti ammaccati:* Rake, *come* harrow,[7] *come* hearse
[*quello
che ho seguito il 12 di agosto), dall'osco che significa lupo –
a causa dei suoi denti, forti abbastanza da spezzare ossa.*

Non è caduta una goccia di pioggia in tutta l'estate. Il giardino lussureggiante dello scorso anno langue adesso al caldo più torrido mai registrato di questa stagione. «Riesco a mangiare solo anguria e *gelato*» ci dice la signora Molesini, dal droghiere. Anche se la innaffiamo moltissimo, l'erba muore egualmente; le rose voluttuose fiorite in giugno perdono via via tutte le foglie; e i bocci rifiutano di aprirsi.

Lo stesso accadde l'anno in cui abbiamo comprato la casa: le nubi si addensavano in cielo, tuonava da scuoterti dalla testa ai piedi, ma non pioveva mai. Il pozzo si era prosciugato e mi ricordo che nel cuore della notte mi svegliavo e pensavo: «Sono una pazza patentata. Non ho idea di che cosa sto facendo». Le querce si sono quasi seccate e i carrubi hanno perso le foglie anzitempo: sul pendio si vedeva una serie di alberi scheletrici. L'estate successiva fu più mite, con i terrazzamenti pieni di fiori selvatici: abbiamo dormito fino a luglio con una copertina leggera. Amiamo vivere sul ritmo delle stagioni, anche se è un'estate rovente, e per la prima volta cinghiali e volpi vengono nel nostro giardino. Di notte ho sentito il *cinghiale* grugnire nel prato, che attraversava per raggiungere il rubinetto e leccare qualche goccia dall'acquaio di pietra. Si azzuffano con... che cosa? Scoiattoli? Porcospini? Poi se ne vanno col loro tipico verso, una sorta di «ha-ha». Non sono riusciti a superare la recinzione che Beppe ha messo attorno all'orto, ma in compenso trovano in terra un sacco di susine, di cui sono ghiotti.

[7] *To rake* significa «raccogliere, rastrellare»; *harrow* significa «erpice» ma anche «devastazione» (*N.d.T.*).

All'inizio di agosto torniamo alla nebbiosa, fredda San Francisco per il matrimonio di Ashley. Sono arrivati tutti i miei parenti del Sud: il clan al gran completo; le mie compagne di università e i loro mariti sono in viaggio; e ancora gli amici newyorkesi di Ashley, del periodo in cui faceva l'artista, e gli amici di Stuart, la sua famiglia. Ashley e le damigelle d'onore arrivano con il vestito da sposa, che appendono davanti a una delle molte finestre prive di tende, dove resta a oscillare, testimone verace della realtà del matrimonio. Di colpo Ashley sembra soverchiata dall'importanza dell'atto che sta per compiere. Entra nella mia stanza mentre sto disfacendo le valigie e si butta sul letto: «Hai qualche consiglio da darmi?»

Ricordo di aver fatto la stessa domanda a mia madre. Dopo un minuto di riflessione mi ha risposto: «Non usare mai biancheria intima lisa». Dico ad Ashley che vorrei tirar fuori qualcosa di meglio, per lei, ma non sono certa di esserne in grado. È una persona molto matura, al pari di Stuart; entrambi si accostano al matrimonio non solo pieni di amore ed entusiasmo, ma con grande gioia per essersi trovati dopo molte false partenze. Ashley è una delle persone più risolute che conosca: ogni sua decisione è sostenuta da una ferrea volontà.

Diamo un cocktail per le persone venute da fuori, mentre a cena resteranno i soli familiari. A questa festa mi capita una delle cose più strane della mia vita: Ashley è bellissima nel suo vestito rosso corto; due camerieri girano fra gli invitati a servire champagne, e Ed ripete tra sé le parole del brindisi che sta per fare; le mie sorelle, i cognati, i nipoti sono felici di essere tutti riuniti; Ashley, all'ingresso, riceve gli ospiti; sto parlando con alcuni amici quando vedo mio nipote attraversare l'atrio pieno di gente e venire verso di me. Gli vado incontro e mi presento all'uomo che chiacchiera con Ashley: «Piacere, sono Frances, la madre di Ashley». Gli stringo la mano e noto la sua espressione perplessa. «E io sono Frank» risponde ridendo. Il mio primo marito! Il padre di Ashley... Siamo stati sposati per una vita e adesso non lo riconosco! Sicuramente crede che stia scherzando. Certo, ero distratta dagli ospiti in continuo arrivo, dai miei compiti di anfitrione... Eppure lo guardo dritto in viso e ancora non lo riconosco. Una volta mi disse: «Riconoscerei la tua mano in un secchio di mani», una delle frasi affettuose più bizzarre che abbia mai udito. Esco all'aperto e respiro a pieni polmoni l'aria fresca, cercando di incassare il colpo: dunque l'immaginario cordone ombelicale con il passato si è definitivamente spezzato. Non è che lui sia cambiato: nel corso degli anni l'ho rivisto spesso, nel ricordo o nei sogni; mi sarei aspettata un flusso di memorie, un subitaneo ritorno al passato. Guardandolo ho sempre avuto la sensazione di guardare uno specchio, dove fosse riflessa la mia immagine, un identico contrario. Per molto tempo ripenserò alla mia mano che stringe quella di uno sconosciuto.

La cena di nozze si svolge nel giardino di una fattoria nella regione dei vigneti: davvero una festa da sogno, con rose color albicocca e rosa dappertutto, e una luce dorata che inonda le colline, la sposa che sembra scendere da una nuvola, lo sposo che si sdilinquisce vedendola venire verso di lui, e la voce del tenore che canta *Con te partirò*. Il velo le resta impigliato in una rosa e si lacera, suo padre la libera, prende il pezzo di velo strappato e se lo mette in tasca, riprendono a camminare. Un istante, ma da simili istanti nascono i miti.

A cena accendono candele ovunque nel giardino, e il banchetto è in stile toscano. Ci sediamo e un airone bianco come la neve vola sopra le nostre teste, si posa sul ramo di un albero. «Porta bene» dice qualcuno. «No, è la cicogna che porta bene» ribatte qualcun altro. Per il mio brindisi recito un verso di Rilke: «L'amore sono due solitudini che vengono a contatto, si proteggono e si accolgono l'un l'altra». Il pomposo brindisi del padre di Ashley evoca l'affettuoso appoggio dato agli sposi dalla presenza di tanti ospiti. Ora Ashley volteggia nella danza sotto la luna piena, tutti la imitano. Ed fuma un grosso sigaro. Vorrei che gli invitati si trattenessero per l'intera nottata.

I novelli sposi partono per calde isole tropicali; le mie sorelle e relative famiglie se ne andranno nei prossimi giorni; incontriamo amici; l'eccitazione gradatamente scema, rifacciamo i bagagli e riprendiamo l'aereo per l'Italia, per Bramasole, portando con noi una sporta di libri, abiti autunnali, e un pugno di bei momenti che ricorderemo per tutta la vita.

È fine agosto e non è ancora mai piovuto. Nei tempi andati i contadini pregavano i santi, e se questi non facevano piovere prendevano le loro statue, le frustavano, le gettavano nel fiume, e ne riempivano le bocche di alici salate in modo che avessero sete. Oggi non saprei che rituali seguano, ma comunque lo fanno nel chiuso delle loro case.

Ho già passato nove estati tra le colline toscane; e anche qualche periodo invernale e primaverile, e lo scorso anno addirittura un'intera primavera. Adesso sto per trascorrervi il mio primo autunno. Le *feste* di agosto – bistecca e *funghi porcini* – sono terminate, per le strade non si incontrano più turisti, il sole è meno ardente, e di sera si diffonde una luce rosa e oro. È un autunno precoce: già si gustano tartufi, funghi e salsicce, già sbucciamo i mandarini giunti dalla Sicilia, che hanno il colore di un pappagallo, e compriamo mele dal sapore di quelle che mangiavamo da ragazzi. Primo ha scaricato sabbia e cemento: tra una settimana comincerà il lavoro. Oggi Beppe ha piantato il *cavolo nero*, e ha seminato i finocchi per il prossimo anno; ha raccolto gli ultimi fagiolini e un altro cestino di pomodori. Per tutta l'estate abbiamo mangiato fuori, in un crepuscolo che durava a lungo; adesso le giornate si sono accorciate, e se ceniamo all'aperto ci portiamo il lume.

Vittorio, che possiede il gusto delle primizie, ci invita a mangiare l'oca, l'ultimo banchetto dell'estate. Ha una voce squillante. Il nostro gruppo di Slow Food si è riunito da poco, per una cena di otto portate a base di piatti e vini veneti. «Credevo che l'oca si mangiasse a Natale» dice Ed.

«Invece no, non mangiatele mai dopo il periodo estivo. Sono troppo vecchie e grasse. Sono molto più buone ora.» Così, per una strada tutta curve, raggiungiamo una *trattoria* in alta collina, dove sediamo a due lunghi tavoli vicino al caminetto. Vittorio versa il vino, l'Avignonesi da lui preferito, e a un altro tavolo vediamo Paolo, proprietario dell'azienda che lo produce, e alziamo i calici in suo onore. Cominciano gli *antipasti*, i soliti *crostini*, serviti con collo d'oca ripieno. La pasta è al *ragù d'oca*; segue l'oca arrosto, sicuramente la migliore che abbia mai assaggiato. La sala è rumorosissima, è quasi impossibile parlarci, ma va bene lo stesso: limitiamoci a mangiare. Il bimbo nel passeggino all'altro capo del tavolo dorme in barba al frastuono.

Si ferma da noi Margherita, la figlia della signora Grazzini, quella che viene a far erbe sul nostro terreno. Stava passando in macchina proprio nel momento in cui abbiamo tirato giù la palma disseccata. Abbiamo aspettato l'intera estate, assistendo alla perdita progressiva delle foglie. Non ci piaceva tagliarla, in particolare visto che la consorella, dal fusto di una decina di metri, prospera dall'altro lato della casa; però il tronco ormai nudo, simile alla zampa di un gigantesco elefante, era una presenza inquietante. È più pesante di quanto pensassero, e Beppe e Ed lanciano un grido quando la palma si schianta sul terreno, andando a finire su un vaso di gerani. Margherita vede dalla strada ciò che io vedo dalla finestra.

Margherita è stata a Bramasole da piccola, e rammenta la palma nella sua giovane età. Mi colpisce udire che tuttora sogna le stanze e la terra dove viveva a quattro anni. Dal primo momento in cui l'ho vista, Bramasole mi è parsa la casa dei sogni. Riflettendoci ora, penso che dipenda dal muro etrusco, da Torrione, da Cortona. Per quanto fugacemente posseduta, essa mi appartiene, e sento che si tratta di un possesso forte, antico. «Qualsiasi cosa avvenga, non cedere la casa» consigliava un amico a un altro amico, in fase di divorzio. «Stai scoprendo quale potere irrazionale ha per una donna l'esistenza tra quattro mura» mi dice Josephine. «La necessità di possedere una casa ha segrete radici.»

Di questo non accenno a Margherita: l'ho appena conosciuta, e non voglio che mi consideri una sorta di sibilla cumana. Mentre Beppe e Ed portano via il tronco su un furgone, lei mi racconta che certi giorni sua madre sta fuori dalle sei alle otto ore. Non si tratta solo di raccogliere lattuga, asparagi, lumache, funghi, o di tagliare l'erba per i conigli. «Ama vivere all'aperto» spiega. «Non sappiamo dove vada... Magari cammina a caso per le colline. È da una vita che percorre in lungo e in largo questa zona.»

Capisco bene cosa spinge la madre di Margherita. Passeggiando sulla strada di crinale che conduce in città attraverso Porta Montanina, leggo l'ode di Keats *All'autunno*, nella quale il poeta usa parole perfettamente calzanti all'argomento, mi sembra. Tra tutte le liriche dedicate alle stagioni, questa mi trasmette più di ogni altra l'ineffabile sensazione che provo quando l'estate cede all'equinozio d'autunno. Girano le lancette del nostro orologio interno, e abbiamo la chiara, viscerale coscienza del mutamento. Poco tempo fa le pallide rose canine fiorivano lungo il viale, ora i rami sono coperti di bacche dai colori aranciati. Nell'aria, una quiete profonda; il paesaggio si trasforma, da marrone brunito ad ambra a giallo grano, e l'erba secca ha un colore che ricorda... che cosa? Il mantello d'un leone, o la crosta abbrustolita del pane, o l'oro di una fede consunta. Un istante fa i verdi erano brillanti. «Tempo di nebbie e d'ubertà matura»[8] scrive Keats, e vedo la caligine nella valle e i rami del pero carichi di frutti, macchiati e sforacchiati dagli uccelli, dalle api, dai vermi. Mi piace l'idea della stagione che cospira col sole: «Tu che [...] la vite ti dai cura / Di far felice d'uve» per citare ancora Keats. Assaporo i versi: «ventilanti brezze / fra i tuoi crini asolando», «t'infondono i papaveri il sopore», «e di pomi i muscosi alberi adorni». Sì, anche noi crediamo che «coi caldi giorni / sopra la terra estate ognor soggiorni», come è detto nella prima strofa, allorché l'iniziale candore a poco a poco si rabbuia. Senti nelle parole il mutamento, l'approccio alla fredda stagione. Grande talento, il suo, di comunicare istantaneamente una condizione, il senso di una stagione, mentre verghe di luce dorata mi attraversano il cammino. Entrando dalla porta etrusca nelle linde vie di Cortona alta, vedo una donna che sta sistemando dei piccoli ciclamini in un vaso sulla soglia di casa: rosa, bianchi, cremisi, mescola i vari colori in un'unica vampa, che servirà a riscaldarla nei lunghi mesi invernali. Davvero bello, le dico, e lei mi indica nella terra gli spunzoni verde scuro e gli stretti boccioli gialli: «È un tipo di croco che cresce in autunno, ma ha una fioritura brevissima». Ci lasciamo portare dalla terra, lei e io. Seduta sui gradini della chiesa di San Francesco, ascolto le campane domenicali, e sento di non desiderare null'altro se non questa poesia che tengo in mano, cinquemila *lire* in tasca (per un caffè e una pasta), e i nuovi mocassini rossi con cui cammino sulle pietre così bene.

[8] Per la traduzione italiana, cito dall'antologia *Poeti inglesi dell'Ottocento*, a cura di Mario Praz, Firenze, Bemporad, 1926 *(N.d.T.)*.

Mi piace anche girovagare di notte. Ed e io siamo andati a piedi in città per prendere un *gelato*, e lui ha cominciato una lunga conversazione con Edo riguardo a un eventuale impianto di irrigazione del prato. La nostra erba non è sopravvissuta all'estate, sebbene le piogge autunnali abbiano rinverdito i colli. Essendo esclusa dal dialogo, torno indietro per la strada romana, munita di torcia, imboccando quindi il viale di cipressi che porta a casa. Prima era lastricato, e il chiaro di luna riverberava sulla *strada bianca*. Adesso c'è l'asfalto e la *luna nera*, così la strada è buia, e i cipressi sembrano accogliere nelle loro sagome imponenti tutta la luce delle stelle. Ho l'ambizione di vedere ogni cipresso in Toscana. Come le querce attorno alla baia della California, i cipressi sono il simbolo del paesaggio. Le nude querce della California interagiscono con la luce, proiettando sulle colline le loro ombre scheletriche e alzando i rami verso il cielo.

I cipressi, invece, non giocano con la luce. Se fossero nel cielo, sarebbero dei buchi neri, e se io fossi in America avrei paura a camminare da sola nottetempo in una via deserta. Poiché ciascuno di essi è stato piantato in memoria di un ragazzo morto nella Prima Guerra Mondiale, sono presenze gravi, non solo per la loro forma, ma per il silenzio che si rapprende nelle chiome, come la vita estinta di quei giovani. Le punte, simili a pennelli, passano e ripassano tra le stelle.

Accaldata per la salita, sbottono completamente il vestito di lino blu e lascio che si sollevi all'aria. *Oh, per una vita di sensazione*, ci ha anche detto il nostro amico Keats. I cipressi sono ottimi compagni. E poi se venisse qualcuno lo sentirei, perché il suono riecheggia tra i colli, come l'estremo anelito del gladiatore era udito anche nella fila più remota dell'anfiteatro. Dietro la curva, la casa si leva alta sulla strada, sorta di trasmutazione del mio corpo in un muto linguaggio di finestre, porte e pietra. Ed, invece, si incarna negli olivi e nelle viti, ora cariche di grappoli polverosi.

Dallo spiazzo sopra la strada, vedo i cipressi disegnare una sinusoide contro il cielo, che nel pomeriggio il vento ha sgombrato delle nubi. Le stelle saettano sulla valle, stelle cadenti che anche gli etruschi hanno visto da questa stessa collina. Riconosco il passo di Ed giù sulla strada. «Sei in casa?» mi grida da sotto. Cinque, sei stelle solcano il cielo. Allungo una mano per afferrarne una.

RINGRAZIAMENTI

In primo luogo intendo ringraziare il mio agente, Peter Ginsberg, e Charles Conrad, il mio editor di Broadway Books. Uno speciale grazie a Dave Barbor, il mio agente per i diritti esteri, e a Douglas Stewart, entrambi della Curtis Brown Ltd. Lavorare insieme a William Shinker, Trigg Robinson, Cathy Spinelli, Roberto de Vicq de Cumptich, Pei Loi Koay, e l'intero staff di Broadway Books è stato un piacere. Molte grazie anche a Ann Hauk e a Jon Chick.

Tanti amici hanno avuto un ruolo importante, mentre scrivevo questo libro: Josephine Carson, Susan MacDonald e Cole Dalton, Ann e Walter Dellinger, Robin e John Heyeck, Kate Abbe, Rena Williams e Steve Harrison, Todd Alden, Toni Mirosevich e Shotsy Faust; la mia casa sarà sempre aperta per voi. Grazie alla mia famiglia e a quella di Ed: il *portone* di Bramasole si schiuderà sempre per accogliervi.

Sono stati gli abitanti di Cortona a donarmi questo libro: a me è rimasto il solo compito di scriverlo. Ringrazio perciò Donatella di Palme e Rupert Palmer, Giuseppina Paolelli, Serena Caressi, Giorgio Zappini, Giuseppe Agnolucci, Ricardo e Amy Bertocci, Nella Gawronska, la famiglia Molesini, Riccardo e Sylvia Baracchi, Giulio Nocentini, Antonio Giornelli, Lucio Ricci, Edo Perugini e i nostri meravigliosi vicini, la famiglia Cardinali: Placido, Fiorella e Chiara. Siamo stati fortunati a capitare tra di loro. La mia infinita gratitudine al sindaco, Ilio Pasqui, e al Consiglio comunale di Cortona per il conferimento della cittadinanza onoraria.

E ringrazio i redattori del «National Geographic Traveler», «Attaché», «San Francisco Magazine», «San Francisco Examiner», il catalogo «Land's End» e «Within Borders» per aver pubblicato parti di questo libro.

INDICE

Finito di stampare
nel mese di maggio 2001 presso il
Nuovo Istituto Italiano d'Arti Grafiche – Bergamo
Printed in Italy

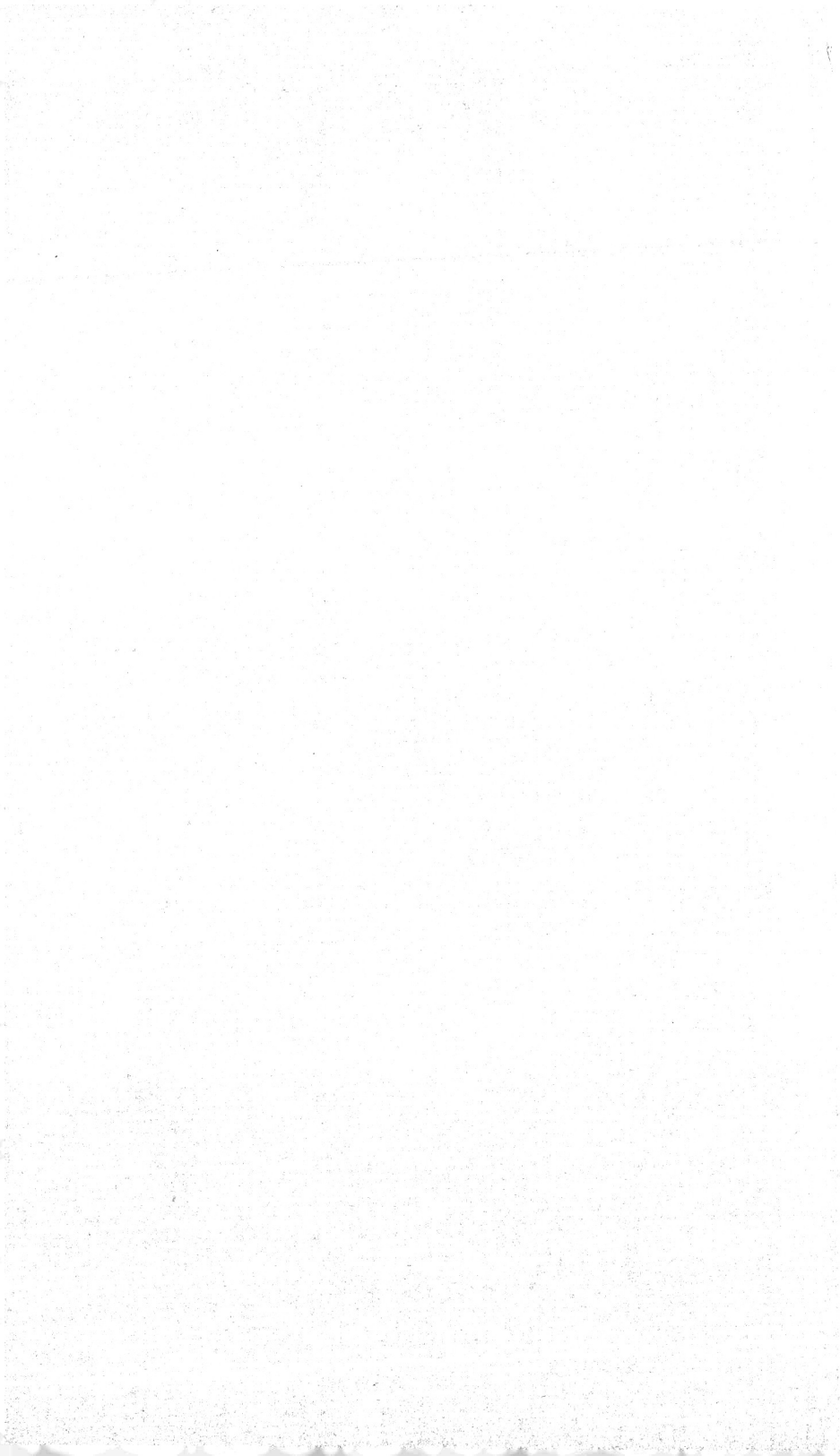